HISTOIRE ET MÉDIAS
Journalisme et journalistes français

HISTOIRE ET MÉDIAS

Journalisme et journalistes français 1950-1990

Sous la direction de
Marc Martin

Ouvrage publié avec le concours
du Centre national des Lettres.

Albin Michel

Ce livre est publié avec la contribution
de l'université de Paris-X-Nanterre
et du Conseil général des Hauts-de-Seine.

Ont participé à ce volume :

Pierre Albert, professeur à l'université de Paris-II. Directeur de l'Institut français de presse.

Pierre Barral, professeur à l'université Paul-Valéry de Montpellier.

Jérôme Bourdon, chercheur à l'Institut national de l'audiovisuel.

Nathalie Carré de Malberg, maître de conférences à l'université de Paris-X-Nanterre. Centre d'histoire de la France contemporaine.

Francis James, maître de conférences à l'université de Paris-X-Nanterre. Consultant à International TV Service.

Annie Kriegel, professeur à l'université de Paris-X-Nanterre.

Gérard Lange, Centre de recherche d'histoire quantitative de l'université de Caen.

Yves Lavoinne, professeur au Centre universitaire d'enseignement du journalisme, université Robert-Schuman de Strasbourg.

Marc Martin, maître de conférences à l'université de Paris-X-Nanterre. Centre d'histoire de la France contemporaine de Paris-X.

Cécile Méadel, chargée de recherche au Centre de sociologie de l'innovation de l'École des Mines à Paris.

Bernard Montergnole, maître de conférences à l'université des sciences sociales de Grenoble.

Rémy Rieffel, maître de conférences à l'université de Paris-II. Institut français de presse.

Jean-Pierre Rioux, directeur de recherche au CNRS. Institut d'histoire du temps présent.

Michel Truffet, maître de conférences à l'université de Paris-X-Nanterre. Département information-communication.

André-Jean Tudesq, professeur à l'université de Bordeaux-III. Directeur du Centre d'étude des médias de Bordeaux-III.

Isabelle Veyrat-Masson, chargée de recherche au CNRS. Programme de recherche sur les sciences de la communication.

Dominique Wolton, directeur de recherche au CNRS. Directeur du programme de recherche sur les sciences de la communication.

Avant-propos

Du 6 au 8 octobre 1988 s'est tenu, à l'université de Paris-X-Nanterre, le colloque qui est à l'origine de cette publication. Celui qui en a été l'initiateur et l'organisateur, comme le maître d'œuvre de cet ouvrage, Marc Martin, qui enseigne depuis 1970 à notre université, dira mieux que moi l'intérêt de notre recherche. Comme directeur du Centre d'histoire de la France contemporaine de Paris-X, depuis sa création en 1977, et donc co-organisateur, à ce titre, de cette réunion — avec le concours du Département d'information et communication de notre université —, je voudrais seulement souligner deux points susceptibles d'éclairer le lecteur sur l' « environnement » qui a présidé à cette réalisation.

En premier lieu, ces journées s'inscrivent dans le droit fil d'une des orientations de recherche définies, dès le départ, par notre Centre nanterrois : l'étude de la presse et des médias en général, puisque plusieurs d'entre nous, au sein de l'équipe d'enseignants-chercheurs qui avaient pris en charge le Centre, comme le DEA y afférant, avaient acquis, dans ce domaine, une qualification certaine. Outre Marc Martin, qui a dirigé dans notre Département d'histoire, depuis bien des années, un séminaire très recherché d'études de presse, notre Centre a bénéficié, au départ, de la présence à Nanterre (avant, hélas, une disparition précoce) de Philippe Machefer. Je tiens à lui rendre ici un hommage particulier dans la mesure où, avec quelques autres collègues non nanterrois (Kupferman en particulier, lui aussi trop tôt disparu), il a jadis organisé, sur notre campus, deux colloques traitant de *Presse et Politique*, malheureusement non publiés.

C'est pourquoi, — et c'est mon second point —, je tiens, avec Marc Martin et l'équipe organisatrice de ces journées, à remercier tous ceux qui, par leur aide financière, ont permis la publication de ces actes. L'université de Paris-X-Nanterre et son conseil scientifique, bien sûr, mais aussi les deux UFR (Unités de formation et de recherche) de SSA (sciences sociales et administration, Département d'histoire) et de LLPhi (littératures, langages, philosophie, filière information-communication, dont les étudiants ont enregistré et transcrit les débats et la table ronde) qui ont plus directement pris en charge l'organisation du colloque, puis la publication de ces actes. Nous avons aussi bénéficié de l'aide du Conseil général des Hauts-de-Seine, grâce à l'intervention efficace d'un de ses membres, mon ami M. Pin, qui siège depuis des années à mes côtés au Conseil d'administration de Paris-X, en qualité de personnalité extérieure ; une fois encore, il s'est fait l'artisan d'une collaboration université-collectivités locales, et je tiens à l'en remercier au nom de tous. Je n'aurai garde d'oublier tous ceux qui ont permis que le Centre national des Lettres nous accorde une aide dont j'espère que le lecteur estimera qu'elle est bien méritée, étant donné la qualité des contributions figurant dans ce volume. Aussi terminerai-je en remerciant les chercheurs et les professionnels qui ont bien voulu répondre à notre invitation — je songe, en particulier, aux participants à la passionnante table ronde qui a terminé le colloque, sous la bienveillante houlette de Jean-Noël Jeanneney, que nous avons été heureux de retrouver dans nos murs. Merci à tous.

Philippe VIGIER

Introduction

Journalistes et journalisme français d'hier à aujourd'hui

MARC MARTIN

L'histoire et la sociologie de la communication ont longtemps ignoré, dans notre pays, ceux qui écrivent dans les journaux, qui font l'information radiophonique ou télévisée, les journalistes. Dans la correction de ce défaut, les sociologues ont pris quelque avance sur les historiens[1]. Mais, si ce territoire n'est plus complètement déserté, il n'est encore guère fréquenté.

Ce retard de l'histoire de la presse et des moyens de communication de masse n'est pas fortuit. Bien sûr, les journalistes ne sont pas absents de ses travaux, mais ils n'apparaissent guère ou pas, en tant que groupe professionnel. Ils n'existent pas comme milieu professionnel, mais seulement comme une collection de destins individuels dont chacun n'est que le complément et presque l'ornement de l'histoire d'un titre : Camus décore *Combat* et *L'Express,* qui s'honore aussi de François Mauriac ; un siècle plus tôt, *La Presse* avait eu Girardin et *Le Siècle* Dutacq.

La méconnaissance de ce milieu professionnel, pourtant important et devenu cohérent depuis les débuts de la IIIᵉ République, s'explique par des raisons complexes[2]. La rareté des sources d'archives spécifiques — entre la fin de l'encadrement de la presse par des régimes autoritaires, dans les années 1870, et les premières utilisations de la documentation de la Commission de la carte des journalistes, dans les années 1960 — y est évidemment pour quelque chose[3]. Les exigences naturelles de la méthode historique, mais aussi les pesanteurs de la tradition positiviste, peu encline à chercher des sources de substitution, conduisaient, dans ces conditions, à privilégier l'approche du système d'information par l'étude du journal, dont on conserve les

11

collections, plutôt que par celle des hommes qui le faisaient. Mais cette explication n'est pas suffisante.

Il faut en ajouter deux autres qui tiennent à notre histoire — et sans doute n'épuisent-elles pas le problème. La première est politique : c'est l'intensité et la continuité des luttes idéologiques dans notre pays. Comme d'autres milieux professionnels (avocats, artistes, universitaires) les journalistes appartenaient à ces « intellectuels » qui ont joué un si grand rôle en France depuis l'affaire Dreyfus. Dans ces batailles, ils ont même eu un rôle de premier plan du fait qu'ils disposaient d'une tribune et qu'ils étaient liés, par une sociabilité en partie souterraine, à la classe politique, particulièrement aux divers courants républicains de la Belle Époque.

C'est précisément à l'importance particulière du rôle joué par les intellectuels dans notre histoire que se rattache leur refus de s'observer qu'a noté Régis Debray : « Il est plus facile de diffuser " les lumières " à l'entour si l'on reste soi-même dans l'ombre. En ce sens, c'est bien en s'effaçant comme sujet social rigoureusement structuré que l'intelligentsia peut le mieux exercer sa fonction politique [4]. » En particulier entre journalistes et historiens — parmi lesquels nombreux sont ceux qui ont tâté du journalisme, comme Aulard et Labrousse sous la IIIe République, mais cela s'est prolongé, comme le montre Jean-Pierre Rioux —, s'est établie une familiarité de voisinage néfaste au recul scientifique, qui a contribué à détourner l'histoire vers d'autres objets.

La seconde cause est à la fois historiographique et politique. L'histoire économique et sociale a pris à partir de la fin des années 1920 une place de premier plan en France. Elle s'y est développée parallèlement à un mouvement ouvrier caractérisé idéologiquement par l'emprise d'un marxisme très mécaniste, et politiquement par la présence d'un Parti communiste fort. Dans ces conditions, l'histoire sociale s'est orientée vers l'étude privilégiée des classes dont l'affrontement était considéré comme décidant du mouvement de l'histoire : bourgeoisie capitaliste, classe ouvrière, paysannerie aussi dans un pays resté longtemps largement rural. Au contraire ont été négligées les classes moyennes, les couches intermédiaires d'intellectuels.

L'ouverture de l'histoire sociale sur l'étude de milieux socioprofessionnels appartenant à ces catégories — enseignants, médecins, officiers, universitaires [5] —, l'émergence de l'histoire des mentalités, avec Philippe Ariès et Robert Mandrou, la voie nouvelle de l'étude des sociabilités tracée par Maurice Agulhon coïncident, vers la fin des années 1950, avec le début de la crise contemporaine du commu-

12

nisme et le recul de l'économisme marxiste. Révélatrice de ce changement de perspectives est l'œuvre de Michel Foucault qui a renouvelé le concept de pouvoir en mettant en évidence l'émiettement des lieux où il s'exerce et fait apparaître la part des mots dans ses fondements. L'épanouissement de l'histoire culturelle est indissociable de ce nouveau climat.

C'est dans ce mouvement qu'il faut replacer le travail collectif qui suit. Il s'efforce en effet de donner aux journalistes, dans l'histoire des moyens de communication de masse, la place qu'ils n'ont pas eue jusque-là et qu'ils méritent d'avoir. L'objectif qu'il se fixait orientait vers le choix d'une tranche chronologique très contemporaine. L'observation s'en trouvait en effet facilitée, grâce à l'existence d'une documentation plus abondante et plus précise, grâce à la possibilité de recourir à des entretiens et à des témoignages. En outre, cette période très contemporaine permettait de réunir et de confronter les travaux et les points de vue d'historiens avec ceux de sociologues et de littéraires.

Au cours des quarante dernières années qui ont été retenues comme cadre chronologique de ce recueil, beaucoup de bouleversements sont apparus dans les conditions d'exercice du métier de journaliste, dont la concurrence accentuée entre médias est l'un des principaux mais non le seul. La question de la fonction sociale du journalisme, donc de la légitimité des journalistes, celle de leur pouvoir dans l'entreprise et de leurs rapports avec les hommes politiques, se sont posées en des termes nouveaux qui méritent examen.

LES JOURNALISTES
ET LEUR ENVIRONNEMENT PROFESSIONNEL
AU COURS DES QUARANTE DERNIÈRES ANNÉES

D'abord la profession a considérablement élargi ses rangs. En 1955, 6 836 journalistes avaient la carte professionnelle ; en 1965 ils étaient 9 990 ; en 1975, 13 635 ; en 1985, 21 740. En 1988, la croissance s'est ralentie un peu puisqu'il y avait 22 227 titulaires de la carte[6]. Au total, un rythme d'augmentation des effectifs de la profession assez régulier, d'environ 50 % tous les dix ans. Cette évolution ne peut qu'avoir des conséquences majeures sur la profession. Une seule autre période a connu une croissance comparable, bien que les effectifs fussent alors beaucoup plus modestes : ce sont les trente premières années de la IIIe République. Mais une originalité d'aujourd'hui est la féminisation de la profession : la part des femmes y est passée de 14,3 % en 1960 à 17 % en 1970, 23,3 % en 1980, 30,39 % en 1988, soit un doublement en trente ans.

Une pareille mutation quantitative a eu des effets sur l'origine sociale des nouveaux professionnels. Bien que la féminisation ralentisse cette évolution, le recrutement s'est sensiblement démocratisé au cours de ces quarante ans. Là encore, le phénomène, même s'il touche des catégories sociales différentes, peut être rapproché de ce qui s'est produit entre la fin des années 1870 et 1900 où l'arrivée de gens, issus des « nouvelles couches », dans les rédactions a été l'un des facteurs principaux qui a contribué à attacher solidement la masse de la profession au régime républicain[7].

Il faut apprécier les nouveaux comportements professionnels qu'a observés Gérard Lange dans la presse de Caen avant mai 1968 et qu'il attribue à un phénomène de génération, en tenant compte de cette croissance des effectifs. Le changement de climat intellectuel dans les rédactions a été d'autant plus rapide et profond qu'on n'assistait pas à un simple remplacement de la génération ancienne qui avait été celle de la Libération. L'effondrement brutal du mouvement des sociétés de rédacteurs en 1975 doit aussi quelque chose à cette mutation massive. D'une façon générale, ce rajeunissement a contribué à la recomposition du paysage idéologique dans le journalisme français depuis une vingtaine d'années, avec tout ce que cela comporte de prolongements au plan politique, notamment une évolution vers la gauche parallèle à son rajeunissement. La déréglementation de l'audiovisuel pratiquée par la majorité socialiste après 1981 a-t-elle eu aussi pour objectif de favoriser ce mouvement ? L'ancien journaliste du *Monde* Thierry Pfister, qui était au cabinet de Pierre Mauroy à l'époque où elle a été décidée, le laisse entendre : « Le terrain du nouveau combat est, à l'évidence, celui de la communication. La gauche contemporaine est moins bien armée, en raison notamment de l'enracinement social des médiateurs. Une démocratisation reste à vivre, sur ce plan, et l'un des objectifs de la multiplication des structures locales de communication consiste à favoriser une telle évolution[8]. » Mais il ne faut pas confondre un facteur incitatif avec une cause profonde.

Ces transformations quantitatives et sociologiques de la profession se produisent sur fond de marasme de la presse écrite. D'un secteur à l'autre, la situation varie. La presse quotidienne a été particulièrement touchée. Le terme de crise ne rend peut-être pas exactement compte de ce qui apparaît plutôt, pour reprendre l'expression de Pierre Albert, comme une « maladie de langueur ». Parallèlement à la stagnation et au recul de sa diffusion — de 218 ‰ en 1952, la consommation des quotidiens français est passée à 185 ‰ en 1986 —, la presse quotidienne a vu son poids, dans l'ensemble de la profession, faiblir : de 50,3 % pour les années 1960-1966, la part des journalistes travaillant dans les quotidiens parisiens ou provinciaux est tombée à 36,1 % en 1983[9].

Au contraire, la place des journalistes de radio et de télévision s'est accrue de 9,3 % entre 1960-1966 à 13,3 % en 1983, notamment à cause de l'émergence du journalisme de télévision qu'étudie Jérôme Bourdon. L'évolution s'est poursuivie dans le même sens depuis, davantage du fait de la création de nouvelles radios locales publiques et de nouvelles chaînes de télévision privées que des radios locales privées qui n'ont guère développé de journalisme radiophonique.

Il reste que le journalisme demeure très majoritairement un journalisme de presse écrite, grâce surtout au dynamisme des hebdomadaires et périodiques, des presses techniques, professionnelles et des presses spécialisées nouvelles. Les journaux périodiques, qui employaient, entre 1960 et 1966, 31,5 % des professionnels, en occupaient 40,8 % en 1983. Ainsi s'explique que « le modèle professionnel et culturel (du journalisme) reste celui de la presse écrite[10] ». Il n'y a guère en effet de rédacteur, même dans l'audiovisuel, qui n'ait eu, au moins dans les débuts de sa carrière, une expérience de la presse écrite. On touche ici l'intérêt qu'il y a à d'aborder aussi l'étude des médias par le côté de la profession.

Les chiffres de distribution des journalistes entre médias méritent en réalité d'être nuancés. Ils sont établis en effet en fonction du lieu d'activité principal. Or, de plus en plus nombreux sont ceux qui travaillent à la fois dans la presse écrite et dans l'audiovisuel. L'apparition du journaliste multimédias remonte à l'avant-guerre, comme le montre André-Jean Tudesq. Ils n'étaient alors que quelques isolés ajoutant des chroniques radiophoniques à leurs activités dans la presse écrite. L'espèce s'est véritablement développée après la guerre : affaire d'abord de jeunes gens, car s'en aller à la radio était une aventure, aventure plus audacieuse encore de tenter sa chance à la télévision. A la fin des années 50, tout change avec l'essor de son audience : la télévision attire désormais des vedettes du journalisme comme Pierre Lazareff.

Ainsi se constitue ce nouveau journalisme multimédias, multiforme parce qu'il associe tantôt simultanément, tantôt successivement dans une carrière, des activités dans deux ou trois médias. Multiforme aussi parce qu'il ne comprend pas que les présentateurs et chroniqueurs célèbres, mais bien plus de pigistes anonymes. La presse écrite reste, en dépit de tout, au centre de nombre des stratégies de diversification de la carrière. La télévision apporte la notoriété. La radio peut commencer de construire celle des jeunes. Mais c'est d'abord la presse écrite qui assure cette légitimité interne qui fait entrer dans l'élite des journalistes, surtout quand elle est associée avec la radio, remarque André-Jean Tudesq [11]. De plus elle offre plus de sécurité et des bases de repli aux vedettes dans les moments difficiles de leur carrière.

Le journalisme multimédias ne fabrique donc pas seulement quelques célébrités. Il comporte aussi une fonction de régulation de la profession, d'atténuation des effets des conflits entre journalistes et patrons de médias, notamment les présidents ou directeurs des chaînes de radio et de télévision, qui rappelle, toutes proportions gardées, la complémentarité qui existait entre la presse politique et ce que l'on appelait alors « la petite presse » à l'époque du Second Empire [12]. L'ensemble des médias constitue bien un système.

La radio, média récent, et la télévision qui sortait à peine de l'enfance ont évidemment été des lieux d'élaboration de nouvelles pratiques journalistiques. Nathalie Carré de Malberg, Michel Despratx et Dominique Frichot en ont observé deux à la radio. Le reportage sur le terrain, qui a pris une place très grande à Paris-Inter en 1955. Europe n° 1 avait déjà précédé la radio publique. Les progrès de cette pratique, rendue possible par un nouveau matériel : le magnétophone portatif, ont été accélérés par cette compétion. Dix ans auparavant, la radiodiffusion française avait inauguré les débats entre journalistes qui firent le succès de « La Tribune des journalistes parlementaires ». Le genre est parvenu jusqu'à nous. Mais pour que des débats contradictoires opposent des hommes politiques, il a fallu attendre la télévision dont l'effet de dramatisation est moindre. Il est bien vrai que le journalisme, c'est aussi le média dont chacun détermine des genres et des pratiques spécifiques.

L'enquête de terrain, le reportage d'actualité sont devenus un genre privilégié du journalisme de télévision à partir du lancement de « Cinq colonnes à la une » en 1959 [13]. Ce magazine, qui a été l'une des émissions les plus populaires de la télévision française, reposait sur un « journalisme d'enquête », qui envoyait ses équipes partout dans le monde où éclatait une crise. Il était tributaire de l'événement. Un autre magazine, celui d'Harris et Sédouy, apparu en 1966 sur la

2ᵉ chaîne, a « changé le jeu ». L'intérêt des journalistes se porte désormais « sur le niveau latent de l'actualité entendu comme un état aux mouvements plus souterrains, s'étalant sur une plus longue durée et préparant la crise » (Francis James).

L'apparition de ce « journalisme d'examen » a bouleversé le magazine d'actualités et a influencé toute la présentation de l'actualité à la télévision. Désormais, l'analyse l'emporte sur la simple observation, l'émission de plateau sur l'enquête de terrain. Une problématique de la lecture du réel se substitue au regard naïf. Pour n'être plus positiviste, cette attitude est-elle plus neutre ? Il faudrait connaître les principes sur lesquels se fonde ce découpage thématique et cette interprétation sous-jacente du monde.

Par contre, l'on voit déjà certaines des causes et certains effets de cette évolution. Parmi les causes, la masse de plus en plus grande d'informations, qui exige leur hiérarchisation. Ce mouvement est parallèle à l'élévation du niveau de formation des jeunes journalistes, de plus en plus fréquemment issus d'écoles spécialisées — CFJ, école de Lille, Centre de Strasbourg, ou de l'Université, comme le souligne Bernard Voyenne : le milieu professionnel est mieux préparé à une pratique plus intellectualisée du métier. Au nombre des effets, il y a l'appel à des spécialistes. Jean-Pierre Rioux étudie leur rencontre avec les journalistes dans le domaine de l'histoire. Le recours aux spécialistes, chargés d'apporter une explication approfondie, fournit la caution de la compétence à l'ensemble du discours médiatique à un moment où celui-ci est à la recherche d'une nouvelle légitimité.

LES JOURNALISTES A LA RECHERCHE D'UNE LÉGITIMITÉ ?

On aurait volontiers tendance à mesurer l'estime portée à la profession du journalisme à la popularité de quelques présentateurs du journal télévisé. Or, deux sondages, réalisés, l'un en octobre 1987, l'autre en octobre 1988, révèlent que le public a de la profession une image plus nuancée, incertaine et fluctuante aussi et, à certains égards, très critique[14]. Leurs résultats peuvent être également comparés avec ceux d'un sondage de 1975, dont certaines questions étaient identiques. Je me bornerai à deux séries de remarques.

Ce que le sondage nomme « la crédibilité » des différents journalismes mesure la confiance du public dans les récits qu'on lui propose. Les chiffres de 1975 et de 1988 ne comportent pas de

17

grandes différences, mais ceux de 1987 manifestent une crise de confiance dans les médias et dans leurs journalistes. Près d'un spectateur de la télévision sur deux, plus d'un lecteur sur deux de la presse écrite manifestent de la méfiance, au moins de la réserve à l'égard des témoignages des journalistes. Ils sont trop souvent acteurs, comme l'observe Pierre Barral, pour que leur image ne s'en ressente pas.

Plus sévère encore est l'appréciation portée sur l'indépendance des journalistes à l'égard des partis politiques, du pouvoir ou de l'argent. Ceux qui les pensaient indépendants étaient 43 % en 1975 ; ils n'étaient plus que 26 % en 1987, 27 % en 1988. 48 % les jugeaient influencés en 1975 ; ils sont passés à 63 % en 1987 et 59 % en 1988. Sur ce point essentiel, eu égard aux objectifs qu'elle affirme et à la manière dont elle définit ses fonctions, la profession, dans son ensemble, ne bénéficie pas d'une bonne image et celle-ci continue à se dégrader.

Cette mise en question est à rapprocher d'un certain nombre d'évolutions récentes. Un changement de première importance est cette délégitimation de la presse qu'analyse Dominique Wolton. Depuis la Révolution, journaux et journalistes ont tenu une grande part de leur légitimité de ce qu'ils représentaient ou paraissaient représenter l'opinion publique et ambitionnaient de la guider. Cette forme de légitimation a été fondée dès la réunion des États Généraux, lorsque Mirabeau, lançant sa *Lettre du comte de Mirabeau à ses commettants*, a uni la fonction de représentativité du député avec celle de la presse. Elle a été d'autant plus fondamentale dans notre pays que le rôle politique de la presse y a pris, depuis 1789, le pas sur la fonction économique, beaucoup plus développée dans les pays anglo-saxons.

L'intention de garantir cette mission de représentation de la presse a présidé au vote de la loi de 1881. Depuis, la profession n'a cessé de s'en prévaloir, notamment pour justifier l'aide que la presse reçoit de l'État. L'ordonnance du 22 juin 1944, qui précisait les conditions d'autorisation des publications à la Libération, prévoyait qu'à côté des journaux clandestins et de ceux qui s'étaient sabordés durant l'occupation, pourraient être autorisés des titres nouveaux, représentatifs d'un courant d'opinion. La même logique de la représentation de l'opinion sous-tendait l'action des sociétés de rédacteurs créées dans les années 60 pour sauvegarder cet héritage et empêcher que l'emporte dans la presse la règle de l'efficacité économique.

La généralisation de la pratique et de la publication des sondages constitue donc un véritable séisme. Il est vrai que celui-ci n'affecte, en raison de l'organisation de notre audiovisuel en service public jusqu'à une date récente, que la presse écrite, encore que les chroniqueurs radiophoniques puissent se prévaloir d'exprimer une facette de l'opinion. Mais la légitimité que recevait la presse écrite d'exprimer celle-ci rejaillissait sur la profession entière. Le journalisme est de ce point de vue aujourd'hui déligitimé, la démonstration de Dominique Wolton est convaincante. Il lui faut chercher une autre justification.

Une autre évolution récente affecte le journalisme : l'importance grandissante de l'information en provenance des institutions publiques, ministères, administrations, et de celles de la société civile, partis politiques, entreprises. Le journalisme français a toujours eu une prédilection pour le travail de cabinet. Il a fallu attendre la fin du XIXe siècle pour qu'il se tourne, à l'imitation des Américains, vers l'interview et l'enquête. Mais l'enquête à la française garde souvent de bonnes manières. Autrefois les salons où « Bel Ami » rencontrait députés et sénateurs, aujourd'hui les dîners en compagnie d'un membre de cabinet ministériel, ont été ou sont des sources privilégiées d'information.

Pour expliquer le grossissement depuis vingt ans de cette information institutionnelle, il y a d'abord l'apparition et le développement des services de relations publiques que décrit Pierre-Antoine Mariano pour l'information économique. Mais le phénomène est général : chaque ministère ou branche de l'administration, toute entreprise de dimension nationale a le sien, le constructeur d'automobiles comme la société de distribution de films. Les journalistes sont donc abreuvés d'une masse de documents préparés à leur intention et qu'il est bien tentant d'utiliser [15]. Le passage des journalistes aux consoles, en accentuant le côté administratif de leur travail, peut accroître ce risque.

Mais cette progression est aussi le résultat d'un changement de rôle du journaliste que repère Yves Lavoinne. D'informateur pour qui prime le fait et sa relation, il devient de plus en plus communicateur pour qui l'objectif est de mettre les nouvelles dans une forme accessible et attirante. La transformation tient « à une raison structurelle : le déclin du modèle de la presse d'opinion » (Yves Lavoinne). Il semble donc qu'il existe une correspondance entre la perte par la presse de sa légitimation par la représentation de l'opinion et ce glissement vers un journalisme de communication.

L'entrée dans l'âge de la communication se marque notamment à la radio comme à la télévision par la promotion du présentateur-vedette qui règle le journal comme un jeu de scène dont la fin principale est l'efficacité didactique. A RTL, où Cécile Méadel a étudié la fabrication du journal parlé, « le présentateur devient un représentant dans le studio de l'auditeur », préoccupé donc tout autant de la bonne réception que du contenu des nouvelles.

Dans la presse écrite, la manifestation visible des progrès d'une logique de la communication sont ces titres ludiques, cette « rhétorique de la désinvolture », dit Michel Truffet. Elle s'est imposée depuis quinze ans, sous l'influence surtout de *Libération*. Il n'y a plus de secteur de la presse qui en soit indemne, la presse quotidienne a été entièrement conquise. Preuve qu'il ne s'agit pas seulement d'une mode, mais d'un changement profond d'attitude à l'égard de l'actualité et du monde, fait d'un mélange de distanciation sceptique et de complicités tacites que recouvre le titre ludique. La malice de l'histoire est que les anciens champions de la lutte contre la société de consommation ont trouvé dans la publicité un modèle pour ces nouvelles pratiques journalistiques.

Face au « journalisme saisi par la communication » un « journalisme d'investigation » apporté jusqu'à nos rédactions par les vents d'ouest a réussi quelques beaux coups depuis dix ans. Mais tout compte fait, ils sont aussi rares que les diamants. Quelques titres seulement de la presse écrite, où se détachent *Le Monde, Libération* et *Le Canard enchaîné* pratiquent ce journalisme-là. Dans la presse provinciale, si l'on excepte un modeste quotidien de la Manche qui s'est taillé une célébrité sur quelques affaires, semble régner, à l'égard de curiosités de plus ou moins bon aloi, la réserve que Bernard Montergnole décèle au *Dauphiné libéré*.

Par contre, chercheurs et professionnels qui ont participé à cette confrontation sont d'accord : le journalisme de reportage est en recul. Nathalie Carré de Malberg et Michel Despratx l'ont observé à la radio de service public. A RTL, Cécile Méadel constate la prépondérance massive du travail en studio, tandis que la part du reporter est très inférieure à celle des dépêches d'agences. Yves Lavoinne, précisant sur ce point les travaux d'Eliseo Veron[16], souligne la dépendance dans laquelle est tombée désormais le reporter de l'audiovisuel à l'égard du présentateur, ce qui le conduit à être un « porte-micro » passif ou, ajouterons-nous, à se livrer, pour reconquérir une existence, à ce journalisme subjectif d'humeur qui a envahi nos médias. Dans la presse écrite, le tableau est moins noir, plus nuancé. Il n'empêche que ce qui manque le plus à la presse quotidienne française, c'est bien l'information originale, celle que procurent les journalistes de terrain (Pierre Albert).

Du côté des professionnels, Bernard Lauzanne montre ce que perdent les grands titres de la presse française à ne pouvoir entretenir, à quelques exceptions près, de correspondants à l'étranger. Le renoncement à conserver des correspondants régionaux en France même prive certains des grands quotidiens parisiens (qui en avaient autrefois) d'une information originale, l'envoyé spécial n'ayant pas la même connaissance du terrain. Jean-Pierre Farkas se plaint « de ne plus entendre de sons à la radio » et Hervé Brusini déplore le remplacement des images originales de reportage, à la télévision, par des images achetées ou échangées.

Ce déclin est généralement attribué à des raisons financières. Le journalisme de terrain coûte cher, particulièrement dans l'audiovisuel public où les normes de définition des tâches entraînent des équipes nombreuses. Mais on est aussi conduit à se demander si le renoncement au journalisme d'enquête, ou son cantonnement dans des limites étroites, ne sont pas d'autant plus faciles que la plupart des directions de rédactions se placent désormais dans une stratégie de journalisme de communication. Ceci est particulièrement vrai pour l'audiovisuel, aussi y aurait-il là un champ à occuper, une chance à saisir pour la presse écrite.

LES JOURNALISTES ET LE POUVOIR

L'indépendance des journalistes est une question centrale dans les démocraties libérales. Il n'est donc pas surprenant qu'elle inquiète le public comme le manifestent les sondages que j'évoquais. Depuis le début des années 60, elle s'est principalement posée sous deux formes. Celle du pouvoir dans l'entreprise de presse est devenue aiguë entre 1965 et 1975, soulevée par les journalistes eux-mêmes. Quant au problème du rapport entre journalistes et personnel politique, il est en toile de fond de toute la période.

Depuis les débuts de la IIIe République et la loi du 29 juillet 1881 qui libérait les journaux et les journalistes de la tutelle du pouvoir politique, c'est à l'intérieur de l'entreprise que se situent exclusivement les principes d'autorité dont dépend le rédacteur. Durant plus d'un tiers de siècle, cette situation n'a engendré aucune fracture entre les dirigeants des entreprises de presse et leurs subordonnés. La constitution d'un puissant réseau d'associations de la presse où cohabitaient patrons et journalistes salariés assurait la cohésion de ce milieu assez étroit, y compris en arbitrant les conflits individuels. Le jeune régime républicain avait encouragé la naissance de ces cadres de sociabilité qui, tout en restant fondés sur l'adhésion volontaire, devaient jouer le même rôle que l'ordre des avocats[17].

C'est la Grande Guerre qui a fissuré l'édifice. A partir de là, un antagonisme global a opposé journalistes et patrons de presse. La création du Syndicat des journalistes (ancêtre de l'actuel Syndicat national des journalistes), en novembre 1918, la première organisation professionnelle à refuser d'admettre les directeurs de journaux et les rédacteurs en chef, en est le signe. La paupérisation des journalistes, due aux conséquences de la guerre, l'exemple du syndicalisme ouvrier, les progrès du socialisme, la séparation de plus en plus complète entre les activités du journalisme et celles de la gestion expliquent ces nouvelles conditions. La loi du 29 mars 1935, qui a créé la carte de journaliste, en instituant des organismes paritaires patrons de presse-rédacteurs, a reconnu cette dualité de la profession.

A cet égard, la réorganisation de la presse à la Libération a entraîné un retour à un état antérieur. Elle a en effet fait disparaître en grande partie l'ancien patronat de presse. En permettant de créer des journaux sans capitaux, elle a assuré la promotion, à la tête des nouveaux titres, d'une pléiade de journalistes. Ainsi se sont trouvées rétablies, au moins pour un temps, les proximités et les complicités d'autrefois.

C'est à ce double héritage, de la Libération, et par-delà celui-ci, du journalisme associatif de la Belle Époque, qu'il faut rattacher l'épisode récent des sociétés de rédacteurs, fondées essentiellement, dans la presse écrite, entre 1965 et 1975. Leur objectif, qui d'ailleurs ne fut atteint nulle part sauf au *Monde,* était en effet de maintenir cette liaison étroite entre l'orientation de la gestion et la rédaction, par le biais d'une participation au capital qui assurait à celle-ci un droit de veto sur les décisions capitales. La liberté de la rédaction devait être la conséquence de cette solidarité conservée. Les sociétés de rédacteurs récentes, apparues surtout dans l'audiovisuel depuis 1981, sont plus préoccupées de défendre la place des journalistes face aux autres éléments du personnel, de garantir chacun contre l'arbitraire de la direction que d'établir avec elle un compromis sur l'orientation à donner à l'entreprise.

Depuis 1975, cette revendication d'un pouvoir des journalistes sur la ligne du journal s'est effacée. L'individualisme ambiant a fait éclater cette aspiration collective. Désormais, la liberté du journaliste est affaire de rapports individuels avec le directeur ou le rédacteur en chef : Annie Kriegel décrit cette situation, à partir de son expérience personnelle au *Figaro*. Le problème des relations avec le pouvoir politique occupe à nouveau sans partage le devant de la scène.

Dans la période qui correspond à la Ve République, il convient sur ce point de distinguer le journalisme de la presse écrite et le journalisme audiovisuel. En effet, le monopole, jusqu'à la loi du 29 juillet 1982 et à l'apparition des radios et des télévisions privées, a toujours permis, en dépit de l'évolution du cadre législatif de 1959 à 1974, une intervention de l'exécutif pour orienter l'information dans un sens qui lui était favorable, comme en a encore témoigné le changement des directions de toutes les sociétés de programmes publiques après le succès de François Mitterrand et des socialistes en mai et juin 1981. Dans ce secteur, les journalistes ont donc été longtemps dans une situation de dépendance à l'égard du pouvoir politique qu'a manifestée avec éclat la charrette de licenciements de juillet 1968, mais dont les « mises au placard », peu visibles du public, étaient le symptôme habituel.

La mise sous influence du journalisme audiovisuel à l'époque de De Gaulle est un fait connu [18]. Ce fut même un thème de polémique politique avant d'être un objet d'études, ce qui a contribué à masquer certains aspects du problème. Première correction de perspective à apporter : la politique menée à la RTF par le gouvernement du général de Gaulle à partir de juin 1958, puis par celui de Michel Debré, n'a fait que poursuivre des pratiques de la IVe République. Les pressions des ministres ou de leurs cabinets à propos du journal parlé étaient alors monnaie courante. Pour Vital Gayman, le responsable de l'information à la RDF puis RTF depuis 1946, la radio (c'était elle qui comptait alors) devait être au service du gouvernement dans tous les moments et sur tous les sujets difficiles. La Ve République changea, certes, les bénéficiaires et l'orientation du système : Vital Gayman fut éliminé dès juillet 1958. Le système devint aussi plus rigide, car les crises ministérielles n'introduisaient plus des moments de répit dans la surveillance, favorables à la liberté des journalistes. Avec l'essor de la télévision enfin, il se fit plus envahissant et ses excès plus visibles.

Une seconde précision sur la manière dont fonctionnait l'emprise du pouvoir politique sur le journalisme audiovisuel, à la télévision notamment, est apporté par l'enquête de Rémy Rieffel. Ce contrôle était grandement facilité par l'autocensure. La « mise au placard » n'était qu'une partie du mécanisme. Aux témoignages qu'a rassemblés Rémy Rieffel, ajoutons celui de Jean Rabaut, qui exerçait à la radio : « Un mot (...) mieux que tout autre définissait l'atmosphère des salles de rédaction dans les débuts de la Vᵉ République, c'est le mot d'autocensure. » A l'origine, le système reposait donc sur le même consensus des professionnels qu'avant 1958 et ce n'est que progressivement que les interventions autoritaires l'ont emporté. La politique d'Alain Peyrefitte, ministre de l'Information en 1964, qui s'efforça de remplacer les consignes par des appréciations critiques du journal télévisé, avait l'autocensure comme ressort[19]. A bien des égards, l'expérience de libéralisation sur la première chaîne conduite par Pierre Desgraupes de 1969 à 1972, à l'initiative de Jacques Chaban-Delmas, qu'étudie Isabelle Veyrat-Masson, était aussi une tentative de retrouver un *modus vivendi* entre journalistes et dirigeants politiques dans l'audiovisuel.

La connaissance de l'institution n'épuise pas la question des rapports entre journalistes et classe politique, même quand il s'agit de l'audiovisuel régi par le monopole. A plus forte raison pour la presse écrite. Rémy Rieffel montre l'importance des rapports personnels entre l'élite des journalistes et la classe politique. Un côtoiement fréquent, une parenté de références socioculturelles — les uns et les autres sont souvent passés par Sciences-Po, des échanges de service, le besoin qu'ils ont les uns des autres, fondent une connivence qui peut être redoutable pour l'indépendance des journalistes. Car ceux-ci ont besoin d'informations originales, et c'est le pouvoir qui bien souvent les détient. Si l'on ajoute à cette situation la tradition ancienne du journalisme intitutionnel dans notre pays et l'évolution récente vers un journalisme de communication, le risque est réel d'une mise en tutelle douce de la profession par la partie de la classe politique qui exerce le pouvoir.

Mais à cette « logique de la représentation » qui tend à réduire le journalisme à une fonction de porte-parole, s'oppose toujours une logique de l'événement. L'irruption de l'événement rend au journaliste sa pleine autonomie en face des politiques. L'événement caché et révélé par lui — le Watergate ou l'affaire *Greenpeace* — mais aussi l'événement inattendu, imprévisible, que les médias modernes, la radio surtout, lui permettent de faire connaître au public avant même que les politiques aient réagi et même apprécié la situation nouvelle ainsi créée. Le terme du rapport est alors inversé, l'avantage est au journaliste, que le public prend pour boussole. C'est ce qui se passe dans les périodes de crise, on l'a vu en mai 1968, à un moindre degré avec les manifestations étudiantes de décembre 1986.

Le journaliste est alors plus qu'un informateur, il est un guide d'opinion, il peut même accélérer l'action, mobiliser des milliers de gens. Il peut tenir le rôle d'une avant-garde. Il n'est pas surprenant que, dans une période de mise en cause des partis et des appareils politiques, l'une des tentations du journalisme soit de récupérer cette fonction de guide. Jean-Francis Held exprime fort bien cette tendance quand il assigne au journal le rôle de dire clairement à ses lecteurs ce que ceux-ci ressentent confusément. Peut-être cette ambition est-elle encore un phénomène de génération, car au début des années 60 une enquête auprès des futurs journalistes révélait qu'ils aspiraient à « servir l'idéal démocratique [...] à éduquer, à guider, à former les masses, à être un grand facteur de progrès dans le monde[20] ». En septembre et octobre 1984, l'affaire Abouchar, le reporter d'Antenne 2 arrêté en Afghanistan et condamné pour espionnage, a mobilisé la quasi-totalité de la profession pour défendre le journalisme « en tant que condition indispensable de la démocratie[21] ».

Cette conception du journaliste nouveau missionnaire et substitut du militant politique, n'est-elle pas celle, au fond, qui sous-tend et justifie le « journalisme d'humeur » si vigoureux depuis quinze ans ? Qu'il s'applique aux faits de société plus volontiers qu'au domaine politique ne signifie pas que ses objectifs se distinguent beaucoup de ceux du journalisme d'opinion d'autrefois, mais plutôt qu'il voit autrement le moyen de conduire, ou du moins de favoriser les changements sociaux.

Pour le chercheur, comme pour le journaliste, changer d'angle pour aborder une question découvre de nouveaux aspects. Prendre celui du journalisme pour étudier les médias permet d'embrasser l'ensemble du système d'information et de communication. La profession et ses pratiques ont été affectées de tels changements au cours des quarante dernières années que l'on peut parler de bouleversement. Ce qui frappe le plus les professionnels — la saisie directe des textes par l'auteur dans la presse écrite — n'est pas le plus significatif. Avec l'essor de la télévision, l'ensemble des médias s'est organisé selon un dispositif nouveau : la fin du monopole sur l'audiovisuel est le signe de cet avènement. Dans cette nouvelle configuration, la télévision a un rôle d'entraînement des pratiques professionnelles, tandis que la presse écrite, qui continue d'occuper près des trois quarts des journalistes, reste au cœur du métier et le point tournant de la plupart des carrières. Or, elle ne peut plus s'investir comme autrefois de la fonction de représenter l'opinion. C'est donc une profession tout entière qui doit se chercher une autre légitimation. Nouveauté capitale enfin, l'accroissement numérique de la profession dont les rangs ont plus que triplé depuis 1955 tandis que la féminisation y amenait près d'un tiers de femmes.

Depuis les débuts de la IIIe République, le journalisme français n'avait connu aussi profonde transformation. Il n'est pas surprenant qu'il paraisse à la recherche de nouveaux chemins. Un journalisme de communication, triomphant à la radio et surtout à la télévision, a gagné la presse écrite. A la revendication d'un pouvoir collectif sur les orientations de la rédaction a succédé celle du libre arbitre du journaliste, enrobée dans le droit au secret de ses sources. Dans ses rapports avec la classe politique et les décideurs, la profession hésite entre la fonction médiatrice et la pratique des enquêtes dérangeantes. Cette période de nouveautés est aussi une période d'incertitudes.

1. Je citerai seulement l'ouvrage de Rémy Rieffel, *L'Élite des journalistes*, PUF, 1984, 220 p.

2. Je renvoie à quelques articles que j'ai consacrés à ce sujet : « " La grande famille " : l'Association des journalistes parisiens (1885-1939) », *Revue historique*, janv.-mars 1986, pp. 129-157 ; « Les journalistes, retraités de la République (1880-1930) », *Bulletin du Centre d'histoire de la France contemporaine*, n° 7, 1986, pp. 175-196, et : « Les Journalistes : un nouveau milieu professionnel » à paraître dans les Actes du colloque Jaurès des 8 et 9 janvier 1988.

3. La première *Enquête statistique et sociologique des journalistes professionnels* à partir des documents de la Commission de la carte professionnelle des journalistes a été publiée en 1967. Elle utilisait des chiffres des années 1955-1966.

4. Régis Debray, *Le Pouvoir intellectuel en France*, Ramsay, 1979.

5. Cf. Paul Gerbod, *La Condition universitaire en France au XIXe siècle*, Brive, 1965 ; Jacques Léonard, *Les Médecins de l'Ouest au XIXe siècle*, Lille, 1978, 3 vol. ; William Sernam, *Les Officiers français dans la Nation (1848-1914)*, Aubier, 1982, 281 p. ; et récemment, Christophe Charle, *Les Élites de la République, 1880-1900*, Fayard, 1987, 556 p.

6. Outre l'enquête de 1967, le CEREQ a publié en 1974 une brochure, *Les Journalistes, étude statistique et sociologique de la profession*. Les principaux résultats d'une enquête menée par la Commission de la carte ont été donnés dans *Presse-Actualité* de nov. 1974. La revue *Médiaspouvoirs* de janv.-mars 1989 a consacré un dossier au journalisme. On peut aussi se reporter au livre de Bernard Voyenne, *Les Journalistes français*, CFPJ-Retz, 1985, 285 p.

7. Cf. Actes du colloque Jaurès, cités en note 2.

8. Thierry Pfister, *La Vie quotidienne à Matignon au temps de l'union de la Gauche*, Hachette, 1985, p. 214.

9. Cf. *Enquête statistique et sociologique...*, *op. cit.*, et *Presse-Actualité*, nov. 1984, pp. 19-33, notamment p. 29, article de Bruno Voisin et Delphine Pinel.

10. Dominique Wolton, « Le Journalisme victime de son succès », *Médiaspouvoirs*, janv.-mars 1989, p. 54.

11. Sur les problèmes de la légitimation au sein de la profession, voir Rémy Rieffel, *op. cit.*

12. Cf. Marc Martin, « Journalistes parisiens et notoriété (vers 1830-1870). Pour une histoire sociale du journalisme », *Revue historique*, juil.-sept. 1981, pp. 31-74.

13. Sur le reportage télévisé, Hervé Brusini et Francis James, *Voir la vérité*, PUF, 1982, 194 p. ; et Jean-Noël Jeanneney et Monique Sauvage, *Télévison, nouvelle mémoire*, INA-Seuil, 1982, 255 p.

14. Les deux sondages ont été réalisés par la SOFRES pour *La Croix*, *L'Événement* et *Médiaspouvoirs*, et ont été commentés, le premier par Jérôme Jaffré et Jean-Louis Missika dans, *Médiaspouvoirs*, janv.-mars 1988, pp. 5-15, le second par Jean-Louis Missika dans *Médiaspouvoirs*, janv.-mars 1989, pp. 39-50.

15. Sur l'influence de l'information élaborée par les services de relations publiques des producteurs et des distributeurs de films sur la critique cinématographique, voir Anne-Marie Laulan, *Cinéma, presse et public*, Retz, 1978, 205 p.

16. Eliseo Veron, *Construire l'événement*, éd. de Minuit, 1981, 177 p.

17. *Le Temps*, 13 février 1885, article de Jules Claretie.

18. Cf. Sylvie Blum, *La Télévision ordinaire du pouvoir*, PUF, 1982, 184 p.

19. Alain Peyrefitte, *Le Mal français*, Plon, 1976, 524 p., p. 70.

20. *Feuillets du CFJ*, n° 24, avr. 1965, enquête citée de Béatrice Mirbeau-Cleirens auprès de candidats et élèves au CFJ.

21. Jacques Amalric, dans *Le Monde*, 25 oct. 1984.

Première partie

PRATIQUES DU JOURNALISME DANS LA PRESSE ÉCRITE

Pratiques du journalisme
et crise de la presse quotidienne

PIERRE ALBERT

> « Les journaux d'opinion sont ceux qui n'ont pas de
> rubrique, faute de spécialistes, et qui n'ont pas d'infor-
> mations, faute de reporters. Ils se cantonnent donc dans
> les idées, faute de mieux. »
>
> Robert de Jouvenel,
> *in Le Journalisme en vingt leçons,* 1920, p. 64.

LE MARASME DU MARCHÉ DES QUOTIDIENS

Quelques données

Le marché français de la presse quotidienne est déprimé depuis la
Grande Guerre. En 1914 avec 244 exemplaires de quotidiens pour
1 000 habitants, la France était le premier consommateur de journaux
en Europe (160 ‰ en Grande-Bretagne, 255 ‰ aux États-Unis). En
1939, malgré une légère croissance : 262 ‰, le recul était déjà évident
par rapport à la plupart des pays industrialisés (360 ‰ en Grande-
Bretagne, 320 aux États-Unis) ; l'essentiel de la progression fut assuré
par les quotidiens de province au détriment de ceux de Paris et, en
1939, les premiers équilibraient par leur masse les seconds.

Après une expansion artificielle jusqu'à l'été 1946 (370 ‰ due pour
beaucoup au très faible coût et à la pagination réduite des journaux,
la production s'effondra (218 ‰ en 1952) puis remonta lentement
jusqu'en 1972 (221 ‰) et, depuis cette date, la baisse est régulière :
185 ‰ en 1986. Elle est surtout sensible pour les quotidiens parisiens
dont la part du marché est passée de 39,4 % en 1946 à 28,3 % en

1986. Cette érosion est en réalité encore plus forte car le pourcentage des invendus est considérable : en 1985, il s'élevait à quelque 25 % pour les quotidiens nationaux et à 12 % pour les provinciaux.

La dépression du marché français est d'autant plus évidente que la consommation de quotidiens n'a cessé de croître et croît encore en RFA et dans les pays scandinaves. Si la consommation a aussi baissé en Angleterre (523 ‰ en 1957, 392 ‰ en 1986) et aux États-Unis (339 ‰ en 1955, 268 ‰ en 1986), cette perte de diffusion est en grande partie compensée outre-Atlantique par l'accroissement de la pagination et s'explique en Angleterre par l'abandon de l'achat d'un second journal de complément.

Certes, on lit encore plus de journaux chez nous qu'en Italie ou en Espagne (100 à 110 ‰), autres pays latins et de tradition catholique, mais notre rang est indigne d'un pays de haute culture et de haut niveau de vie.

Les causes politiques et économiques

Cette situation préoccupante est encore mal expliquée. Les diagnostics n'ont jusqu'ici suggéré aucune thérapeutique efficace pour mettre un terme à cette inquiétante hémorragie de lecteurs. Cette maladie de langueur n'est pas nouvelle : les chiffres montrent qu'elle remonte à la Grande Guerre et les indices se retrouvent dans tous les domaines — politiques, économiques, culturels — convergents.

La perte de confiance des lecteurs-citoyens dans leurs journaux est le contrecoup du bourrage de crânes et a été aggravée par la propagande des années noires. Le climat politique de la France depuis 1914 est marqué par les déceptions successives des espérances de la Victoire et de la Libération, et par la vaine recherche d'une stabilité politique dans l'entre-deux-guerres et depuis 1945. Le quatrième pouvoir n'est prospère que dans les pays où l'équilibre des trois autres est l'objet d'un consensus : c'est le cas des pays où la presse continue à se bien porter, et, tout compte fait, c'était aussi le cas de la France avant 1914. Un pays où les citoyens vivent en guerre civile idéologique place ses journaux au premier rang du débat politique, ce qui nuit à la fois à leur indépendance et à leur prospérité : si la France est la championne du monde des lois sur les médias, c'est justement parce qu'ils n'ont pas acquis dans la société leur place naturelle de quatrième pouvoir. Loin de donner aux journaux les chances d'une véritable expansion, la révolution tentée à

32

la Libération a — et c'est la leçon que fournit l'expérience — contribué à les limiter. Certes, l'épuration très sévère et très complète alors effectuée était sans aucun doute nécessaire pour redonner leur crédibilité aux journaux, mais la conception même du marché de la presse que les résistants ont alors imposée s'est révélée finalement, à terme, néfaste. En voulant créer une presse nouvelle dont la fonction serait la formation des citoyens et l'expression des opinions, on a alors ignoré les réalités économiques du marché de la presse. Retrouvant le dilemme centenaire qui avait déjà opposé en 1836 Carrel et Girardin, les résistants et les hommes politiques de l'époque ont refusé de « réduire la noble fonction du journalisme à la simple fonction de marchand de nouvelles » et tout a été fait pour éliminer la concurrence commerciale : prix de vente unique imposé, organisation coopérative de la diffusion du marché du papier et des agences de presse, aide de l'État aux entreprises, mesures maladroites contre la concentration au nom de la sauvegarde du pluralisme, interdiction des concours jusqu'en 1962...

Deux résultats de cette politique furent particulièrement graves : d'une part, le renforcement du corporatisme des ouvriers du livre et le retard dans l'adoption, dans les années 70 à 80, des techniques nouvelles, et d'autre part le maintien d'un système de vente au numéro peu performant et très coûteux. Quant à la concentration, si effectivement elle fut pour la presse nationale retardée, elle joua très vite à plein en province par la création de monopoles régionaux au profit des organes les mieux gérés. Ce n'est qu'en 1954 que fut réglée la dévolution des biens de presse confisqués à la Libération : pendant une décennie décisive, elle avait en fait paralysé tous les efforts de modernisation des entreprises.

La faiblesse chronique des investissements publicitaires fut une cause supplémentaire du marasme du marché. On sait qu'encore aujourd'hui la presse française assure à peine 39 % de son chiffre d'affaires par la publicité contre 65 à 75 % pour celle des grands pays anglo-saxons, scandinaves ou germaniques.

Un des effets de cette situation est que les quotidiens français sont les plus chers d'Europe : pour les quotidiens nationaux : de 4,50 F à 5 F, contre l'équivalent de 3,50 F en Allemagne et 3 F pour les quotidiens britanniques de qualité ; leur prix a augmenté beaucoup plus vite que le coût moyen de la vie alors que toute la politique de la presse avait été en France, depuis 1836, de produire des journaux très bon marché. En province, où les éditeurs de journaux ont su, dès 1968, profiter de la libération des prix pour ne les augmenter que plus lentement, les quotidiens sont moins chers (3,60 F à 3,80 F) et leur diffusion a beaucoup moins baissé que celle des feuilles parisiennes.

Il faut aussi signaler, même s'il ne faut sans doute pas le regretter, que la France ne possède pas de quotidiens populaires bon marché, millionnaires en tirage comme en Angleterre ou en Allemagne.

Ces multiples handicaps, en grande partie imposés à la presse par la maladresse des législateurs, et aggravés dans les décennies suivantes par la défense acharnée des intérêts de ceux qui avaient été les bénéficiaires du système mis en place en 1944-1946, ont pesé d'un poids considérable sur le développement de la presse depuis la libération ; il n'est pas étonnant que la presse magazine qui était moins entravée par la réglementation et les pratiques ait pris dès lors un plus rapide essor que la presse quotidienne.

Le manque de moyens

Les conditions politiques et économiques défavorables ne peuvent à elles seules justifier la faiblesse du marché des quotidiens français. Si les Français lisent peu et de moins en moins les journaux, c'est aussi parce que leur contenu n'est plus assez attirant. Si le journalisme français ne satisfait pas ses lecteurs, les journalistes ne sont évidemment pas seuls responsables et il faut prendre en compte, pour les excuser, leur manque relatif de moyens. Dans les pays anglo-saxons et germaniques, les entreprises de presse font le plus souvent des bénéfices considérables et ils peuvent donc consacrer à la rédaction, en hommes et en moyens de collecte ou de traitement de l'information, des crédits suffisants. Or, en 1986, à l'exception du *Figaro* et des *Échos,* tous les quotidiens parisiens souffraient d'un déficit d'exploitation plus ou moins élevé et c'est aussi le cas de bien des régionaux ou départementaux : on comprend donc que la production journalistique souffre de ce manque de ressources. L'information est toujours très abondante et on peut, à moindres frais, remplir les colonnes des journaux : ce qui est cher, c'est l'information originale qui a demandé pour sa collecte et son traitement des efforts coûteux. C'est par son originalité, donc par son coût, que l'information est intéressante...

La comparaison entre le nombre et les moyens des équipes rédactionnelles des journaux allemands, anglais ou américains avec ceux des feuilles françaises est, à ce point de vue, très caractéristique, et aussi, et nous y reviendrons, l'insuffisance notoire de la plupart des centres de documentation des rédactions des journaux français.

Curieusement, et c'est un indice finalement très révélateur du manque de prise en considération des besoins réels du journalisme par les directions des journaux français, dans beaucoup de journaux parisiens, *L'Aurore*, *L'Humanité*, *France-Soir* et en un sens aussi *Libération*, *Le Parisien libéré*, *La Croix*, les efforts entrepris pour stimuler les ventes depuis deux décennies ont plus souvent porté sur la refonte de la présentation des journaux (maquettes, typographie et illustrations) que sur la remise en cause de leur rédaction : on a ainsi inutilement privilégié la forme sur le fond, le contenant sur le contenu.

Autre faiblesse de la presse française comparée à celle des autres grands pays, la relative insuffisance des organes corporatifs d'études techniques ou commerciales. De ce point de vue, et malgré les efforts récents de la Fédération nationale de la presse française, l'action des groupements patronaux en la matière reste faible, et la règle du chacun pour soi reste encore vraie dans la plupart des domaines.

LES FAIBLESSES DU JOURNALISME FRANÇAIS

La lecture comparative des journaux français et de leurs confrères anglais, allemands et américains, mais aussi des journaux des avant-guerres, révèle, à l'exception de quelques rares organes de qualité à Paris ou en province, un évident manque, sinon d'originalité du moins de densité et de diversité. Certes, l'analyse n'est pas facile car elle porte non pas sur des données précises mais sur des impressions et des nuances ; de plus il n'y a pas un seul journalisme ; chaque organe a sa propre politique rédactionnelle et son propre style. Toute généralisation est donc forcément aléatoire et contestable. Cependant il reste possible de formuler quelques remarques sur ce qui apparaît bien comme des insuffisances.

Une tradition oubliée

Le journalisme français a oublié ses traditions qui avaient, à travers les générations, tissé entre les journaux et leurs lecteurs des relations, créé des habitudes, entretenu des besoins sur quoi se fondaient un art d'écrire et un goût de lire. Les quatre années noires puis la table rase de la Libération et enfin les premières années de la IVᵉ république, où des feuilles réduites à une pagination insuffisante ne pouvaient développer un véritable journalisme, ont provoqué une grave rupture dans la pratique du journalisme et brisé bien des habitudes de lecture.

Les journalistes eux-mêmes, éblouis par les modèles américains, et ignorant le passé de leur métier, ont mal compris les exigences du journalisme à la française qui ne s'est maintenu que grâce à quelques rares directeurs de journaux tels Brisson, Lazareff, Lazurick, Pierre Mille et Beuve-Méry, qui disparurent ou abandonnèrent leurs responsabilités dans les années 60.

Le journalisme français a obéi, dans son développement, à deux traditions. La première est celle que l'article XI de la Déclaration des Droits avait sanctionnée : la liberté de la presse, c'est-à-dire la presse tout entière, s'est fondée sur la « libre communication des pensées et des opinions » et non pas, comme en Amérique, sur la liberté d'investigation : la recherche des nouvelles n'a jamais été en France le moteur du journalisme. De fait, le journalisme français a été un journalisme de combat, de critique, un journalisme engagé. La seconde est née sous le Second Empire : c'est celle de la presse populaire à grand tirage, née non politique avec *Le Petit Journal*, et qui a conquis sa clientèle par les récits romanesques du feuilleton ou du fait divers et qui a, lors même qu'après 1870 ses organes on pu parler de politique, traité l'actualité comme des récits dont l'intérêt tenait moins à la vérité des faits qu'à l'attrait de l'histoire racontée. D'où la prépondérance du journalisme de chronique et de témoignage sur le journalisme de reportage et le constant mélange du commentaire, de l'appréciation personnelle dans les articles à la française, à l'opposé des règles du journalisme anglo-saxon qui prône la séparation des faits (*news*) et de leur commentaire (*editorials*). Il est choquant d'entendre des journalistes français vouloir imposer cette dichotomie artificielle, si éloignée des goûts et des besoins de leurs lecteurs. De plus c'est absurde, car ce journalisme factuel est très coûteux et exige des moyens de collecte et de traitement dont sont dépourvues les rédactions de nos quotidiens.

La revendication si souvent formulée en faveur d'un journalisme de reportage, certains disent d'investigation, est une source de confusion grave pour le journalisme français. D'autant qu'il y a une très grande tradition du journalisme de reportage à la française, prouvée par les « grands reporters » des journaux à grand tirage du XIXe et du XXe siècle. Les grandes enquêtes des Chincholle, des Huret, des Helsey, des Londres, des Kessel, des Guillain... étaient de véritables chefs-d'œuvre littéraires autant que journalistiques : c'étaient des récits recomposés, des témoignages personnalisés et non pas des reportages factuels. Ces récits ont aujourd'hui disparu des quotidiens, c'est à peine si quelques mensuels de reportage essaient d'en maintenir la tradition.

Sur un autre point aussi, malgré les revendications sans cesse formulées, depuis 1968, en faveur d'un journalisme d'investigation, nos journaux ne savent plus mener ces grandes campagnes de presse qui attiraient et retenaient les lecteurs : elles s'étendaient sur des semaines et reposaient sur un long travail d'enquête préalable. Pourquoi aller chercher le Watergate pour exalter les vertus du quatrième pouvoir et oublier que nos journaux aussi ont conduit Grévy, Casimir-Perier, Millerand à démissionner de la présidence de la République ? Pourquoi ne sait-on plus mêler le journalisme d'invective au journalisme d'investigation comme on le fit lors des grandes crises politiques de la IIIᵉ, voire de la IVᵉ République ? Pourquoi abandonner aux journaux d'échos, aux news magazines ou aux livres la révélation des scandales ou l'étude des grands problèmes de l'heure de la société française ? L'indigence des reportages journalistiques sur les grands vices sociaux de l'époque, sur le chômage, sur les problèmes du « consumérisme », sur les sectes est caractéristique d'une véritable carence professionnelle. Les journalistes semblent ne pas savoir choisir entre le récit morcelé de ces graves problèmes de société et les considérations générales, distanciées, de l'observation sociologique ou politologique. Ils négligent la voie journalistique qui est celle de l'enquête prolongée sur le terrain et donc encore une fois *Le Petit Parisien* et *Paris-Soir*, *L'Aurore* et *France-Soir* sous Lazareff ont fourni d'excellents modèles. Plus que jamais, le journalisme quotidien français souffre de myopie, il décrit, au jour le jour, sans recul rétrospectif ou prospectif, et sans continuité.

Tout se passe aussi comme si nos journaux ne savaient plus traiter les faits divers. Le meilleur exemple en est fourni par les tristes affaires de Douai et Grégory où nos journalistes agglutinés ont, par leur maladresse et par leurs excès, gâché une magnifique affaire. Peut-être pourtant faut-il ici signaler les heureuses tendances de *France-Soir* et du *Parisien* pour reconstituer des équipes d'enquêteurs compétents et expérimentés.

Une soumission croissante aux sources

En réalité, le journalisme français est aujourd'hui fortement menacé par la tentation sans cesse plus forte de céder à ce qui a toujours été chez lui une tendance naturelle : sa soumission aux sources d'information. La presse est née officieuse avec la *Gazette* et l'État centralisé resta, après même la fin de l'Ancien Régime, la source essentielle des nouvelles intérieures et même extérieures, même si ici les feuilles étrangères permettaient de compléter les nouvelles fournies par l'État. Maître absolu et usager exclusif du télégraphe jusqu'en 1850, les gouvernements pouvaient contrôler l'essentiel du flot de l'information livrée par lui aux journaux ; ceux-ci ne firent guère d'effort pour collecter eux-mêmes les nouvelles, car ils considéraient que leur rôle essentiel était d'exprimer des opinions, d'entretenir débats d'idées et querelles d'intérêts. Lorsque la presse acquit sa liberté, elle continua pour l'essentiel à avoir recours à des informations officielles directement auprès de l'administration et des grandes institutions sociales ou indirectement auprès de l'agence Havas dont les liens étroits avec le gouvernement faisaient une sorte d'organe semi-officieux. La seule forme de collecte directe de l'information par les journaux était les comptes rendus parlementaires, judiciaires ou autres et accessoirement les nouvelles de la petite actualité des faits divers, des nouvelles locales puis sportives. Les nouvelles d'agences ont toujours eu, en particulier pour celles de l'étranger, dans la presse française un rôle infiniment plus important que dans les pays étrangers. Aujourd'hui encore l'AFP, par ses remarquables services, dispense la presse française de faire effort pour collecter les nouvelles de l'étranger où les correspondants de journaux français sont très peu nombreux et de plus en plus rares car leur entretien coûte beaucoup trop cher. Même pour la couverture des grands événements internationaux, le nombre des envoyés spéciaux français est beaucoup moins important que celui des feuilles étrangères. De même, les administrations et les grandes institutions de la vie économique, syndicale, politique ou spirituelle, sont toujours consultées en priorité par les journalistes qui y trouvent l'essentiel du matériau de leurs articles. Le réflexe des journalistes français de fonder leur argumentation sur les données fournies par ces sources institutionnelles surprend toujours les journalistes anglo-saxons qui ont un champ d'investigation beaucoup plus ouvert.

Or cette tendance, encore une fois naturellement héritée d'une tradition politique d'un pays très centralisé où les pouvoirs publics contrôlent une part importante de l'activité donc de l'actualité, est aujourd'hui progressivement renforcée par la politique d'information de toutes les institutions politiques, administratives, patronales, syndicales, les entreprises, etc. : ces institutions avaient depuis longtemps compris l'intérêt de contrôler les informations qu'elles jugeaient bon de livrer au public, par le canal de la presse et des médias en général ; elles ont découvert, depuis la fin des années 50, qu'il était aussi facile et finalement peu coûteux de produire elles-mêmes les informations en les mettant déjà en forme pour qu'elles soient facilement assimilées par les journalistes. La prolifération des services de presse et de relations publiques, la subtilité croissante de leurs méthodes de séduction des journalistes et la qualité de leurs productions, fondée sur la bonne connaissance des publics grâce à l'utilisation des techniques d'études d'audience mises au point par la publicité, réduisent lentement la capacité des informateurs à trouver et à publier des informations originales. Certes, on n'avait pas attendu les services de relations publiques modernes pour exercer sur les journalistes des pressions de ce type — les premières prières d'insérer datent au moins de la monarchie de Juillet — mais cette politique des sources est désormais systématique et bien des pans de l'information sont, en fait, désormais sous la coupe des institutions gérant les différents secteurs de la vie nationale et même internationale. Déjà dans le journalisme culturel au sens large, y compris les spectacles divers, la fonction traditionnelle de critique du journalisme est réduite à la portion congrue ; le journalisme sportif, de plus en plus sous la coupe des organismes gérant les sports professionnels ; la « médiatisation » de la vie politique est aussi un indice de cette pression croissante des institutions sur le journalisme. Tout se passe comme si le journalisme de communiqué caractéristique des pays totalitaires et obéissant au même schéma que celui de la publicité qui impose la publication intégrale de ses messages sans possibilité pour le journal de les modifier ou de les commenter, retrouvait, sous une forme plus subtile, une vigueur nouvelle dans les pays libéraux où certes la capacité de libre expression des opinions reste garantie mais où elle se vide insensiblement de sa réalité. Les journalistes se perdent dans la masse incertaine des informateurs : ils sont de plus en plus présentateurs et de moins en moins révélateurs de l'actualité.

On peut aussi ajouter comme facteur de pression externe sur le journalisme celle des publics révélée par les études d'audience ou de motivation. Certes la politique rédactionnelle des quotidiens est moins atteinte par les effets de la connaissance précise des publics que ne le sont les médias audiovisuels, mais déjà bien des rubriques de journaux sont rédigées non pas pour rendre compte d'un secteur de l'actualité ou pour servir de support à des œuvres de fiction distractives, mais pour répondre aux attentes du public et... des annonceurs.

Je voudrais ici conseiller la lecture de l'ouvrage de Jacques Kayser écrit en 1955, *Mort d'une liberté*, dont les réflexions par leur pertinence et leur prophétisme mériteraient d'être mieux connues et méditées.

Des erreurs de politique rédactionnelle

Les observateurs ont tendance à mettre la perte d'audience de la presse quotidienne sur le compte des progrès de la télévision. Si le cas français peut effectivement paraître leur donner raison, il ne faut pas ignorer que les cas des États-Unis, du Japon, de l'Allemagne, des pays scandinaves, et même en plus d'un sens de l'Angleterre, démontrent le contraire. En réalité, on peut rendre responsable de cette situation une série d'erreurs d'appréciation. Au début, les quotidiens français n'ont pas compris l'importance nouvelle de la télévision, pas plus qu'ils n'avaient compris dans les années d'avant-guerre la puissance de la radio. Plus tard, après avoir tout fait pour freiner son expansion, les directeurs de journaux ont cru qu'il fallait partager avec elle le marché de l'information et de la distraction. L'exemple le plus caractéristique est fourni par *France-Soir* où Lazareff, séduit par « les étranges lucarnes », a lentement transformé son journal, dans les années 60, en auxiliaire de la télévision en imposant aux journalistes l'idée bizarre et suicidaire que la radio annonçait les nouvelles, que la télévision les montrait et que la presse était désormais réduite à les expliquer, comme s'il n'était pas au contraire nécessaire, face à ce dangereux concurrent, de continuer à révéler les nouvelles et à orienter la politique rédactionnelle des journaux, en réaction contre l'audiovisuel, vers l'exploitation d'une information originale. Le résultat a été catastrophique pour les journaux à grande audience et seuls, pour les journaux parisiens de qualité, ont pu trouver le succès ceux qui ont continué à ignorer les modes imposées par la télévision et refusé de se mettre à sa remorque. Ceux qui ont cru que la solution était au contraire dans la diversification des contenus ont en général échoué.

De même la presse n'a pas su bien comprendre que face à la superficialité de l'information télévisée, la chance de la presse quotidienne reposait sur sa capacité à approfondir les sujets que sa concurrente ne pouvait qu'effleurer, et donc sur la densification de ses articles. Or, cela supposait d'une part un réel effort pour mieux couvrir les événements en resserrant son réseau de collecte, en élevant le niveau de culture de ses journalistes mais aussi en dotant ses services rédactionnels de véritables centres de documentation : des enquêtes récentes ont montré qu'en la matière, à de rares exceptions près, le sous-développement des quotidiens français était proprement catastrophique et que surtout la majorité des journalistes n'avait sinon pas compris, du moins pas assimilé, dans leur pratique quotidienne, cette nécessité fondamentale du recours à la documentation pour restituer aux événements et leur passé et leur contexte. Trop souvent les journalistes français semblent refuser cette évidence que leur culture est forcément insuffisante pour leur permettre de comprendre vite tous les événements auxquels ils sont confrontés au hasard de l'actualité et que le recours à une documentation enregistrée est tout aussi efficace que l'appel en catastrophe à un spécialiste extérieur. De ce point de vue, ils ont beaucoup à apprendre de leurs collègues anglo-saxons ou germaniques, et l'appel à leur imagination pour combler les lacunes de leur savoir peut donner des articles brillants, mais légers et finalement peu crédibles.

Une professionnalisation insuffisante

Les journalistes français se sont beaucoup interrogés sur leur métier et sur leurs responsabilités. Il n'est pas sûr que leurs réflexions aient toujours été bien orientées. En réalité et pour l'essentiel, elles se sont fondées, dans leur expression corporative tout au moins, car il existe des œuvres individuelles, de Marc Paillet ou de Bernard Voyenne, des ouvrages de haute qualité, non pas sur la déontologie ou sur l'amélioration de leurs pratiques professionnelles mais sur leur situation matérielle, ce qui est des plus légitime, et sur leur place dans le système journalistique. En centrant leur réflexion sur la revendication d'une participation effective dans la politique rédactionnelle des journaux, et en particulier en défendant l'idée des sociétés de rédacteurs, on peut se demander s'ils n'ont pas placé en quelque sorte la charrue avant les bœufs, c'est-à-dire exigé des responsabilités nouvelles sans se préoccuper suffisamment de leur capacité à les exercer et même peut-être de la légitimité de leur revendication. Peut-être devraient-ils méditer l'exemple de leurs confrères américains qui ont acquis leur autorité autant par leur professionnalisation et la plus grande rigueur de leur pratique journalistique que par leur corporatisme.

Ces remarques, dans leur superficialité et leur brièveté, sont évidemment schématiques tant dans leur argumentation que dans leurs analyses : leur auteur souhaite pourtant qu'elles soient perçues non comme l'expression d'une critique injuste mais comme une plaidoirie de l'avocat du diable, dont on sait bien qu'il est, dans la procédure vaticane, le principal agent de la béatification des candidats à la sainteté.

La rhétorique de la désinvolture
(de quelques titres à la mode)

MICHEL TRUFFET

8 juillet 1986, les faux époux Thurenge sont transférés de leurs geôles néo-zélandaises à Hao. *Le Quotidien de Paris* et *L'Humanité* titrent simultanément à la une : « De la taule à l'atoll. »

Grâce consensuelle ou fatalité linguistique ? L'improbable rencontre mérite qu'on s'y arrête : elle résulte d'une pratique, qui a ses traditions et ses contraintes, elle affiche aussi un symptôme qu'il faut tenter d'interpréter.

Si le bon titre, comme l'indiquent un peu sommairement divers manuels d'écriture journalistique et de secrétariat de rédaction, est « celui qui frappe, qui produit un choc[1] », ce titre est bon. Il faudrait peut-être convoquer, pour l'étudier avec finesse, et Roman Jakobson, illustrant dans ses *Essais de linguistique générale* la fonction poétique du langage, qui « met en évidence le côté palpable des signes[2] », et Sigmund Freud élucidant l'effet de plaisir dans *Le Mot d'esprit et ses rapports avec l'inconscient*.

« De la taule à l'atoll » : ce jeu de la différence dans l'identité n'est-il pas le sens, ici devenu substance phonique, de l'accord diplomatique qui substitue à la prison la résidence contrainte, et le glissement du *o* fermé en *o* ouvert n'est-il pas, pour les amoureux de la symbolique sonore, l'image sensible du passage de la réclusion à un espace nouveau, plus libre ?

En deux mots qui jouent, c'est tout un éditorial qui se suggère.

Les amateurs de catégories reconnaîtront dans cette trouvaille un bel exemplaire de ce qu'il est convenu d'appeler « titre allusif » (ou encore « incitatif »), par opposition au titre « informatif », plus neutre et qui s'efforce de seulement répondre à quelques-unes des questions de références constitutives de toute information[3]. Des censeurs plus sourcilleux dénonceront « une mode qui a envahi la presse et la publicité de façon systématique : celle des jeux de mots [...], car contrepèteries et à-peu-près, naguère circonscrits aux feuilles satiriques, tendent à supplanter, à la " une " des journaux dans le vent, les événements qu'ils annoncent [4] ».

UNE MODE ?

A vrai dire, le genre n'est pas neuf, ni exclusivement réservé aux « journaux dans le vent ». Naguère ou déjà jadis, dans les années 50, le prix Louis Rameix récompensait d'astucieuses trouvailles verbales et on les trouvait de *L'Aurore* à *France-Soir,* en passant par la presse quoditienne régionale. Loïc Hervouet le rappelle : « Ce fut la gloire de *Combat.* C'est encore souvent celle de *Libération* et du *Quotidien de Paris,* ou, dans un genre plus nettement humoristique, du *Canard enchaîné.* Mais les news magazines, *Le Matin,* voire le très sérieux *Monde,* ne dédaignent pas le genre lorsque l'occasion se présente [5]. »

Si mode il y a, il s'agit moins de novation que d'expansion, voire de contagion. Cette contagion se propage de deux manières :

— de support à support : plus encore que *Le Matin* ou *Le Monde, L'Humanité,* dans sa nouvelle formule (1985), nous prouve que l'expression des luttes populaires passe aussi par le choc des sons et le heurt des concepts (« Sornettes d'alarme », « Pan pan sur le cumul », « La fièvre de Monsieur Séguin »).

— de la vitrine au magasin : je veux dire de la une aux pages intérieures. C'est peut-être le phénomène le plus significatif ; le jeu des mots, la combinatoire des références s'exercent indifféremment sur tous les sujets et à tous les niveaux de la titraille [6].

Plusieurs influences se combinent qui peuvent expliquer ou fonder ces pratiques.

D'abord, l'inguérissable prurit littéraire qui affecte le journalisme français. « Un quotidien, c'est comme un livre, une pièce de théâtre. Il faut un titre [7]. » Intimement liée à notre tradition de l'élégance de plume, la tendance, si française encore, à l'éditorialisation : le titre — particulièrement celui de la une — doit être implicitement un « contrat », culturel et idéologique, de lecture. « La une, c'est une information. Et puis aussi éditoriale, donc porter un jugement, et politique, donc laisser transparaître une position [8]. » Les beaux et les bons mots sont les produits naturels de la poétique et de la politique.

On ne saurait négliger des impératifs techniques qui ont « durci » la tendance au titre elliptique. L'adoption en 1967, par *Combat*, de la formule tabloïd pour un journal d'opinion (et ce sera la formule du *Matin*, de *Libération*, du *Quotidien*) entraîne nécessairement une condensation spatiale et sémantique de l'information mise en vitrine et crée un nouveau style bientôt dégagé de ses contraintes initiales. Le titre à l'étroit se contracte en slogan immédiatement récupérable par la rue [9].

L'ellipse et l'allusion — toujours compensées par l'appareil complexe de la titraille — sont encore permises, sinon encouragées par l'irréversible accès multimédias des lecteurs à l'actualité (transistor, autoradio, télévision). Au fait des principaux événements (voire de leur sélection et de leur hiérarchisation comparées, grâce à une revue de presse radiophonique matinale), le lecteur du quotidien reconnaît plus qu'il ne prend connaissance, mais se trouve confronté à une masse de nouvelles ou de dossiers que ni la télé ni la radio ne peuvent traiter. Paradoxe : déjà reçue, l'information doit se parer de grâces inédites et suggestives pour que le lecteur y revienne ; inaperçue ou marginale, elle doit lutter contre la prééminence de ses concurrentes mieux servies. Le connu doit se rendre insolite et l'inconnu familier. « Grands » titres de une, « petits » titres intérieurs rivalisent alors au jeu de l'arrachage des masques.

Un exemple — sans qu'il soit question d'établir ici un florilège ou un palmarès —, *Libération* du 5 septembre 1988. Toute la classe médiatique et politique est agitée par le jeu de mots de M. Le Pen sur le nom de M. Durafour. La une affiche : « Le venin. » Mais, p. 24, en rubrique mode, il faut bien que le salon de l'habillement masculin trouve son espace de lecture, et c'est : « Vestiaire de garçons/et toilettes pour hommes » ; p. 32, en rubrique société, on fait le bilan des hypothèses sur la disparition de Pauline Lafont : le clin d'œil, très show-biz, un peu ringard, au vieux tube de Christophe s'impose, et c'est : « Et j'ai crié Pauline pour qu'elle revienne. » En rubrique sports : la planche à voile devient discipline olympique, pour les hommes seulement... Ce machisme se dénonce en s'affichant : « Sur les planches/les filles peuvent repasser. » Rubrique télévision, p. 50 et 51, TF1 diffuse un feuilleton avec Sophia Loren, l'interview de la comédienne s'intitule : « La Loren en passant » ; « les échos d'Umberto » annoncent l'interview de l'écrivain Umberto Eco sur FR3 [10].

On aura reconnu, besognant de la vitrine aux plus obscurs rayons de l'arrière-boutique, offrant ses services et ses charmes, la servante maîtresse de l'information : la publicité.

45

Son influence est complexe et profonde. Légitimement soucieuse de ne pas investir de gros budgets d'achat d'espaces sur des supports inadaptés, elle impose l'analyse quantitative et qualitative du lectorat[11]. Au-delà de la connaissance des catégories socioprofessionnelles, des habitudes de consommation, c'est tout un « style de vie » que ces études révèlent, un « ciblage culturel » qu'elles impliquent en enrichissant les composantes psychologiques de la « loi de proximité », si chère aux journalistes et si déterminante dans l'énoncé d'un titre.

La publicité, outre ses approches fondatrices, impose plus brutalement peut-être son propre discours comme un cadre de références linguistiques. Elle offre ses slogans, claironnant à qui doit bien l'entendre que l'on peut promouvoir indifféremment et sur un même registre ressassé, jus de fruits, apéritifs, nouilles, informations politiques, propositions militantes[12]... Plus largement, elle expose sa culture mosaïque comme un inépuisable système de valeurs composites et transitoires : chansons, films, bandes dessinées, jargons branchés[13]. Elle institue en modèle prégnant son discours audiovisuel dominant : elle « oralise » l'écrit et « visualise », voire « odorise » la typographie[14].

INFORMATION OU COMMUNICATION

Doit-on déduire de ces quelques observations qu' « aujourd'hui, le même visage s'offre à tous, le même langage sert à tout : à convaincre, à séduire, à enseigner, à informer, à endoctriner et à vendre » ? Même excessive, l'expression de ce désabusement professionnel par Claude Marti — qui a été et journaliste et publicitaire, et conseil en communication politique... — est pertinente[15].

Le titre de presse qui affiche ainsi sans vergogne sa liaison avec la pub atteste la dérive de l'information vers la magie perverse de la communication.

A la violence, à la sollicitation intellectuelle, voire morale, de l'information, la communication substitue la connivence ludique et la sollicitude apaisante. Dès 1968, le sociologue Jean Baudrillard démasquait bien « la logique particulière [...] de l'efficacité [de la publicité]. Qui n'est plus une logique de l'énoncé et de la preuve, mais une logique de la fable et de l'adhésion[16] ». Plus récemment, il affirmait encore : « La communication constitue une dimension pour soi ; c'est le pur branchement, le contact, toutes ces formes de combinatoire relationnelle qui n'ont pas besoin de message [...] Et la publicité apparaît comme le média par excellence de cette extension de la communication à tous les domaines, en l'absence de message[17]. » Même des publicitaires[18] s'inquiètent de cette cannibalisation du sens et de l'information commerciale par un discours privé de références, n'obéissant qu'à une logique spectaculaire et n'offrant plus que sa propre consommation à un public fasciné...

Il ne s'agit pas de mettre en cause une mutation essentielle et inévitable de la presse écrite : devant la prolifération des messages de tous ordres, la multiplication de leurs médias et les configurations plus amènes et plus rapides de leurs transmissions, il était nécessaire que les quotidiens soient à la page..., et, donc, revoient leur mise en page[19] ! Le compromis entre l'information et la communication est souhaitable, mais la compromission ?

On objectera que le titre n'est qu'une partie, modeste, de l'information, mais c'est celle qui s'exhibe, souvent aussi — avec la titraille d'accompagnement — la seule qui se lise[20]... Imaginons, même si l'hypothèse est caricaturale, le lecteur pressé du numéro de *Libération* précédemment cité : sa lecture des titres est le survol d'un univers aléatoire et bigarré où, dans la même énonciation ludique, les rubriques les plus diverses communiquent (bien qu'elles soient par ailleurs soigneusement indexées), où s'interpénètrent des espaces intellectuels qu'à tort ou à raison nous avons pris l'habitude de distinguer...

Paradoxe d'une pratique qui veut faire saillir et qui aplatit, qui abrase toutes les aspérités et gomme les différences[21]. Le titre « allusif » confère aux informations le statut de ces marchandises qu'en leur patois les techniciens du marketing appellent des « *me too products* », des produits « moi aussi », également utiles ou inutiles, également chronodégradables !

Il n'est même plus légitime alors d'évoquer les problèmes déontologiques que certains de ces titres peuvent poser. Leur traitement linguistique est là précisément pour évacuer ces problèmes, pour nous délivrer des pesanteurs surannées de la morale et de l'idéologie, et suspendre notre jugement. On ne jugera donc point ce titre de *Libération* (19 septembre 1988) barrant toute la p. 20 consacrée au coup d'État à Haïti. Lynchages, cadavre brûlé sur la voie publique ? C'est : « Namphy victime du poison d'avril. »

Cette dérive communicationnelle pourrait se définir d'un mot, rechargé de son étymologie : *désinvolture*, c'est-à-dire dégagement...

Dégagement des idéologies, des valeurs, dégagement de l'histoire. Les mots n'obéissent plus qu'à leurs logiques phoniques, rythmiques, à leurs « mémoires » immédiates (j'ai osé, ci-dessus, la formule « fatalité linguistique »), mais, nourris d'une culture de l'instant, ils circulent. Ils entretiennent, au jour le jour, et enrichissent les sources qui les alimentent[22]. Je ne suis pas sûr que tel ignoble jeu de mots récent n'ait pas fait couler l'encre même qui irrigue tant de « petites phrases » politico-médiatiques[23].

Il ne s'agissait que d'interpréter un symptôme... De l'information à la communication : le transfert de la galaxie Beuve-Méry à la galaxie Séguéla n'est pas encore avéré. Quelques titres pourtant — c'est leur rôle — nous alertent. On s'est souvent plaint, à bon droit, d'un journalisme français trop littéraire, trop épris de commentaire, trop éditorialisant, trop engagé... Faudra-t-il bientôt déplorer un excessif dégagement ?

1. Raymond Manévy, L'Évolution des formules de présentation de la presse quotidienne, Éd. Estienne, 1956. Cité dans Le Secrétaire de rédaction et les nouvelles techniques, Livre blanc de l'Association des journalistes secrétaires de rédaction de journaux et revues français, 1982.

2. Essais de linguistique générale, éd. de Minuit, 1963, p. 218.

3. Voir les ouvrages « classiques » de Loïc Hervouet, Écrire pour son lecteur, ESJ, 1979, et de Louis Guéry, Manuel de secrétariat de rédaction, CFPJ, 1986. Rappelons que le titre, quel que soit son genre, appartient à un ensemble — la titraille — qui le contextualise.

4. Bertrand Poirot-Delpech, Le Monde, 29 juillet 1986.

5. Loïc Hervouet, op. cit., p. 88.

6. Voir en particulier Libération. Titre, sur-titre, sous-titre, voire faux titre de rubrique, tous les espaces sont bons pour mêler en contrepoint l'informatif et l'allusif.

7. Bertrand de Saint-Vincent, Le Quotidien de Paris, 29 avril 1986. Le journal venait de recevoir pour sa une « La télé du parrain » le prix de la Fondation pour la liberté de la presse.

8. Ibid.

9. Bertrand de Saint-Vincent rappelle le succès, en 1968, de la une de Combat : « Tomasini-Mussolini. ».

10. Ce n'est qu'un exemple pris au hasard. Pas de jaloux : Le Quotidien de Paris du lendemain (6 septembre 1988) n'était pas en reste. Mais la pratique n'est pas systématique, c'est même l'un de ses intérêts : elle semble parfaitement aléatoire, désinvolte (pas de sujet tabou, pas plus de rubrique privilégiée).

11. CESP, « SOFRES 30000 », études ad hoc d'instituts de sondage...

12. « Mais qu'est-ce que tu as Douce Douce dis donc ? » (Libération, 10 décembre 1982). « Un Rocard, sinon rien » (Le Quotidien, 11 octobre 1985). « Des voix, oui mais des communistes » (L'Humanité, décembre 1985).

13. « Logiciel mon mari » (Libération, 14 mai 1984). « La police tire plus vite que

son ombre » (*Le Quotidien*, 1er novembre 1977). « Yvon le flexible » (*L'Humanité*, décembre 1985).

14. Ainsi *Le Quotidien* est-il devenu pour un jour, le 4 novembre 1982, par la grâce d'Yvette Roudy, ministre des Droits de la femme : *La Quotidienne de Paris*. Et *Libération* a successivement « parfumé » son encre à la rose et à l'encens (législatives de 1981 et visite du pape). Mais d'illustres publicitaires l'ont dit : nous sommes des polysensualistes !

15. *Les Trompettes de la renommée*, Belfond, 1987, p. 84.

16. *Le Système des objets*, Denoël/Gonthier, 1976, p. 196.

17. « Totalement obscène et totalement séduisante », entretien publié par *Autrement*, « La Pub », octobre 1983.

18. Claude Marti, encore, et le fougueux David Ogilvy... On dénonce souvent une déviation — typiquement française ? — vers la création autosatisfaite qui sert plus la publicité même que ses annonceurs et la constitue ainsi en discours autonome, voire en instance culturelle... Et contribue à la « starisation » de ses initiateurs !

19. Il faudrait étudier l'interaction complexe des changements de formats, refontes de maquettes, choix de rubricages avec l'infinie mutation des affiches, des spots, de l'audiovisuel en général. La pratique du titre n'est que l'indice le plus exposé d'un mouvement général.

20. Différentes études, dont celle de Jacques Douël, *Le Journal tel qu'il est lu*, Paris, CFPJ, 1981, montrent que le « budget-temps » du lecteur de presse est des plus limités.

21. S'il ne s'agissait que du gommage des hiérarchies et des rubriques... N'est-il pas plus troublant que *Libération*, *Le Quotidien*, *L'Humanité* gomment ainsi leur identité ? Si leur registre est souvent sensiblement différent, leur pratique est la même.

22. Ce circuit très complexe a été dessiné par Abraham Moles dans *Sociodynamique de la culture*, Mouton, 1973.

23. Le Pen et son « Durafour-crématoire » (4 septembre 1988). Pour l'honneur des médias, je voudrais que ma proposition soit trop hasardeuse...

DISCUSSION

APRÈS LES INTERVENTIONS
DE P. ALBERT ET M. TRUFFET

Yves Lavoinne. — *Michel Truffet, vous avez insisté sur les titres où il y avait un jeu de mots et sur les rapports entre les titres et la publicité. Il y a une autre catégorie de titres que vous n'avez pas abordée qui est celle des titres à allusion culturelle. J'ai en tête le souvenir d'un titre : « Et la navette va » ; j'ai posé à de futurs journalistes la question : « A quoi ce titre fait-il allusion ? » Finalement très peu de gens, de bon niveau, ont pensé à Fellini. Il y a donc une déperdition de mémoire culturelle qui pose problème. Il est vrai qu'il y a chez les journalistes une sorte de nombrilisme qui fait qu'ils travaillent d'abord pour eux-mêmes et pour les amis. Je crois que le public est en partie oublié dans cette communication.*

Michel Truffet. — *Je n'ai pas voulu établir une classification au sein de ce qu'il est convenu d'appeler la fonction poétique : jeu sur les sons, sur la substance du signe, sur les aspects graphiques. J'ai fait allusion très rapidement à quelque chose de très compliqué, que j'appelle « la culture mosaïque ». Si j'insiste sur la publicité c'est parce que c'est elle qui a justement imposé cette pratique, y compris celle des références culturelles. J'observe à ce propos qu'en général les publicitaires sont très soucieux de vérifier que la référence culturelle va être perçue alors que les journalistes s'en soucient parfois très modérément. Le dégagement de l'histoire peut être aussi un pur et simple dégagement de l'actualité. C'est-à-dire qu'il n'y a plus aucune reconnaissance. On est loin de la formule qui est dans le manuel du*

50

secrétariat de rédaction de Louis Guéry et selon laquelle le titre, même s'il peut être un ton au-dessus de l'information, ne doit pas tromper sur la marchandise. Au contraire, j'ai traité de titres que je classe comme incitatifs ou allusifs. Je préfère peut-être allusif parce qu'on peut en arriver au point que le titre allusif l'est tellement qu'il n'est plus du tout incitatif et qu'il peut même provoquer chez le lecteur, qui ne repère pas la référence, un rejet. C'est un problème que connaissent bien les publicitaires. Le message non perçu risque d'être un message rejeté. Il offre donc des dangers.

ANNIE KRIEGEL. — J'ai apprécié la pertinence de l'interrogation de M. Truffet sur la propension de la presse à étalonner sa qualité de « presse branchée » et sur la prolifération des jeux de mots. Je crois que cela date une presse et la démode très rapidement. Je voudrais surtout revenir à l'exposé de P. Albert. Je partage, peut-être avec plus de férocité encore, son diagnostic sur les faiblesses de la presse française. En revanche, je serais moins portée à utiliser le diagnostic de crise. Il y a en effet sept ou huit ans, on a pu craindre une sorte de disparition de la presse écrite devant la souveraineté des autres médias. Je parlerai peut-être de précarité, mais la précarité c'est finalement ce qui caractérise tout notre système économique. Il n'y a plus de patronat, d'industrie, d'entreprise qui ne se sente précaire du fait de l'évolution extrêmement rapide des techniques et de l'usure des produits. Par contre, s'il y a précarité, il ne semble pas qu'il y ait crise car aujourd'hui, ce qui reste de la presse française est prospère, dans l'éventualité d'une bonne gestion. Le Monde a, par exemple, traversé une mauvaise passe ; ce n'était pas dû au statut de la presse mais au fait qu'il avait glissé hors de sa propre logique. Il a fallu qu'il y revienne pour retrouver son assise. Quand P. Albert indique que le nombre de lecteurs tend à diminuer, il faut moduler ce critère avec le fait que la presse écrite propose à ses lecteurs beaucoup plus de pages qu'il y a dix ans. Au Figaro était publiée il y a quinze ans, une moyenne de 150 pages par semaine ; on en est à 485. Par conséquent, le produit s'est développé à un point tel — peut-être est-il d'ailleurs affligé de gigantisme et a-t-il lassé certains lecteurs — qu'au total la quantité de lecture reste égale.

C'est ce qui devrait conduire aussi à rediscuter l'idée de P. Albert que la presse est trop chère. Il est de fait que Libération est un journal cher, mais c'est un journal de type particulier que l'on pourrait peut-être rapprocher du New-Yorker américain qui est cher, bien que le rythme de parution ne soit pas le même. Mais si vous comparez Le

51

Figaro *du samedi avec ses suppléments et le New York Times du dimanche avec ses suppléments, le prix est le même. Par conséquent, je me demande si ce critère est tout à fait pertinent et nous permet de parler de crise. Je verrais davantage un diagnostic de précarité qui serait complété par des menaces. Ce qui menace la presse française c'est une sorte de course à la superficialité.*

Enfin, quand P. Albert calcule la part de ressources publicitaires dans les journaux français, il ne faudrait pas se cacher qu'à côté des ressources publicitaires, il y a celles fournies par la publicité rédactionnelle. Il y a maintenant d'innombrables pages qui ne sont dues qu'à une sorte de contrat implicite entre les journalistes concernés et les bénéficiaires de ce qui est dit par la rédaction : les pages tourisme, les pages mode, les pages style, enfin toutes ces pages spécialisées. Voilà une réflexion qui devrait nous conduire non pas à utiliser le concept de crise mais à utiliser le concept qui, à partir du diagnostic de faiblesse, ajoute maintenant des menaces nouvelles liées à la nouvelle manière de rentabiliser la presse et sur laquelle on peut s'inquiéter.

PHILIPPE LEVILLAIN. — *Je me demande si, dans le cadre de crise que définit P. Albert, il n'y a pas une compensation par l'augmentation de la circulation intérieure du journal dans les familles, les groupes et les entreprises. Ce qui fait qu'il est cher mais qu'on le lit davantage en le faisant circuler entre soi. Autre chose : vous dites que le journal français est cher, je me demande si le journal italien n'est pas plus cher encore.*

Je voudrais que vous me disiez pourquoi il n'y a pas de nouvelles, l'été, dans la presse française. Dans les autres pays du monde, il y a des nouvelles. En France, il ne se passe rien en juillet et en août ni sur le plan culturel ni sur le plan politique. Cependant, par rapport à l'ensemble de la presse européenne, la presse politique française est quand même très bonne. La qualité de l'information politique dans la presse italienne est nulle dans la mesure où c'est un langage de bois destiné à donner au citoyen le sentiment qu'on le fait participer à la vie politique dans sa complexité, mais ce sont des rideaux, des fumées. On n'y comprend rien et c'est fait pour. La presse française est vraiment une presse d'information dans beaucoup de domaines. Je me fais l'avocat du diable car je trouve que vous avez été très sévère. Quel serait donc votre journal idéal en 1989 ? Je suis frappé par le point commun qui ressort des interventions de M. Truffet et de P. Albert : au fond, aujourd'hui, tout est commentaire. A partir du moment où tout est commentaire, il faut commenter sur tout ; même si l'on ne peut pas informer sur tout, il est nécessaire d'être présent partout.

Pour conclure, je suis frappé par la sectorisation du journalisme français. On est politique le lundi et le mardi, économiste le mercredi, littéraire et culturel le jeudi. Il y a un journalisme pour les femmes, les hommes, les enfants et pour toutes les catégories d'âge. Ceci me paraît être très français. Je me demande si l'on ne peut pas rapprocher cela de la fermeture de la corporation des journalistes (« nombrilisme » et « jouissance du titre », a-t-il été dit) et de la création de véritables duchés de compétences. Je suis surpris par la disparition des grandes plumes généralistes du Monde : Duverger, Rémond, Grosser, etc. Aujourd'hui, il n'est pas possible, à qui n'a pas sa carte de presse, d'envoyer au Monde un article qui ne sèche pas sur pied. De plus, cette presse est à l'image de la culture françaisee : elle n'est ni laïque ni religieuse. Du coup, les valeurs traditionnelles, qui font partie du sens, se répartissent sans discernement entre tous les objets de la consommation, ce qui fait qu'on assiste à une perversion du sacré, du moral, du besoin, et que tout est investi par elles dans des sens multiples qui créent cette espèce de difficulté que M. Truffet a relevée.

BERNARD MONTERGNOLE. — Les problèmes de diffusion que connaît aujourd'hui la presse quotidienne ne sont-ils pas liés à ce que la presse écrite a désormais essentiellement un public urbain ? Il me semble qu'une des difficultés de la presse régionale tient à la forte urbanisation et à la disparition du tissu rural où le quotidien était une nécessité. Il y a peut-être là une recherche à venir pour préciser le lien de cette crise avec le phénomène d'urbanisation et les moyens d'insertion du journal dans un nouvel espace géographique.

X. — M. Truffet a écarté toute une partie de la presse qui est la presse sportive. Pourtant, l'influence d'un journal comme L'Équipe sur ce genre de titres allusifs me semble très important : L'Équipe a été un pionnier. On pourrait sans doute aussi lier ce jeu sur les titres à l'aspect le plus spectaculaire de la politique : les débats, les duels.

PIERRE ALBERT. — Je ne suis pas du tout sûr que le rapport prix-pagination, invoqué par Mme Kriegel, aille à l'encontre de ce que j'ai dit. Les journaux américains sont beaucoup plus gros que les nôtres, mais ils ont davantage de publicité et ils sont moins chers. Les journaux allemands ont aussi une pagination très importante, ils sont aussi moins chers que les nôtres. J'ai parlé de crise, disons que c'est plutôt une maladie de langueur. Mais elle se prolonge depuis tellement longtemps qu'elle prend tout de même des dimensions dangereuses. Pour répondre à M. Levillain, les chiffres qui sont donnés par le CESP sur le nombre de lecteurs par exemplaire de quotidien ne semblent pas varier considérablement depuis quelques années. La diminution du tirage ne me semble donc pas compensée par une plus grande circulation. Pourquoi n'y a-t-il pas de nouvelles pendant l'été ? Tout simplement parce que les journalistes sont désormais comme des fonctionnaires et qu'ils ont besoin de vacances. Ce qui est un bienfait pour les écoles de journalisme : il y a des stages à faire dans la presse durant les mois de vacances pour remplacer les titulaires. Vous trouvez mon constat pessimiste, mais je ne trouve pas dans la presse française de journal idéal ayant le sérieux et la solidité du Frankfurter Allgemeine. Pour les journaux populaires, il faudrait retrouver je pense, les vieilles formules de Paris-Soir ou de France-Soir du temps où il avait comme slogan : « Faites comme tout le monde, lisez France-Soir. » Quant à la politique des suppléments, c'est un phénomène général, qu'on trouve dans la presse allemande, anglaise, américaine. C'est un danger, j'en conviens, parce que le quotidien se rapproche du magazine et l'on peut alors se dispenser de la lecture du quotidien en lisant les magazines. Bien qu'il soit juste de souligner la différence entre presse de Paris et presse de province, la presse de province commence à être affectée aussi par la crise ou par la maladie de la presse de Paris. Les tirages de nombreux journaux baissent légèrement. Depuis quelques années, les situations financières se révèlent parfois catastrophiques. Certains quotidiens de province sont au bord de la faillite. Et puis la presse de province a désormais des concurrents. Pour l'information locale comme pour la publicité il y a les radios et les télévisions locales. Jusqu'à présent, la presse de province avait vécu à l'abri de la concurrence de l'audiovisuel. Je crois qu'il existe effectivement un transfert vers la presse magazine. Presse quotidienne et presse magazine sont deux marchés concurrents, en France tout au moins. En Allemagne, la presse magazine est infiniment plus développée que chez nous et les quotidiens continuent à bien se porter. M. Montergnole observe justement que les genres de vie des grandes villes amènent aussi une chute très nette de la consommation des journaux. Dans les grandes villes, on lit moins de journaux, comme on lit moins de journaux proportionnellement à Paris qu'en province. On a constaté que dans les grands ensembles, la chute de la lecture des quotidiens est catastrophique. En résumé, il faudrait nuancer les propos appliqués à la presse de Paris quand il est question de la presse de province.

MICHEL TRUFFET. — *Je suis d'accord en ce qui concerne les références à la presse sportive et en particulier à* L'Équipe. *Si j'ai choisi de privilégier la publicité, c'est que, dans ce jeu qui consiste à mettre en l'air toutes les hiérarchies, morales, idéologiques, historiques, elle n'est pas seulement un système de références pratiques où les journalistes peuvent aller puiser, elle pourrait être un laboratoire. Mais la pratique des journalistes est différente de celle des publicitaires.*

Leurs choix sont, semble-t-il, parfaitement aléatoires. Le moment du titre peut passer pour un plaisir chez les journalistes alors qu'il est un vrai labeur chez les publicitaires. C'est d'ailleurs très différent de support à support : Le Quotidien *et* L'Humanité *ont des pratiques tout à fait différentes. Il reste des registres qui sont des positionnements des journaux eux-mêmes. Une anecdote : la rédaction du* Quotidien de Paris *a, un jour, refusé un titre au cri de : « Non, ça c'est pour Libé ! » Il y a là une pratique procédurière qui me paraît très inquiétante. M. Levillain regrette la disparition de grandes signatures de généralistes dans* Le Monde. *Je me demande si dans le système des échanges et de modélisation des médias entre eux, il n'y a pas là l'effet d'une influence redoutable de l'audiovisuel où les journalistes, après avoir contraint les intellectuels à avoir des approches et des attitudes de journalistes sur le petit écran, paraissent tentés d'échanger les rôles et de se placer dans une position de nouveaux clercs.*

Dix ans de politiques rédactionnelles au *Dauphiné libéré*

BERNARD MONTERGNOLE

De 1977 à 1986, *Le Dauphiné libéré* a connu des changements significatifs : fabrication informatisée, rupture des accords passés avec *Le Progrès de Lyon*, entrée dans le groupe Hersant, et ce, sur un fond de mutations nationales (septennats de V. Giscard d'Estaing et de F. Mitterrand) ou locales (A. Carignon conquiert la mairie de Grenoble puis la présidence du conseil général de l'Isère), mais sa position de monopole s'accompagne d'une assise instable sur l'agglomération grenobloise. Cette étude voudrait donc éclairer la manière dont il s'est fait le témoin de notre temps : les dimensions obligent à des choix réducteurs d'une réalité complexe d'où disparaissent les nuances pour ne faire ressortir que les arêtes les plus vives.

Le 1er juillet 1977, Raymond Barre, Premier ministre, inaugure devant un parterre de personnalités le nouveau centre de presse construit à Veurey : pour son président, Louis Richerot, il concrétise le saut technologique qu'il fait accomplir à son entreprise. Bouleversement ponctué de conflits avec les clavistes, de résistances au sein de la rédaction, mais générant aussi des coûts financiers qui pèsent sur le devenir du titre quand le nouveau maître du *Progrès de Lyon*, Ch. Lignel, décide, à l'automne 1979, de rompre les accords conclus en 1966. Cette situation inattendue oblige les dirigeants du *Dauphiné libéré* à des répliques appropriées :

● Ils confient aux tribunaux le soin de tirer les conséquences du divorce.

● Dans les colonnes de leur journal, ils soulignent les responsabilités du *Progrès* dans la rupture, les condamnations qui lui sont infligées ; ils publient les bulletins de santé de leur propre titre : ce conflit les incite à une certaine transparence.

56

• Ils s'efforcent de trouver une issue à une situation financière délicate (un déficit d'exploitation de 50 millions de francs, supérieur aux sommes dues par *Le Progrès*).

Aussi font-ils alliance avec Paul Dini, le créateur des « gratuits » qui prend en charge la direction du journal pour redresser son image ; il inaugure la politique de rigueur et de transparence qui débouche en novembre 1982 sur la publication d'une charte affirmant le triple devoir d'information, d'équilibre et d'arbitrage : proclamation qui sonne comme une autocritique. Par ailleurs, Louis Richerot se résigne, sous la pression du pool bancaire venu en aide au *Dauphiné libéré*, à vendre 35 % du capital de la société gestionnaire à Marcel Fournier, ancien P-DG des magasins Carrefour.

Celui-ci ne les acquiert que pour les rétrocéder à Robert Hersant, au grand dam des dirigeants du journal grenoblois. Cette tentative de prise de pouvoir est dénoncée en première page à plusieurs reprises : ainsi se mobilisent, pour sauvegarder son indépendance, les personnalités régionales de tous horizons (de Georges Fillioud à Alain Carignon, d'Hubert Dubedout à Michel Barnier) — seul fait défaut Louis Mermaz [1]. Toutes réclament l'application des ordonnances de 1944. Louis Richerot réussit à retourner la situation ; Paul Dini est confirmé dans ses fonctions et, à la mort de Jean Gallois, accède à la présidence du directoire. Mais ce n'est qu'un répit, car la décision de la Cour d'appel, le 31 mai, de restaurer Marcel Fournier dans ses droits, amène Louis Richerot à jeter l'éponge : il passe un accord avec Robert Hersant, avalisé par les actionnaires, qui lui laisse l'apparence du pouvoir avec la présidence du conseil de surveillance dont la réalité est exercée par Xavier Ellie. Les lecteurs s'habituent vite à ce jeune visage qui supplante l'alerte vieillard. Après avoir fait régner dans son entreprise « l'atmosphère d'Arcole et d'Austerlitz », celui-ci vient de connaître son Waterloo.

Voilà bien une mutation d'importance pour un titre qui se veut un journal régional dont les grands traits ne sont pas affectés par ce changement. Fidèle à la tradition sportive, il accorde une attention particulière au rugby, aux sports de neige et de glace ; il accompagne de commentaires, le mardi, les résultats des clubs plus modestes de l'agglomération ; il ne manque pas de consacrer une page spéciale aux équipes scolaires et universitaires ; il assure au printemps l'organisation d'une épreuve-phare du calendrier cycliste : « le critérium » ; il met sur pied, à l'automne, son propre cross, et accorde, en hiver, son concours à deux épreuves de ski de fond : « la foulée blanche » et « la traversée du Vercors ».

Bien entendu, il se fait l'écho des faits ou manifestations de toutes sortes qui jalonnent la vie alpine, sans oublier les traditionnels bouchons de février en Tarentaise ou les drames de montagne de la saison estivale. Il apporte une information élargie sur des événements dont le retentissement dépasse les frontières régionales. Un seul exemple : les procès de proxénètes grenoblois qui doivent leur importance à la ténacité d'un juge d'instruction, appuyé, pour une fois, par les témoignages à charge des prostituées elles-mêmes. Il souligne, par des pages-dossiers, ou des reportages étoffés, réalisations et projets régionaux : voies autoroutières, TGV, tunnel de Fréjus, construction de la centrale Super-Phénix. Celle-ci donne lieu, le 31 juillet 1977, à une puissante manifestation, génératrice d'affrontements violents, au terme desquels on relève un mort, ce qui suscite ce commentaire : « Le mort et les blessés de dimanche sont la victoire de ceux qui sèment la violence... Aucune force de l'ordre ne peut redonner du bon sens à ceux qui l'ont perdu. »

Ces échos, en effet, s'accompagnent souvent de prises de position : ainsi, le journal apporte-t-il clairement son soutien à ceux qui s'en prennent aux atermoiements de la majorité de gauche du conseil général dans l'affaire de l'autoroute Grenoble-Valence. Elles transparaissent encore dans l'analyse de la politique menée par la municipalité de Grenoble, alors que dans le reste de l'agglomération la tonalité des informations est généralement en harmonie avec le pouvoir en place. La direction a affecté à ce suivi un journaliste qui, notamment dans la rubrique « A l'écoute de la mairie », rend compte des projets ou décisions de l'équipe Dubedout ; mais de 1977 à 1982, la photographie du maire n'est pas reproduite à l'occasion de toutes les manifestations auxquelles il participe, quand celle du préfet est omniprésente : distinction opérée peut-être entre l'expression locale de l'opposition et la représentation locale du pouvoir national que le journal soutient.

Parmi les dossiers traités, l'un fait l'objet de très nombreuses observations : celui de l'aménagement d'une ancienne caserne sise à proximité du centre-ville, objet de discussions et d'oppositions marquées. Sur ce point, les prises de position de l'association « SOS Grenoble », qui exprime les intérêts des commerçants du centre-ville hostiles à la réalisation de logements sociaux dans ce cadre, sont soigneusement mises en valeur, étant relayées par le conseiller général devenu leader de l'opposition municipale : Alain Carignon.

Mais le journal reste prudent car l'assise du maire paraît solide encore en 1982. Il trouve alors, dans les difficultés de la Maison de la

Culture, l'occasion de poursuivre un combat amorcé dès l'origine. N'est-elle pas présentée comme « une Maison d'Intolérance aux mains de cultureux, aux déclarations amphigouriques[2] ».

Enfin, lors des municipales de 1983, il aborde les principaux enjeux de la campagne en donnant la parole aux deux listes en présence, après avoir dressé, sur chacune des questions évoquées, un bilan, où seuls les initiés ont pu déceler un léger penchant en faveur de l'opposition. Le succès de celle-ci s'accompagne donc d'une attention privilégiée à ses premiers pas, encore que l'intérêt porté soit à la mesure du bouleversement intervenu et à l'image du référendum local organisé sur le projet de réalisation du tramway.

Désormais, les dirigeants du *Dauphiné libéré* se reconnaissent dans les positions prises par la nouvelle municipalité.

Leurs convictions sont aussi illustrées par deux thèmes privilégiés dans les éditoriaux de Line Reix, épouse de Louis Richerot : « violence et sécurité », soutien sans faille au président Giscard d'Estaing.

L'actualité lui fournit de multiples occasions de dénoncer l'hydre de la violence : celle des terroristes, « chacals qui se repaissent de cadavres[3] » tels les membres de la bande à Baader ou encore les Brigades rouges italiennes dont la répression génère une résistance, un « Vercors... [d'] où se lèvera l'étendard de la Libération[4] » : tous « ces monstres doivent être bannis de la société » parce qu'ils minent la démocratie qui, pourtant, a su se dresser contre la violence de l'occupant dont elle rappelle la réalité lors de l'arrestation de Barbie ; celle, quotidienne aussi, de tous ces auteurs d'actes sauvages (les viols). Contre elle, une lutte sans merci est nécessaire : elle commence par la dénonciation du laxisme des juges coupables de vouloir « à tout prix réinsérer » des criminels irrécupérables ; elle exige la « mise hors d'état de nuire de toute cette vermine ».

Aussi l'éditorialiste lance-t-elle, dans les colonnes du journal, une consultation sur la peine de mort : campagne bien orchestrée qui recueille 21 400 réponses. Le « oui » au maintien de cette peine obtient 72,4 % ; le « oui mais » 8,2 % ; le « non mais » 15,2 % ; le « non » 3,9 % seulement[5].

Elle devait relancer le combat lors du débat parlementaire qui aboutit à son abolition, sur cet argument que la peine capitale demeure la seule protection de la police, de la gendarmerie et des vigiles[6]. Aucun journal régional, à ma connaissance, n'a organisé sur ce thème un tel débat.

Le soutien au président Giscard d'Estaing et à son Premier

ministre constitue une autre constante des éditoriaux de Line Reix, mais ici, le ton est plus mesuré. Néanmoins VGE est l'homme de toutes les vertus : ambitieux pour son pays, européen convaincu soucieux de construire un monde de libre-pensée, navigateur serein dans les tempêtes, conseiller écouté d'un peuple dont, au soir des législatives de mars 1978 « [l'] intelligence et [le] bon sens ont permis que le soleil se lève toujours en France [7] ». Par contre, ses adversaires ne trouvent nulle grâce sous sa plume : Jacques Chirac n'est qu'un « corsaire à la jambe de plâtre [8] », infidèle et posté en embuscade ; ses concurrents de gauche ne sont que des hommes d'un passé révolu, et les socialistes s'apprêtent à jouer les bourgeois de Calais, otages d'un PC maître du jeu.

La campagne présidentielle de 1981 n'apporte que des retouches partielles. « Au changement sans risque » d'un Giscard d'Estaing dont les réformes rendent possible l'avènement d'une nouvelle société [9] s'opposent un Chirac, « M. 100 000 volts », qui songerait même avec bienveillance à une victoire de l'opposition, un Mitterrand qui ouvre la voie à l'aventure et au mirage. Aussi, avant le second tour, Line Reix adresse-t-elle ce dernier conseil à ses lecteurs : « Ne coupez pas la tête de Marianne avec une faucille et épargnez la nôtre : ce n'est pas à coups de marteau que l'on gouverne un pays de liberté [10]. »

Mais ces prises de position marquées laissent place à un ensemble d'informations sur les autres postulants à la présidence. Enfin, curieusement, elle intitule son billet au lendemain du 10 mai : « La revanche de François », formule familière, amicale, pour le moins inattendue.

L'orientation nouvelle du pouvoir central exige plus de prudence et une attitude plus conforme à l'idée que se fait Paul Dini d'un journal d'information. Line Reix cède la place à M. Francioli, aux commentaires plus sereins : ainsi, dressant le bilan d'une année de pouvoir socialiste, il refuse de « caricaturer les faits » et de « conclure au désastre ».

Il salue même sans ironie le blocage des prix et des salaires et conservera ce ton mesuré pour juger courageuses les propositions d'Alain Savary sur l'enseignement privé, compte tenu des réactions prévisibles. Enfin, un conflit social à l'usine Allibert est présenté comme l'expression d'une revendication, par les ouvriers en grève, du respect de leur dignité, longtemps bafouée [11].

Certes, le ton se fait plus ironique avec l'accentuation de la rigueur après les municipales de 1983. « Quelle facture ! » titre-t-il tandis que

H. Pilichowski évoque la « disgrâce de mai 1983 ». L'intégration dans le groupe Hersant n'entraîne pas de changements immédiats en dehors du développement d'un subtil culte de la personnalité du nouveau maire de Grenoble.

Il faut l'annonce par Pierre Mauroy du projet de loi sur la presse pour faire basculer le journal rhône-alpin dans une opposition très nette au nom de la défense des libertés menacées. Xavier Ellie prend à plusieurs reprises la plume pour mettre en pièces ce « fantastique retour en arrière » que constitue ce texte inopportun, hypocrite, puisque, selon Charles Debbasch, l'État façonne l'opinion par ses journaux télévisés[12]. Il faut donc mobiliser les citoyens pour préparer la reconquête du pouvoir.

La loi sur l'enseignement privé sert de levier et le *Dauphiné libéré*, de caisse de résonance aux arguments des adversaires du projet. L'éditorialiste Charles Debbasch se fait le chantre d'une école libre devenue « un garde-fou contre les abus possibles de certains enseignants intolérants[13] », se prononce pour la diversification des types d'écoles contre l'uniformisation socialiste[14]. Cette campagne culmine avec le rassemblement parisien — baptisé du nom de « manifestation du siècle » — d'hommes et de femmes poursuivant l'idéal de « libération de l'école des féodalités partisanes et de promotion d'un enseignement de qualité[15] », et accompagne ses jugements d'un reportage photographique sur les délégations de l'Isère.

Défense des libertés d'un côté, de l'autre, dénonciation d'un État qu'on croirait totalitaire : « Les Français vivent sous le régime du permis : ne faudra-t-il pas bientôt un permis de marcher et de respirer[16] ? »

La correction de trajectoire opérée par le gouvernement Fabius est appréhendée comme une rupture de contrat qui, pour n'avoir pas été soumise au jugement des électeurs, détourne l'esprit des institutions.

Les deux campagnes électorales de mars 1985 et 1986 témoignent d'un durcissement des positions du journal. Les cantonales de 1985 ont donné lieu à une vive controverse avec Louis Mermaz, pourfendeur du *Dauphiné libéré*, qui réplique en fustigeant le « tohu-bohu » du président de l'Assemblée nationale ; la perte de la majorité au conseil général sonne comme la « sanction de ceux qui ont revêtu le masque de l'intolérance[17] ».

Il accentue à l'automne le procès du pouvoir socialiste, laxiste et responsable de l'insécurité ; son visage policier devient insupportable lorsqu'il protège un M. Gorbatchev, qui, pourtant, ignore les droits de l'homme[18]. L'adoption de la proportionnelle fait courir au pays le risque d'une agitation constitutionnelle grosse de difficultés[19].

Le gouvernement déstabilise les médias en mettant en péril l'équilibre financier de la presse régionale par l'autorisation de la publicité sur les radios locales, par la création de télévisions commerciales. Les conditions d'attribution de la 5e chaîne soulèvent tempêtes et sarcasmes contre un pouvoir qui a réussi un hold-up sur l'audiovisuel « en faisant le trottoir devant Berlusconi[20] ».

La campagne législative ponctue cet engagement partisan de manière inhabituelle : le journal se fait ouvertement le propagandiste des listes RPR et UDF où figurent, aux plans départemental et régional, des dirigeants du quotidien. En même temps, sauf rares exceptions, il fait silence sur la campagne des candidats socialistes, tandis qu'il couvre de manière convenable les manifestations du Parti communiste et du Front national. Jamais il n'avait poussé aussi loin la discrimination, ni formulé des jugements aussi tranchés : « Les socialistes ont déséquilibré les mécanismes fragiles de l'ordre social[21]. » Enfin, le Président a miné le terrain des futurs vainqueurs, notamment en portant Robert Badinter à la tête du Conseil constitutionnel.

Aussi est-ce le terme « Victoire », en gros caractères, qui barre la une du 17 mars 1986, victoire prolongée par l'entrée au gouvernement du maire de Grenoble : cette désignation ouvre la voie du Palais-Bourbon à Gautier Audinot, un des jeunes dirigeants du *Dauphiné libéré*.

Au terme de cette analyse peut apparaître une adéquation entre une majorité électorale et un quotidien. Mais celui-ci perd sa crédibilité auprès de ceux qui ne se reconnaissent pas dans ses choix. Peut-être faut-il trouver là l'origine de l'inquiétude des gestionnaires et du lancement d'une nouvelle maquette à l'automne 1987 pour séduire un lectorat réticent.

1. *Dauphiné libéré* du 20 au 30 avril 1982.
2. *Ibid.*, 16 mars 1981.
3. *Ibid.*, 22 octobre 1977.
4. *Ibid.*, 29 mai 1980.
5. *Ibid.*, 20 décembre 1979.
6. *Ibid.*, 19 septembre 1981.
7. *Ibid.*, 2 mars 1978.

8. *Ibid.*, 8 décembre 1978.
9. *Ibid.*, 17 mars 1981.
10. *Ibid.*, 4 mai 1981.
11. *Ibid.*, 15 décembre 1982.
12. *Ibid.*, 8 février 1984.
13. *Ibid.*, 5 mars 1984.
14. *Ibid.*, 22 mai 1984.
15. *Ibid.*, 25 juin 1984.
16. *Ibid.*, 7 mai 1984.
17. *Ibid.*, 1er mars au 19 mars 1985.
18. *Ibid.*, 9 octobre 1985.
19. *Ibid.*, 5 octobre 1985.
20. *Ibid.*, 17 mai 1985, 18 novembre 1985, 17 janvier 1986.
21. *Ibid.*, 10 mars 1986.

Journalistes et médias face aux événements caennais de janvier 1968

GÉRARD LANGE

La cause est désormais entendue : Mai 68 n'est pas vraiment « un coup de tonnerre dans un ciel serein ». L'explosion, certes soudaine, a connu des prémices, aisément vérifiables par l'enquête historienne. L'opinion les a-t-elle perçues sur l'instant ? Question trop négligée, bien que facette importante du processus d'émergence de la crise. La presse d'information offre, de ce point de vue, un angle d'observation approprié. Enregistrée au catalogue des signes avant-coureurs[1], l'émeute caennaise de janvier 1968 peut être un modèle pour juger de la capacité à bien saisir le sens du grand mouvement social à venir par ceux qui sont sommés d'expliquer notre présent : les journalistes.

Malgré un froid glacial, l'étincelle se produit à Caen le 1er janvier. Ce jour-là, les ouvriers de la Saviem votent la grève générale pour le 23. Leurs revendications sont de trois ordres : augmentation générale des salaires de 6 %, constitution d'un fonds de garantie de ressources et extension des droits syndicaux. Le travail cesse également à l'usine Jaeger le 24 et à Sonormel le 26, en raison d'exigences salariales. Somme toute, c'est un conflit social classique. Quel est le comportement des médias régionaux ?

L'attitude de la presse écrite se caractérise par le non-engagement. Dans la région, la presse est « sans politique »[2]. Sur le plan formel, cette démarche se traduit par ce que l'on pourrait appeler l'effet du réel. Les trois quotidiens régionaux adoptent le même dispositif : des reportages sont réalisés dans chaque usine en grève, uniquement factuels. Le récit suit rigoureusement l'ordre chronologique de la journée, les repères chronologiques jalonnant même chaque début de paragraphe dans *Paris-Normandie* et *Ouest-France*. Dans ces véritables cahiers de bord, le journaliste ne prend jamais parti. Il reproduit, *in extenso*, les discours des orateurs, *Ouest-France* n'introduisant le style indirect que pour mieux obtenir l'effet de distance souhaité. Le reportage photographique est effectué dans le même esprit. *Ouest-France* et *Paris-Normandie* titrent au-dessus d'une page entièrement composée de photographies : le film de l'événement. Il est à noter la présence, en encadré, de communiqués émanant d'une direction d'usine ou d'un syndicat, sans aucun commentaire. Le journaliste ne fait que dresser procès-verbal. Cette élaboration du travail au niveau du vécu-perçu explique la ressemblance des articles parus dans ces trois quotidiens.

L'effet de réel n'est pourtant pas sans effet sur l'opinion publique. L'influence de la presse s'exerce par imprégnation lente. Il ne faut pas mésestimer la place accordée au conflit. Chaque jour, la une et deux pages intérieures y sont consacrées dans les trois quotidiens régionaux ! Large espace, ce qui indique aux lecteurs qu'il s'agit bien d'un événement. Sans nul doute, c'est de cette grève qu'on parle dans les bistrots ou chez les voisins, surtout quand un journal complaisamment étalé sur le bord d'une table attire le regard et provoque la discussion. Les modalités du récit elles-mêmes produisent quelque impression sur l'esprit. Le journaliste, qui ne veut être qu'une caméra, place systématiquement celle-ci parmi les grévistes. C'est avec la foule des meetings que le lecteur apprend le résultat des négociations, c'est avec les piquets de grève qu'il a la surprise de voir les CRS aux portes des usines[3]. De fait, il se crée une certaine connivence entre le journaliste et le gréviste et, par conséquent, entre le lecteur et le gréviste. Connivence renforcée à la lecture des légendes photographiques. Les plus exemplaires concernent les clichés des piquets de grève. Quand on lit : « C'est dans le froid que les grévistes, battant la semelle depuis 5 heures du matin, avaient allumé des feux de bois[4] », on ne peut qu'éprouver une certaine sympathie envers ces hommes déterminés et courageux. Quand la charge émotionnelle s'accroît, ce penchant latent éclate. Le 24 janvier, les grévistes se dirigent vers le centre-ville pour demander au préfet l'ouverture des négociations. Ils sont accueillis à l'entrée de la ville par un service d'ordre qui, contre toute attente, charge immédiatement. L'échauffourée, violente, fait quelques blessés. Le lendemain, les visages tuméfiés et ensanglantés sont à la une des trois quotidiens régionaux. « On a même refusé de me soigner dans une pharmacie, malgré mon état ! » titre *Liberté de Normandie*. La neutralité de la presse n'est pas si évidente.

Ainsi, le conflit est suivi par les journalistes avec un intérêt beaucoup plus passionné que l'on pourrait s'y attendre. Il est vrai que le monde journalistique a quelque peu changé dans la région dans les années 60. *Ouest-France,* réputé conservateur et assez ronronnant, subit une grande mutation. Elle est l'œuvre d'un jeune rédacteur en chef, Henri de Grandmaison. L'objectif est clair : « Faire un journal jeune, dynamique, de progrès, et emmerder les vieux cons[5] ! » Il s'attache les services de journalistes talentueux et d'avenir. Y. Agnès devient le chroniqueur de l'Université (il s'agit de conquérir un lectorat intellectuel attaché jusque-là à *Paris-Normandie*) et G. Delorme se charge de l'ensemble des problèmes économiques et sociaux[6]. Cette équipe soudée et dynamique entend agir différemment de ses prédécesseurs. Elle entretient des rapports étroits avec les responsables syndicaux et politiques de la région pour se faire l'écho des problèmes de la ville. Elle lance une enquête sur le chômage, décrit les débats au sein de l'UNEF, rappelle le conflit opposant certains locataires de la résidence du Parc de Mondeville à propos des aires de jeux pour enfants. *Ouest-France* devient un journal qui dérange. Dans ce nouveau climat, des journaux voient le jour. L'hebdomadaire *Caen 7 jours,* fondé par des étudiants, est dans les kiosques le 21 novembre 1963. Il est concurrencé par le bimensuel *Caen-Magazine* dès février 1967[7]. Tant par les thèmes abordés, qui vont de l'expansion industrielle à la sélection des étudiants à l'Université, que par la création de rubriques telles que « Caen-Jeunes » ou « La mode », on décèle chez ces deux nouveaux venus un même souci : occuper un nouvel espace informationnel en s'intéressant aux véritables préoccupations de la population.

Au prisme de l'effervescence régnant dans les salles de rédaction, l'attitude de la presse se comprend mieux. Nullement militante, elle n'a pas pour autant l'intention de passer les faits sous silence. En soi, informer sur tout n'est pas neutre. Le traitement journalistique du conflit par la télévision régionale s'avère, par contraste, édifiant. Sur le quart d'heure quotidiennement attribué, les informations régionales consacrent seulement 1'10 à la grève de la Saviem le 23 janvier. Le lendemain, c'est un reportage sur le maire de Saint-Vaast-la-Hougue qui forme l'essentiel de l'actualité avec ses 5'33 tandis que le mécontentement ouvrier est expédié en 1'39. Le 25 janvier, aucune image du conflit n'est présentée aux téléspectateurs, la préférence allant ce jour-là aux noces d'or du doyen des horticulteurs du Calvados, et à la remise du prix Inter-fermes[8] ! Des choix sont à faire. La presse écrite semble plus apte à jouer les trouble-fête que le journalisme audiovisuel.

Encore faut-il un détonateur susceptible d'enflammer les esprits des journalistes locaux. Il est amorcé le 26 janvier. Un grand rassemblement intersyndical de protestation contre les brutalités policières subies par les grévistes deux jours plus tôt réunit près de 10 000 personnes. Les gardes mobiles chargent très vite mais, cette fois, les manifestants, prévoyants, sortent billes d'acier et frondes de leurs poches. Le grand affrontement commence. Caen connaît une véritable nuit d'émeute. Le mouvement de grève se trouve à un tournant, le travail journalistique aussi.

La télévision régionale ne se saisit pas de l'événement. Ce soir-là, le présentateur annonce simplement qu'une manifestation se déroule sans incident dans les rues de Caen[9]. C'est dans les kiosques que les Caennais contemplent le lendemain matin le spectacle de la nuit. L'émeute envahit la quasi-totalité de l'espace des unes de quotidiens régionaux ! Les chapeaux introduisant les reportages soulignent tous le caractère exceptionnel de cette nuit caennaise. Le ton même des reportages change. Les envoyés de *Ouest-France* et de *Liberté de Normandie* emploie le « je » assumant leur subjectivité. Du coup, le lecteur s'identifie et participe, par procuration, à l'événement. Le récit accorde cette fois une large place à l'émotionnel et au spectaculaire. La recension des thèmes principaux contenus dans ces reportages le confirme. Le journaliste entend « le klaxon des ambulances qui emmènent les blessés », se trouve gêné par les « nuages de fumée créant un rideau entre les forces de l'ordre et les manifestants[10] » : ces descriptions restituent l'atmosphère de la soirée. « Un blessé est adossé au mur de la rue du Pont-Saint-Jacques. Il a le visage en sang[11]. » La violence de l'affrontement est aussi maintes fois soulignée par les descriptions d'exactions de petits groupes qui, par exemple, « armés de pelles, enlèvent un soupirail[12] ». L'impression de violence incontrôlée et irrationnelle est renforcée par des images, telle celle de « M. Lenormand, ceint lui aussi de son écharpe (qui) réprimande vertement les manifestants[13] ». On cherche à créer un choc émotionnel chez le lecteur. Les photographies sont utilisées dans le même sens. Elles sont abondantes ; *Ouest-France* n'hésite pas à illustrer l'événement sur deux pages entières. Tout est photographié : brasiers allumés, blessés, et exactions policières[14]. Il faut constater la similitude entre ces photographies et celles qui paraîtront dans *Paris-Match* au mois de mai. Les journalistes caennais associent toujours reportage factuel et photographies illustratives. Mais cette fois, la charge émotionnelle crée le sentiment collectif que l'on est en train de vivre l'histoire, condition *sine qua non*, au surgissement de l'événement contemporain.

Qu'en est-il de son extension géographique ? Le rôle des médias s'avère ici primordial. La télévision ne constitue pas le relais idéal. Les actualités nationales consacrent à peine 30″ à la nuit d'émeute, sans image[15]. La radio se montre plus prompte en proposant à Henri de Grandmaison de commenter en direct les incidents de la nuit[16]. C'est encore la presse écrite qui répercute le plus profondément l'écho des « événements caennais ». La raison en est simple : la ville de Caen fourmille de correspondants nationaux. Les deux talents de *Ouest-France*, G. Delorme et Y. Agnès, sont en liaison avec Paris, le premier pour *L'Aurore*, le second pour *Le Monde*. *L'Humanité* a elle aussi son correspondant, en la personne de Charles Silvestre, chargé de couvrir le Grand Ouest. Henri Néel renseigne *Le Figaro*. Jusqu'au 26 janvier, la grève caennaise n'occupe que des entrefilets dans les pages économiques et sociales. Seule *L'Humanité* met la capitale bas-normande à sa une, le 24 janvier : « Tous les ouvriers de la Saviem en grève, c'était hier la première des trois journées d'actions revendicatives de la métallurgie. » Le titre indique clairement le prétexte. C'est la nuit d'émeute qui propulse véritablement les ouvriers caennais à la une de la quasi-totalité des quotidiens nationaux. La présence de correspondants a permis de créer la sensation dès le lendemain en soumettant, de plus, au lecteur parisien un récit sur le vif. Trois journaux seulement n'ont pas réagi, et pour cause. *Le Populaire* est moribond et se contente de publier les textes du congrès de la SFIO, *La Croix* et *Le Parisien libéré* ne disposent pas de correspondants[17]. Sans doute faut-il nuancer la portée de l'événement en observant plus attentivement les unes. L'émeute caennaise est quelquefois englobée dans une titraille. *L'Aurore* la place dans le même encadré que l'attaque de la sous-préfecture de Fougères par des ouvriers et l'occupation de la gare d'Angers par des viticulteurs. *L'Humanité* l'inclut dans une liste comprenant la grève à Dassault-Bordeaux, la manifestation à Fougères et le mouvement des « lignards » PTT, au-dessous d'un sur-titre : « Pour les salaires et l'emploi. » Quant à la disposition, il faut remarquer que les tribunes et les milieux de pages sont plutôt occupés par l'actualité étrangère. L'affaire du *Pueblo*[18], la guerre du Viêt-nam et la disparition d'un sous-marin israélien au large des côtes égyptiennes obsèdent le monde entier. A l'exception de *France-Soir*, l'émeute caennaise n'a droit qu'aux sous-tribunes ou aux pieds de pages. Ce n'est donc pas l'événement principal, constaté aussi par l'absence de photographies[19]. Toutefois, il choque suffisamment pour provoquer un certain prolongement journalistique les jours suivants. Les correspondants convainquent leurs collègues que ce qui se passe à Caen mérite enquête. Plusieurs journaux dépêchent un envoyé spécial[20]. Quelques éditorialistes trouvent leur inspiration dans l'événement caennais. C'est la preuve, s'il en était besoin, que les journalistes parisiens, au-delà de l'événement du 26 janvier, croient tenir là « un fait de société ».

A Fougères, le 28 janvier, des grévistes affrontent longuement les CRS. Cette information ne bénéficie pas de la même couverture médiatique que « les événements caennais » : son titre à la une et son évocation dans quelques commentaires sont toujours placés secondairement à la capitale bas-normande ; le récit est une dépêche de l'AFP et on n'y envoie aucun reporter. Le relais efficace entre journalistes régionaux et parisiens semble décisif quant à la création de l'événement.

L'émeute du 26 janvier amorce la troisième phase du mouvement de grève, essentiellement marquée par l'intervention de l'opinion publique. Grèves de solidarité et dons de toute nature se multiplient, débordant largement le cadre étroit de la seule classe ouvrière : beaucoup d'étudiants, certains paysans, et l'évêque même, invitant les chrétiens à se sentir solidaires, interviennent de façon active dans le débat. La pratique journalistique de départ s'en trouve modifiée. A la lecture des quotidiens et hebdomadaires régionaux après le 26 janvier, il faut constater d'importants changements formels. De nouvelles rubriques naissent. *Ouest-France* est le seul à organiser un « micro-trottoir », les gens de la rue étant invités à exprimer leurs points de vue sur la violence de la nuit[21]. Dans le même esprit, une place est accordée au courrier des lecteurs[22]. Les journalistes traquent l'ouvrier représentatif pour réaliser l'interview sur les motivations des grévistes et les raisons profondes de leur colère[23]. Il est à noter également que toutes les manifestations de sympathie de l'opinion publique, que ce soit celle des pêcheurs de Port-en-Bessin venus ravitailler les grévistes en poisson ou la petite collecte réalisée au restaurant universitaire, sont systématiquement évoquées. Le mouvement de solidarité fait parfois le titre principal d'une page intérieure[24]. Quelques reportages s'éloignent des simples faits. *Paris-Normandie*, par exemple, s'attache à décrire l'ambiance des piquets de grève[25]. Et surtout, fait rarissime, éditoriaux et commentaires fleurissent dans tous les journaux. Ces nouveautés dans le compte rendu de la grève s'expliquent par un changement d'attitude des journalistes. Ils restent observateurs, bien sûr, mais entendent aussi exposer la signification de l'événement et tentent de l'expliquer. Tout en se faisant l'écho de l'opinion publique, la presse régionale exerce, par un effet amplificateur, une action sur celle-ci, ce qu'elle aurait pu tout aussi bien refuser. (Si tous les journaux avaient consacré aussi peu de place et de réflexion au mouvement de grève que le *Bonhomme libre*, hebdomadaire proche du gaullisme, cela aurait changé bien des choses.) Il reste à savoir si tout cela est le fruit d'une décision réfléchie. L'entretien réalisé avec Henri de Grandmaison peut à cet égard, nous éclairer. « On en a discuté dans l'équipe, affirme-t-il, et c'était délibéré de prendre une position. Il fallait soutenir des revendications qui nous paraissaient correctes et, en tout cas, ne pas nous trouver liés à un système de répression qu'on n'acceptait pas, c'était surtout cela. » Il précise, un peu plus loin, qu'il y a eu quasi-unanimité dans la rédaction caennaise sur cette question. Sans doute, cette décision explique-t-elle les rapports franchement cordiaux entretenus entre les grévistes et les journalistes au cours du conflit. Ils discutent beaucoup avec les représentants syndicaux surtout. Jean Buet, pour la CFDT, et A. Lemarchand, pour la CGT, apportent leurs communiqués mais aussi quantité d'informations et d'analyses. Des contacts avec « la base » s'établissent également. Quelquefois même, un journaliste véhicule des ouvriers dans sa voiture[26]. Incontestablement, la presse écrite régionale change sa façon de travailler après le 26 janvier et participe, de fait, au mouvement d'opinion publique en faveur des grévistes. Mais il est des espaces où cette sympathie s'affiche ouvertement. Le contenu des éditoriaux et des commentaires permet de comprendre la position des journalistes. Trois commentaires critiquent sévèrement les forces de l'ordre, utilisant les mêmes arguments. La mise en place de barrières protégeant la place de la Préfecture « eut un effet psychologique désastreux[27] », et leur présence « constitua une véritable incitation à les renverser et à les franchir[28] ». Le manque de sang-froid des forces de l'ordre est patent puisqu'elles ont chargé au moment où les dirigeants syndicaux reprenaient leurs troupes en main. Ces charges mal appropriées font porter l'entière responsabilité sur les gardes mobiles quant à l'extension de l'émeute dans tout le centre-ville. Le but de ces trois commentaires est de s'interroger sur la répression policière. « Comment justifier que des personnes mises en état d'arrestation aient été violemment frappées ? Qu'on ait dans un cas particulier, démuselé un chien pour le faire gronder près du visage d'un manifestant ? De quel droit a-t-on coupé les cheveux d'un jeune homme surpris à dormir dans sa voiture place Éboué[29] ? »

Le commentaire du *Bonhomme libre* n'en paraît que plus isolé[30]. Il a déjà été souligné le peu de place que ce journal consacre à l'événement. Et pour cause ! Dans son unique commentaire, il est affirmé que « la tactique même des bagarres et les moyens employés... établissent à l'évidence une participation d'individus organisés en commandos et qui n'avaient pour la plupart rien à voir avec l'affaire ». Le spectre de la guerre civile brandi à la fin de l'article, il ne reste plus qu'à jeter un voile pudique sur « les événements ».

Un deuxième type de commentaire consiste à privilégier quelque « à côté » de l'événement. *Caen 7 Jours* en réalise trois. Le premier dénonce les incroyables vices de procédure émaillant le procès des personnes arrêtées en flagrant délit et pose la question dans son titre : le juge qui condamna les manifestants sera-t-il sanctionné ? La situation financière des entreprises en grève est examinée dans un deuxième dossier où il s'avère que les données sont extrêmement variables d'une usine à l'autre. Enfin l'équipe de *Caen 7 Jours* étudie le travail de la presse française sur les manifestations caennaises pour constater l'excellente couverture médiatique de l'événement[31]. Il existe enfin une troisième catégorie de commentaire visant à rechercher les causes profondes de l'explosion. La révolte de la jeunesse est l'interprétation retenue par *Ouest-France*. H. de Grandmaison, en page locale, et Christian Bouvet, en page nationale, écrivent deux éditoriaux intitulés : « Des jeunes dans la rue »[32]. Selon eux, les germes de la révolte s'appellent chômage et déqualification professionnelle des jeunes. « Ils sont arrivés à l'usine avec, en poche, un beau diplôme et on leur a offert un travail de manœuvre. » Rien d'étonnant donc à ce qu'un jour ils descendent dans la rue. *Caen 7 Jours* privilégie plutôt la thèse de la crise économique, en constatant que le mouvement de décentralisation a utilisé une main-d'œuvre abondante et bon marché pour faire de Caen « un immense atelier où des milliers de bras travaillent pour des têtes réfugiées à Paris[33] ». Aussi, *Caen 7 Jours* mène l'enquête pour dresser une liste des besoins indispensables à un développement harmonieux de la capitale bas-normande, qui vont d'une indispensable diversification des activités à la nécessité de retenir chercheurs et ingénieurs formés dans la région. L'ensemble de la presse écrite régionale n'est donc pas avare de jugements, *Le Bonhomme libre* faisant exception. Bien plus, elle offre aux Caennais un débat utile sur les problèmes liés à l'expansion industrielle issue du mouvement de décentralisation des années 60. Ce faisant, les journalistes jettent une lumière crue sur le problème des OS en 1968 : une remise en cause du taylorisme ? C'est une interprétation régionale qui pèsera sur les comportements caennais en Mai.

Il faut aussi étudier les commentaires parus dans la presse écrite nationale. Quelles leçons tire-t-on à Paris ? Il faut inclure dans ce corpus les reportages, tant ceux-ci regorgent d'analyses. Le reportage exclusivement militant est sans surprise. *Servir le peuple*, journal de l'UJCML, rapporte les faits de manière à mettre en lumière la crise de la bourgeoisie et la trahison des bureaucraties syndicales devant la colère de la classe ouvrière[34]. *Avant-Garde jeunesse* souligne la convergence possible entre les étudiants et la partie la plus exploitée de la classe ouvrière, condition d'émergence d'une crise révolutionnaire[35]. Les autres reportages relèvent plus d'une démarche journalistique classique, faite d'investigations. Malgré les sensibilités propres à chaque journal, les observations sont à peu près similaires. Tous les reporters soulignent le rôle primordial joué par la jeunesse, le caractère spontané du mouvement et les difficultés pour les syndicats à le canaliser, le vaste élan de solidarité envers les grévistes et la violence des forces de l'ordre. En ce qui concerne les causes profondes du mécontentement, les thèmes développés par la presse régionale sont repris, à savoir la situation économique engendrée par le mouvement de décentralisation. Il faut noter simplement la touche personnelle apportée par le reporter de *L'Humanité* qui, seul, insiste sur le problème du pouvoir d'achat. Les reportages donnent, dans l'ensemble, une image assez juste des problèmes économiques et sociaux que connaît Caen en ce début de 1968. Outre les compétences professionnelles de chacun, cette qualité s'explique par le fait que les envoyés se rendent dans les rédactions caennaises pour y chercher l'information : ces contacts enrichissent le matériau du reporter parisien[36]. Est-il possible de tirer des leçons à l'échelle de la France ? Quelques éditorialistes et commentateurs prennent Caen en exemple. A. Guérin, dans *L'Aurore*[37], pense que le fond du malaise social réside dans le coût de la vie et la crise de l'emploi : « Qu'on n'aille pas chercher ailleurs les raisons de ces grèves ouvrières. » Ce faisant, il critique sévèrement un gouvernement qui, de progrès technologiques en projets technocratiques, « ne s'est pas inquiété de savoir si " l'intendance " suivrait ou non ». Selon G. Valance, de *Combat*[38], la grande leçon des événements de Caen serait à chercher dans la radicalisation spontanée et générale de la base ouvrière. Elle ne comprend pas les atermoiement des centrales syndicales face à une crise de l'emploi qui « a réveillé dans le monde ouvrier la peur ancestrale du chômage que le mythe de l'expansion avait paru tuer ». Certes, reconnaît G. Valance, la conjoncture économique affecte l'efficacité des grèves « ... du moins tant que les salariés ne seront pas unis ». « C'est l'immense inquiétude d'un peuple confronté à un monde en profonde mutation » qui préoccupe G. Montaron, de *Témoignage chrétien*[39]. La France se modernise à outrance mais « dans le même temps, des régions entières restent sous-développées, des villes meurent, des usines ferment. [...] Le chômage, ce spectre des temps qu'on croyait révolus fait sa réapparition. » Dans *Le Canard enchaîné*[40], Morvan Lebesque compare les ouvriers à des soldats, mobilisés dans les casernes du travail. « Il suffit ici et là que les dividendes manquent à gagner d'un centime pour que la société leur applique aussitôt la loi martiale des pauvres, réductions d'horaires, mises à pied, chômage, comme les nations, à la première alerte, envoient leur piétaille au feu... L'état-major que dirige le général Prestige publie des bulletins de victoire : l'armée gagne du fric et se goberge aux lumières de la société de consommation : quant à l'avant, il va au front du travail. » Aussi, ces flambées de violence ne seraient que le fruit du désespoir. Il ne faut pas oublier, cette fois, la télévision. Michèle Bayi réalise un reportage à Caen pour le magazine « 15 Millions de jeunes » intitulé : « Un CAP pour quoi faire ? » Il est diffusé le 2 mai. Interviewé, le directeur de la Saviem résume le propos de l'émission : « Nous ne sommes pas responsables si on a formé 30 CAP de coiffeurs et qu'on ne trouve pas à les employer[41]. » Certes, l'ensemble des problèmes soulevés par les médias nationaux apparaît bien épars et quelques-uns sont plaqués artificiellement sur la réalité caennaise. L'essentiel est de constater que l'événement tisse une toile de fond soumise à l'opinion : la situation économique et sociale de la France s'avère préoccupante.

Il est temps d'apprécier le travail des journalistes sur l'émeute caennaise à l'aune de Mai 68. L'ORTF semble, selon une expression soixante-huitarde, avoir mis un rectangle blanc pour un peuple adulte. En revanche, l'ensemble de la presse écrite a fort bien su détecter l'événement, et c'est là son mérite essentiel. Son travail appelle quelques remarques générales. La pertinence de certains reportages en fait des références. C'est ainsi que l'article de J. Lacouture, intitulé « De la grève à la jacquerie ouvrière », est toujours cité par ceux qui font des recherches sur l'origine de la nouvelle classe ouvrière caennaise des années 60[42]. Il faut souligner également le fait que les journalistes sentent confusément que l'émeute caennaise n'était que le gonflement d'une lame montante. J. Lacouture, en évoquant la convergence d'objectifs entre syndicalistes ouvriers et étudiants, note qu'elle sera « une donnée permanente de la situation politique et sociale à Caen dans les prochaines années[43] ». G. Valance avertit : « 1968 verra encore des manifestations unitaires, mais ce ne seront peut-être plus ces calmes et solennels défilés de la Bastille à la République[44]. » Morvan Lebesque met, sans détour, le pouvoir de De Gaulle en cause : « Ne vous y trompez pas : ce ne sont pas là des émeutes, mais des mutineries comme en 1917. Quand le Parlement se tait, la rue parle. Devant l'abstraction du pouvoir, l'homme retrouve dans son cœur, et s'il le faut dans ses poings, la réalité de son pays[45]. » Ces avertissements, au fond, surprennent, parce qu'ils se fondent sur des analyses économiques et sociales, au moment où les technocrates s'enorgueillissent des résultats de la croissance française. De fait, les journalistes donnent un éclairage intéressant sur les causes de la crise de 1968, à savoir que le développement économique qu'a connu la France n'a pas été sans créer de multiples et intolérables tensions sociales. Ce discours, faut-il le souligner, s'ancre dans une réalité certaine. Les journalistes français — et c'est la grande leçon à retenir —, ne pensent pas tous que « la France s'ennuie ». A côté de l'article-symbole de Viansson-Ponté, contribuant à justifier la formule du « coup de tonnerre dans le ciel serein », existent des papiers cherchant le discret cheminement d'une grande agitation sociale[46]. Mais l'actualité a la particularité de défiler constamment. Les Jeux Olympiques se profilent à l'horizon et le lecteur, émerveillé par les prouesses d'un J. C. Killy, oubliera bien vite tous ces avertissements.

1. Elle est cataloguée dans Hamon et Rotman, *Génération*, t. 1 : *Les Années de rêve*, Seuil, 1987, et M. Winock, *Chronique des années soixante*, Seuil, 1987.

2. Bernard Prunières, *La Presse sans politique : étude systématique de la presse lue dans le Calvados en 1963*, Pichon et Durand-Auzias, 1966.

3. Un exemple pris dans *Liberté de Normandie* du 25 janvier 1968, p. 3 : « ... A 8 heures, à l'arrivée devant l'usine, les grévistes ont la surprise de tomber sur un service d'ordre. »

4. *Paris-Normandie*, 24 janvier 1968, p. 3.

5. Entretien avec H. de Grandmaison du 21 octobre 1987 (actuellement rédacteur en chef à *Sud-Ouest*).

6. Y. Agnès est journaliste au *Monde* et G. Delorme responsable du service économique au siège de *Ouest-France*.

7. Ce journal disparaît début janvier 1968.

8. Les conducteurs ont été consultés. En revanche, les reportages n'ont pu être visionnés (défaut d'archives).

9. *Liberté de Normandie*, 28-29 janvier p. 4 : « Nous sommes rejoints par les cameramen de l'ORTF qui ignorent encore que le journaliste de service à 19 h 45 a déclaré : " On manifeste dans les rues de Caen mais il n'y a pas d'incidents. " Certes, un reportage de 2'03" est réalisé le samedi 27 janvier. Retard pris sur la presse écrite !

10. *Ouest-France*, 27, 28 janvier 1968.

11. *Ibid.*

12. *Ibid.*

13. *Ibid.*

14. Le 29 janvier 1968, *Ouest-France* montre des photographies avec des manifestants remplissant une brouette de briques. S'est-on rendu compte du déséquilibre créé la veille ?

15. Nous n'avons que des sources indirectes. *L'Humanité* du 5 janvier 1968, p. 11 : « De graves événements viennent de bouleverser Caen et sa région. Les actualités télévisées leur ont accordé moins de 30 secondes. » *Le Canard enchaîné*, 31 janvier 1968, première page : « Le soir où les grévistes de la Saviem se heurtent aux CRS, j'ouvre la télé et que nous apprend-elle ? Que l'industrie automobile française est en pleine expansion. »

16. H. de Grandmaison ne se souvient pas de laquelle.

17. *Le Parisien libéré* ne fait pas de une. *La Croix* la fait le 30 janvier en titrant : « Après les incidents du vendredi soir à Caen. » Le reportage du Paul Meunier n'évoque que les négociations entreprises après le 26 janvier. Effet de retard sur l'événement !

18. Le *Pueblo* est un navire américain capturé par la Corée du Nord.

19. Seul *France-Soir* met une photographie de l'émeute à sa une, parce qu'il paraît le dimanche-lundi.

20. J. Lacouture pour *Le Monde*, P. Leroux et A. Pautard pour *France-Soir*, C. Silvestre pour *L'Humanité*, M. Bertin pour *Témoignage chrétien*.

21. *Ouest-France*, 29 janvier 1968.

22. Dans *Liberté de Normandie*, *Ouest-France*, *Caen 7 Jours*.

23. « Devant le magnétophone d'*Ouest-France*, un jeune manifestant parle », *Ouest-France*, 29 janvier 1968, p. 8. « Un jeune homme en colère raconte : la Saviem ressemble à une caserne », *Caen 7 jours*, 8 au 15 février 1968, p. 10.

24. Exemple : titre de la p. 2 du 31 janvier 1968 dans *Paris-Normandie* · « Nombreux témoignages de solidarité. »

25. « On s'installe dans la grève », *Paris-Normandie*, 1ᵉʳ février 1968, p. 3.

26. Entretien avec S. Bahaut, ouvrière chez Jaeger en 1968.

27. « L'erreur psychologique des barrières volantes de la place de la République a porté l'émeute dans le centre de la ville », *Liberté de Normandie*, 21, 29 janvier 1968.

28. « Leçons amères d'une nuit tragique », *Paris-Normandie*, 29 janvier 1968, p. 3. Il faut mentionner le commentaire de *Caen 7 Jours* : « Ce qu'on ne vous a pas dit sur les émeutes de vendredi soir », 1ᵉʳ au 8 février 1968, p. 7.

29. *Ibid.*

30. « Les fruits de la colère », *Le Bonhomme libre*, 2 février 1968.

31. « Le juge qui condamna les manifestants sera-t-il sanctionné ? », *Caen 7 Jours*, 1ᵉʳ au 8 février 1968, p. 5 ; « La situation financière des entreprises en grève », *Caen 7 Jours*, 1ᵉʳ ou 8 février 1968, p. 6 ; « Les manifestations de Caen et la presse française », *Caen 7 Jours*, 1ᵉʳ au 8 février 1968, p. 5.

32. *Ouest-France*, 29 janvier 1968.

33. « Les types d'emplois nécessaires à l'agglomération caennaise », *Caen 7 Jours*, 8 au 15 février 1968, p. 11.

34. « Magnifique action des ouvriers de Caen contre l'État patron », *Servir le peuple*, 1ᵉʳ février 1968, p. 1.

35. *Avant-Garde jeunesse*, n° 8, janvier 1968.

36. Entretien avec H. de Grandmaison. « Oui, J. Lacouture est venu me voir d'ailleurs, et d'autres aussi. Je crois qu'on nous considérait comme une rédaction très intéressante à cette époque-là, connaissant tout très bien. »

37. « Prix de la vie et crise de l'emploi : c'est le fond du malaise social », *L'Aurore*, 31 janvier 1968, p. 1.

38. « Les manifestations de Caen illustrent l'impatience et la radicalisation de la base ouvrière », *Combat*, 29 janvier 1968, p. 6 et : « La conjoncture économique affecte l'efficacité des grèves » *Combat*, 5 février 1968, p. 6.

39. « Trois faits et leur signification », *Témoignage chrétien*, 1er février 1968, p. 2.

40. « Les mutineries », *Le Canard enchaîné*, 31 janvier 1968, p. 1.

41. Propos rapportés par la presse régionale.

42. *Le Monde*, 7 février 1968. Article cité par exemple chez A. Frémont : *Ouvriers et ouvrières à Caen*, CNRS, 1981.

43. *Ibid.*

44. *Combat*, 29 janvier 1968, p. 6.

45. *Le Canard enchaîné*, 31 janvier 1968, p. 1.

46. La presse semble avoir aussi été particulièrement intéressée par l'émergence d'une culture anti-autoritaire et les potentialités qu'elle recelait. (Voir la communication de M. F. Raflin, « Les manifestations de la révolte en mai 1968 : résurgence des extrêmes gauches marginalisées ou émergence d'une culture anti-autoritaire », IVe colloque annuel d'Histoire au présent.)

DISCUSSION

APRÈS LES INTERVENTIONS
DE B. MONTERGNOLE ET G. LANGE

JEAN-JACQUES BECKER. — *Comme le rappelait M. Montergnole, il y avait, dans la presse d'avant-guerre et encore plus d'avant 1914, à peu près partout trois journaux : un journal socialiste, un journal radical et un journal de droite. Les journaux avaient donc le droit d'avoir des opinions. Dans la situation de monopole où se trouve la presse régionale à l'heure actuelle, les journaux n'ont plus le droit d'avoir des opinions. J'ai l'impression que* Le Dauphiné libéré *a cherché à cumuler les deux rôles du journal régional qui informe et du journal régional qui a des opinions. L'opération était évidemment difficile.*

MICHÈLE COINTET. — *L'historien discerne dans la presse régionale d'avant 1939 le rôle des notables et arrive assez bien à repérer leur influence. Pouvez-vous nous dire, d'après votre connaissance du milieu régional, ce qui, depuis trente ans, a remplacé l'influence de ces notables ? Pouvez-vous aussi éclairer les rapports de la presse régionale avec les supermarchés ainsi que l'absence de grande campagne de presse sur telle affaire financière ou autre. On ne voit pas non plus de journalistes shérifs qui dénoncent des politiques financières municipales. Cela veut-il dire que les municipalités sont admirablement pures dans l'ensemble, ce qui est possible ? Quelles sont les relations des journalistes avec les grandes municipalités et avec les milieux économiques et politiques locaux ?*

BERNARD MONTERGNOLE. — *La presse régionale, notamment* Le Dauphiné libéré, *est une presse de faire-valoir des notables. En effet, lorsque le pouvoir municipal est bien assis, quelle que soit sa couleur, il bénéficie d'une attention particulièrement indulgente de la part des journalistes. A l'heure actuelle, se répand même la pratique de choisir, au sein des services d'information des municipalités, un correspondant. Je doute que beaucoup de municipalités soient mêlées à des affaires financières croustillantes, mais il est vrai que ces problèmes sont rarement évoqués. Je pense notamment à une affaire qui avait soulevé l'opinion publique grenobloise, où était cité quelqu'un qui avait été, pendant quelque temps, l'administrateur judiciaire du* Dauphiné libéré. *Les informations avaient été données mais en réduisant l'investigation parce qu'il y avait là des liens personnels qui l'entravaient. En ce qui concerne les problèmes économiques, il y a un souci d'information relativement large mais qui se heurte au secret des entreprises. Sur ce plan, les informations sont partielles mais ceci relève moins de la volonté d'occultation des journalistes que du souci des entreprises de ne communiquer que peu d'informations. Quant au lien avec les supermarchés, je ne vous dirai qu'une chose, c'est que l'entrée du* Dauphiné libéré *dans le groupe Hersant s'est faite par l'intermédiaire de Marcel Fournier qui fut le P-DG des magasins Carrefour. Pour le reste, les supermarchés fournissent de la publicité et je ne crois pas qu'il y ait d'autres liens que celui-ci.*

ANDRÉ-JEAN TUDESQ. — *Une originalité du* Dauphiné libéré, *c'est d'être un des grands quotidiens régionaux à n'être pas situé dans une métropole régionale. Il en va de même pour* Nice-Matin. *Ce n'est donc pas une exception mais un cas très nettement minoritaire. Alors, je voudrais que vous me disiez si* Le Dauphiné libéré *a eu une position particulière face à la régionalisation et, conjointement à cette question, comment sont vus les rapports Grenoble-Lyon à travers le journal ?*

BERNARD MONTERGNOLE. — *Les relations difficiles entre Grenoble et Lyon transparaissent peu dans le journal. Il y a eu conflit entre* Le Dauphiné libéré *et* Le Progrès *mais ce conflit avait été conclu par des accords passés en 1966 pour le plus grand bénéfice des deux grands quotidiens. La rupture des accords par Jean-Charles Ligniel, en 1979, a été préjudiciable au* Dauphiné libéré, *compte tenu des dettes que* Le Progrès *de Lyon avait à son égard, mais plus encore au* Progrès *qui a fini par tomber dans l'escarcelle de Robert Hersant lui aussi. La* difficulté réelle c'est l'information régionale. Le Conseil régional jusqu'en 1986 faisait l'objet d'informations confidentielles.

Les élections régionales de 1986 ont attiré l'attention du journal d'autant plus que, comme aux élections législatives, certains membres de la direction du journal étaient présents sur les listes : un des responsables de l'édition Nord-Isère appartenait à la liste de la coalition RPR-UDF. Malgré cet intérêt particulier, les problèmes régionaux n'ont pas été véritablement posés. L'identité rhône-alpine est à construire. Entre les gens de la Loire et ceux de l'Ardèche, et d'autre part les hauts Savoyards, il y a peu de points communs. Le journal a même posé la question d'un regroupement d'un sillon alpin, regroupant les deux Savoies et l'Isère. On ne peut donc pas dire que l'information régionale soit véritablement étoffée. Il est possible qu'avec l'élargissement des budgets régionaux, cette information devienne nécessaire.

MARC MARTIN. — *Il apparaît que les pratiques de la presse régionale ne sont pas nécessairement les mêmes que celles de la presse parisienne. Nous avons sans doute tendance à avoir une vision trop « parisianiste » et à attribuer à l'ensemble de la presse française des caractéristiques, des pratiques, des manières de faire qu'il faudrait davantage nuancer. Parmi les facteurs qui font évoluer une orientation rédactionnelle et qui ont été évoqués, j'ai noté qu'il y avait d'abord les événements internes d'une entreprise — par exemple, pour* Le Dauphiné libéré, *le changement de propriétaire qui pose le problème du pouvoir dans l'entreprise et par conséquent celui de la liberté des journalistes. Second facteur : la conjoncture politique bien sûr. Nous avons vu comment s'infléchissait l'orientation rédactionnelle du* Dauphiné libéré *en 1981. Je pose maintenant aux deux intervenants cette question : ont-ils perçu un problème de génération, une attitude différente des nouveaux journalistes qui sont arrivés dans la profession vers le milieu des années 60 ?*

BERNARD MONTERGNOLE. — *On constate au* Dauphiné, *à l'heure actuelle, des difficultés entre une vieille génération de journalistes qui est relativement revêche à l'égard des nouvelles technologies, à l'égard de l'informatisation généralisée, qui reste très attachée à une locale de « proximité » du type qu'on peut appeler rubrique des chiens écrasés, et d'autre part une nouvelle génération qui est issue de l'Université — non des écoles de journalistes, car* Le Dauphiné *se méfie et du CFJ et de l'École de Lille ou de celle de Strasbourg ; il préfère recruter au sein de l'Université, peu à Sciences-po, mais plutôt en langues et lettres qui semblent moins marquées politiquement — qui a un souci d'écriture et serait peut-être tenté par un journalisme d'investigation qui, pour l'instant, lui est refusé par la rédaction.*

PHILIPPE VIGIER. — *Outre les problèmes de la presse et les problèmes ruraux, je m'intéresse beaucoup à l'opposition et à la distinction Paris-province. Je crois qu'il serait effectivement très intéressant d'affiner ce problème. Ma question s'applique en particulier au Dauphiné libéré mais également à la presse normande : est-ce que dans la presse régionale, on observe aussi cette rhétorique de la désinvolture évoquée par M. Truffet ?*

BERNARD MONTERGNOLE. — *Contrairement à ce que vous pouvez croire, le modèle du marketing commercial trouve également un point d'application dans Le Dauphiné libéré avec des titres qui font des clins d'œil à Libération. Ils peuvent surprendre le lectorat mais c'est aussi sans doute une volonté de conquérir un lectorat jeune qui, lui, a l'habitude de cette rhétorique publicitaire. Mais ceci a pour conséquence de réduire le texte à sa plus simple expression : l'information locale se réduit aux titres et il n'y a pratiquement plus de texte.*

GÉRARD LANGE. — *Les problèmes de génération sont pour moi incontestables. Henri de Grandmaison, Yves Agnès, Guy Delorme, embauchés peu avant 1968 à Ouest-France, ont 25 ans quand ils sont pris. Étudiants, ils ont été à l'UNEF et se sont aussi formés au PSU. Ils pratiquent un journalisme fait de dialogue avec tous les responsables syndicaux de la région, ce qui était nouveau pour Ouest-France. Ils s'intéressaient aussi aux problèmes d'expansion industrielle, ce qui était aussi nouveau car, avant les années 60, la région était essentiellement rurale et les journalistes, jusque-là, n'avaient pas été soucieux des problèmes économiques locaux. Les jeunes étaient plus réceptifs aux problèmes des ouvriers nombreux désormais à Caen. Après 1968, il y a eu une sérieuse reprise en main par Rennes de la rédaction de Caen.*

Deuxième partie

JOURNALISMES ET JOURNALISTES DANS L'AUDIOVISUEL

Reportages et débats politiques
à la radiodiffusion française
(1945-1974)

NATHALIE CARRÉ DE MALBERG
MICHEL DESPRATX, DOMINIQUE FRICHOT

Justifions d'emblée les limites de cette étude dues à la nouveauté de l'approche et des sources. En effet l'historien du journalisme — radiophonique en l'occurrence — peut se poser plusieurs questions, institutionnelles, sociales, économiques, auxquelles des sources classiques aisément accessibles permettent de répondre. Mais s'il s'aventure à vouloir connaître ce qui a été réellement diffusé, comment et pourquoi, alors il lui faut entendre les émissions elles-mêmes : journal parlé et magazines d'information notamment. Cette démarche est indispensable à toute histoire de l'information à la radio. Mais l'écoute des sources sonores est chronophage, et au préalable elle exige un patient travail de dépouillement des rapports d'écoute, des conducteurs, des grilles de programmes, des journaux spécialisés pour opérer la sélection nécessaire d'un échantillon valable des bandes. Les recherches sur le reportage et les débats politiques en ont subi les conséquences : résultats incomplets et conclusions provisoires. Souhaitons que les travaux sur les émissions elles-mêmes se multiplient, à cette condition seulement notre problématique sera féconde.

Dans la démocratie française, qui a inscrit dans le préambule de ses deux dernières constitutions le droit à l'information pour tous et la liberté d'expression et d'opinions, comment la radio nationale, et plus précisément sa chaîne la plus écoutée, France-Inter — appelée hier Chaîne nationale, Paris-Inter, ou France I — a-t-elle laissé ses journalistes s'exprimer ? Dans quelles mesures et par quels procédés leur parole a-t-elle été libérée, tolérée, contrôlée, amputée, censurée, ou encore confisquée, au cours des trente-cinq années de 1945 à

1980 ? Ces questions et leurs réponses s'inscrivent en effet dans le contexte politique particulier de la IVe et Ve République mais aussi dans le contexte audiovisuel spécifique de la radio d'État en France depuis 1945 : financée par le contribuable et donc contrôlée au nom de l'intérêt général par le législatif et l'exécutif ; contrainte de respecter sa triple mission : « informer, cultiver, distraire », alors que Radio-Luxembourg par exemple a toujours privilégié le divertissement ; protégée par un monopole quasi absolu jusqu'en 1955 mais subissant ensuite la concurrence d'Europe n° 1 et plus redoutable encore celle de la télévision qui explose dans les années soixante en attendant le déferlement des radios privées en 1982 puis des télévisions privées en 1985-86. Parmi les différents traitements de l'information qu'a connus France-Inter, le reportage et le débat (avec l'éditorial et la revue de presse sans doute qui mériteraient d'être également étudiés) sont ceux où le journaliste de radio peut être le plus maître de son information, où il imprime le plus sa marque, son interprétation, son style, où sa parole est la plus indépendante, en relation directe avec le public, la plus rétive donc à toute censure ou médiation superflue. L'écoute sur le long terme de ces deux genres radiophoniques effectuée par Michel Despratx[1] et Dominique Frichot[2] s'est révélée être l'approche nécessaire et opérationnelle pour déceler et comprendre les mutations et les permanences du métier et de la fonction des journalistes de la radio nationale.

Rappelons brièvement les grandes lignes de l'évolution de l'information sur la chaîne publique. Jusqu'en 1955, l'information est réduite au journal parlé auquel s'ajoutent les 25 minutes de l'émission « La Tribune de Paris » à 20 h 30. Elle s'est ensuite progressivement taillé une part importante du temps d'antenne, jusqu'à devenir l'atout majeur du dynamisme de la chaîne, par augmentation de la durée du journal, devenu magazine avec « Paris vous parle » — créé en 1955 par Vital Gayman (directeur des informations de la RTF) et par Pierre Desgraupes (rédacteur en chef du journal parlé) — et, d'autre part, en devenant pluriquotidienne en 1958 avec « Inter-Actualités ». A ce changement quantitatif s'ajoute un changement qualitatif : délaissant la lecture des dépêches d'agence par un speaker, le journal parlé a modifié sa physionomie en s'adaptant au ton et au rythme des programmes, en multipliant les formes journalistiques telles que la revue de presse, l'éditorial, le reportage, les débats et surtout l'interview. Les fonctions de journaliste et d'animateur se sont rapprochées. Enfin, on est passé, comme

84

à la télévision[3], d'un journalisme d'enquête (style « Paris vous parle ») à un journalisme d'examen, de commentaires recentrés sur le studio.

Dans ce contexte, quelle fut l'évolution du reportage ? Question essentielle, car le reportage est un domaine où les plus grandes radios sont entrées en compétition. Sa qualité témoigne du dynamisme du journal parlé qui, pour maintenir sa place dans la concurrence qui l'oppose au journal télévisé qui donne à voir, et à la presse écrite qui donne à relire, doit privilégier sa spécificité : l'instantanéité et l'ubiquité. Pour tous les journalistes passés à la radio, le reportage est la partie noble du métier, pratique fondatrice de leur savoir-faire. Mais son usage est délicat dans une radio de service public, car il produit aussi bien de l'information brute que de l'opinion par le commentaire : le récit en situation, envoyé en direct sur l'antenne, n'est pas contrôlable.

Dans la lutte contre Europe n° 1 de 1955 à 1958, au cours de « Paris vous parle », les reportages occupent près de la moitié de l'espace sonore. Le dispositif mis en place comporte un meneur d'émission faisant appel à des reporters qui communiquent l'information directement à l'antenne, nourrie, enrichie de leur enquête personnelle. Avec la crise de 1958, avant et après l'arrivée du gaullisme, avec la nouvelle direction (G. Delaunay puis Ch. Chavanon), le micro sort moins du studio. L'information est désormais compartimentée en rubriques, traitée par des spécialistes, organisée par un présentateur et adaptée aux différents horaires de diffusion. Le reportage a une durée moyenne réduite, il est amputé du témoignage personnel du reporter et enfin il est progressivement écarté de la couverture des sujets politiques. A ce sujet on ne peut qu'être tenté par l'hypothèse d'une relation de causalité entre cette nouveauté et l'intensification du contrôle exercé par le pouvoir politique sur l'actualité parlée. La démonstration en serait risquée si la presse écrite de l'époque n'avait pas fait état d'une directive ministérielle invitant les responsables du journal parlé à limiter à dix minutes la part des informations réservées aux nouvelles politiques, le reste devant être consacré aux informations générales... La directive « Claparède » du nom du secrétaire d'État à l'Information en avril 1958 intervient à une période de grande incertitude pour l'avenir du gouvernement Gaillard en proie au problème algérien. En intervenant directement sur le contenu du journal parlé, le pouvoir en modifie la physionomie. Le reportage a fait les frais de cet interventionnisme. Parce qu'il est plus facile de contrôler une information présentée en studio qu'un reportage réalisé sur le terrain la couverture des sujets politiques a échappé peu à peu au reporter dont la durée d'intervention s'est réduite.

A partir de 1964, la réforme Dhordain oriente les efforts de France-Inter vers la reconquête de l'auditoire séduit par les postes périphériques. Au moyen d'une politique d'harmonisation du style de l'information avec celui des programmes plus distractifs. L'héritage le plus durable de cette période est la disparition du reportage-témoignage, fondé sur la pratique de l'enquête, au profit d'un reportage plus court, illustratif, et restituant la voix des notables de l'information institutionnelle. A la fin des années 60, la volonté des dirigeants de l'information est de prolonger les faits par leur explication. On utilise l'articulation d'un reportage présentant les faits sous la forme d'interviews, expliquées, commentées et développées en studio par de grandes signatures, exposées aux remontrances du pouvoir. Cette méthode en deux temps a privé le reportage de sa vertu d'authenticité : l'enquête, le témoignage personnalisé et enrichi d'impressions personnelles...

Le gonflement du rôle du présentateur et du commentateur spécialiste a déplacé le champ de la médiation : la légitimité liée à la présence du reporter sur le terrain s'est affaiblie au profit d'une légitimité de compétence.

A l'âge d'or du reportage modèle des années 1955-1958 a succédé une période de transition de reportage remodelé, puis, dans la décennie 1964-74 s'est mis en place un reportage amputé. Deux époques s'opposent : celle où le reporter spécialisé couvre un sujet, fait entendre sa voix à l'antenne, et celle qui commence à la fin des années 60 où, polyvalent, il recueille des sons dont le commentaire lui échappe. Le genre est loin d'être enterré, mais la conception et la pratique d'un reportage qui laisse au journaliste le temps et l'occasion de décrire et de commenter les faits recueillis ont déserté l'espace du journal parlé. La fonction critique d'enquêteur-médiateur du journaliste de France-Inter s'est escamotée au profit de celle, plus technique, de porte-micro ou de celle, plus distrayante et plus populaire, d'animateur.

Alors même que la durée du Journal parlé augmentait pendant ces trente-cinq années et que la place du reportage diminuait, les débats entre journalistes ou personnalités représentatives auraient pu occuper l'espace sonore ainsi offert. En ce qui concerne les débats politiques, il n'en est rien. Et même si France-Inter en propose aujourd'hui plus qu'hier, cette augmentation est bien inférieure à la croissance du temps réservé à l'information. Pourtant, si l'on ent[...] par débat la libre confrontation d'opinions multiples et différent[es], c'est assurément le moyen d'expression le plus conforme à la démocratie dont il est une condition et une résultante. S'il est radiodiffusé pour un large public, c'est une expression de la démocratie politique. Sa présence ou son absence dans le journal parlé ou dans les magazines de la chaîne publique la plus écoutée est donc un instrument de mesure du pluralisme de l'information, de sa maîtrise par les journalistes, de leur liberté d'expression. La radio de service public a une mission et des contraintes telles que la nature des émissions qu'elle diffuse est significative du degré de liberté qu'elle laisse à ses orateurs[4]. Et si le pouvoir politique peut, par directeur interposé, décider la suppression, l'horaire ou la fréquence d'un débat, le contenu des propos tenus, l'organisation de l'émission échappent à toute censure autre que celle des invités eux-mêmes. Dominique Frichot a effectué la comparaison des débats, politiques seulement, pour deux périodes : la période 1946-63 à travers la tribune des journalistes parlementaires, diffusée le vendredi à 20 h 30 dans le cadre de l'émission quotidienne « La Tribune de Paris », et la période 1974-82 à travers trois principaux magazines d'information politique.

La première remarque étonnera peut-être mais s'impose : elle concerne, jusqu'en 1979, la longue absence des hommes politiques de la radio nationale, dans des émissions de libre confrontation. Non que ceux-ci aient négligé ce média, Mendès France, dès 1944-45 puis en 1954-55, ou encore Pinay dès 1952, l'ont utilisé sous la IVᵉ République et, sous la Vᵉ, les chefs d'État et leurs ministres, les responsables des oppositions ou des syndicats se sont fait entendre abondamment. Mais tous ont préféré le discours, retransmis en direct ou différé, la conférence de presse ritualisée ou l'interview préparée. La timide tentative des débats politiques à la télévision en 1954, dans l'émission « Face à l'opinion » de Pierre Corval, n'a pas fait école à la radio nationale. Ce refus de la controverse a été renforcé par la présence du général de Gaulle à l'Élysée, qui préférait de beaucoup s'adresser directement aux Français et qui maîtrisait parfaitement le cérémonial de la conférence de presse. C'est Europe n° 1 et les campagnes électorales qui permettent la diffusion de duels politiques. Et c'est à la télévision, le 24 janvier 1966, que la première véritable controverse entre un homme politique et des journalistes a été diffusée dans la nouvelle émission d'Igor Barère et de Jean Farran ; « Face à face »[5]. La naissance de la 2ᵉ chaîne en 1964, l'élection présidentielle en 1965, avaient indiscutablement provoque une évolution de l'information vers le besoin d'analyse et de controverse. Est-ce la difficulté à trouver la bonne formule entre « l'interrogation socratique et l'interview polémique », selon l'expression d'Edgar Faure, afin d'éviter le piège du harcèlement intempestif de l'invité transformé en victime, qui a conduit France-Inter à ne pas reprendre ce dispositif ? Toujours est-il que, jusqu'en 1977, alors que la 2ᵉ, puis la 3ᵉ chaîne et Europe n° 1 ouvraient largement leur grille de programme aux débats, la radio nationale ne les a pas imités, sauf occasionnellement lors des élections avec des retransmissions, comme le fameux débat de Grenoble, en 1967, entre Pompidou et Mendès France.

A partir de 1977, France-Inter inaugure un nouveau procédé dans « Le Téléphone sonne » : la confrontation arbitrée par un meneur de jeu entre des personnalités et le public intervenant par téléphone. Parfois le thème choisi relève de l'actualité politique et les invités sont alors des hommes politiques. Ainsi, en 1978, Michel Rocard et Maurice Couve de Murville ont répondu, différemment, aux questions des auditeurs portant sur les conséquences institutionnelles d'une coexistence de deux majorités contraires. Mais il faut attendre le mercredi 24 octobre 1979 et l'émission « Face au public » de Gilbert Denoyan pour qu'un rendez-vous régulier soit offert sur France-Inter aux journalistes (quatre ou cinq) avec une personnalité politique de premier plan, française surtout, étrangère parfois. France-Inter reprenait la formule de Club de la presse avant que RTL et *Le Monde* ne l'imitent en 1981. Dans ce débat, l'homme politique est interpellé, questionné, contraint d'expliquer ses contradictions, d'informer davantage, d'échapper à la langue de bois, d'aborder le fond des problèmes. Le journaliste, longtemps dépossédé à la radio nationale de son pouvoir inquisitorial, découvre une liberté de ton, critique, caustique (ou complaisant) qui peut limiter la marge de manœuvre de l'invité tout en lui donnant l'occasion de délivrer un autre message, une autre « image ». De 1979 à 1981, un invité surprise portait la contradiction en fin d'émission, le plus souvent en direct, déstabilisant davantage l'invité et son discours préparé. Le temps du dialogue confortable ou de l'allocution directe est révolu. Les journalistes retrouvent leur fonction médiatrice essentielle. Le meneur de l'émission y joue un rôle important mais il ne filtre pas la parole de ses invités. Il intervient pour faire respecter un temps de parole équitable ou pour relancer les questions sans réponse. Il choisit l'invité et les intervenants de la presse écrite ou audiovisuelle d'opinions différentes, l'un d'entre eux étant toujours favorable, deux autres hostiles. En 1981 par exemple, pour interroger Pierre Mauroy, Gilbert Denoyan a invité Patrice Duhamel (TF1), Georges Suffert (*Le Point*), Claude Vincent (*France-Soir*), Gérard Minard (*La Voix du Nord*) et Bernard Valette (France-Inter). « Face au public » a été d'emblée doté d'une très bonne tranche horaire et d'une durée importante : 50 minutes entre 19 heures et 20 heures le mercredi soir. Cette émission participe bien du débat démocratique et sa longévité (neuf ans aujourd'hui) mesure le renouveau de la fonction du journaliste politique à la radio de service public. Mais il aura fallu attendre trente ans pour que cette radio (après la télévision) lui donne librement la parole en face de l'homme politique. L'émission a maintenant ses rites, sa construction, divertissante et parfois dramatique. Le risque est que le rituel l'emporte sur la spontanéité et la liberté de ton de chaque participant, qu'une complicité entre le médiateur et le microcosme politique n'occulte la vigilance indispensable du journaliste.

La deuxième remarque suggérée par l'étude de l'évolution des débats est la longue absence des duels entre hommes politiques. Les face-à-face, que la télévision des années 70 a largement accueillis en les dotant d'un dispositif de plus en plus sophistiqué et spectaculaire, n'ont pas eu sur France-Inter, contrairement à Europe n° 1, droit à une existence durable. Mis à part quelques duels occasionnels, en précampagne électorale notamment, la seule émission régulière permettant la confrontation de deux hommes politiques a émergé tardivement et brièvement, du 7 janvier au 18 juin 1981 : « Duel. » Le contexte pré-électoral des présidentielles explique à la fois sa naissance, son caractère éphémère et l'inégalité de traitement des formations politiques invitées : le PS et l'UDF, partis des deux candidats potentiels du deuxième tour, furent représentés dix fois sur dix ! Faut-il voir dans cette quasi-absence de débats contradictoires entre hommes politiques, la frilosité d'une radio de service public qui ne peut se permettre d'être un ring pour pugilat verbal ? L'insoluble problème d'équité de traitement des différents partis ? La susceptibilité des hommes politiques qui aiment choisir un adversaire d'envergure ? La volonté des journalistes de rester des intermédiaires obligés ? Ou la lassitude des auditeurs-téléspectateurs devant des dialogues de sourds ? Sans doute toutes les hypothèses peuvent-elles être retenues mais il faut souligner que la quasi-inexistence de joutes oratoires entre hommes politiques est compensée par la fréquence des interviews, de la question reine qu'on retrouve aux journaux parlés. Ainsi, l'émission née le 10 février 1975, « dix questions, dix réponses pour convaincre », dura jusqu'au 24 janvier 1977, tous les lundis entre 19 heures et 20 heures pendant 20 ou 30 minutes. Interview aussi dans « Parlons clair » le matin en direct de 7 à 8 minutes, avec souvent un invité politique. Interview encore, ou plutôt possibilité à l'homme politique de choisir librement son mode d'intervention, « Libre expression », émission d'environ 10 minutes, imposée par le cahier des charges et apparue le samedi 18 septembre 1976. La coïncidence entre l'absence d'affrontements directs entre hommes politiques, et leur parole généreusement adressée à un seul journaliste ou directement au public, confirme l'hypothèse du poids du monde politique dans l'histoire des débats politiques à la radio. Les journalistes étaient-ils d'accord ? Cela reste à démontrer.

S'ils ont rarement eu prise sur les discours politiques radiodiffusés, les journalistes ont, sous la IVe République, puis récemment sous la Ve, imposé à l'autorité de tutelle un troisième type de débat : la table ronde de journalistes politiques. Présente de 1946 à 63 dans « La Tribune de Paris » (qui accueillait une fois par semaine et pendant 25 minutes des journalistes parlementaires, représentant la presse écrite d'opinion et accrédités auprès du Parlement), la table ronde est réapparue le 25 septembre 1981 sous le nom « Vendredi soir » présentée par Arlette Chabot. La liberté de parole fut-elle la même dans ces deux débats, comparables dans leur forme mais inscrits dans des contextes différents ?

« La Tribune des journalistes » était sous la IVe République le seul débat politique radiodiffusé. Aujourd'hui, certes « Vendredi soir » est la seule table ronde régulière de journalistes politiques sur tous les médias mais ceux-ci ont fréquemment l'occasion de présenter leurs commentaires contradictoires à l'antenne. L'audience de « La Tribune de Paris » était considérable, favorisée par son horaire de diffusion, à 20 h 30, juste après le journal parlé. Or malgré sa programmation dans le 19 heures-20 heures. « Vendredi soir » draine infiniment moins d'auditeurs ; les autres radios et surtout les télévisions sont plus attractives. Enfin, en 1946, la soif d'information des auditeurs sevrés pendant quatre ans de guerre, ne pouvait être apaisée par les nouvelles pasteurisées du journal parlé, d'autant moins que l'actualité politique agitée des années 50 se faisait au Parlement et méritait explications pour les non-initiés. Résultat : chacune des deux suspensions de l'émission, en 1948 et en 1956, suscita un véritable tollé dans l'opinion publique, sur les bancs des oppositions et même dans la presse étrangère. Les gouvernements furent contraints de rétablir cet unique espace d'expression contradictoire. Sous un régime aux majorités instables, toutes les formations (excepté le PC après 1947) pouvaient du jour au lendemain se retrouver dans l'opposition ou au gouvernement. Toutes avaient donc intérêt à conserver un espace où pouvoir défendre un jour leurs programmes et leurs idées. Le producteur Paul Guimard choisit, dès les premiers jours, d'inviter des journalistes représentant toutes les tendances politiques représentées à l'Assemblée nationale. Le Parti communiste, absent en 1948, réapparut deux ans plus tard par l'intermédiaire d'un représentant de sa presse du soir. Les gaullistes eurent aussi toujours leur porte-parole. Huit journalistes au total dans les premiers temps de « La Tribune », puis, avec l'introduction de la grande presse et de la presse du soir, plus de vingt journalistes participèrent à l'émission par rotation. Le pluralisme et l'éclatement politique imposé par la pratique des institutions expliquent en grande partie leur nombre.

Sous la Ve République, l'évolution vers un système politique à deux pôles, majorité et opposition, explique la présence de quatre journalistes seulement à « Vendredi soir ». Que ce soit toujours les mêmes[6] est un autre problème, comme l'est aussi l'absence de représentants du Front national alors que l'électorat de J.-M. Le Pen l'emportait sur celui de Lajoinie. « Vendredi soir », comme les rares autres débats politiques, bénéficie d'une bonne place dans la grille des programmes. Aujourd'hui comme hier, c'est là un bon indicateur de l'importance accordée à un genre journalistique. Lorsque les partis au pouvoir voulurent se débarrasser de « La Tribune des journalistes parlementaires », faute de pouvoir la supprimer, ils tentèrent de l'exiler à 22 h 30... En vain : les réalisateurs de l'émission, après un long combat, obtinrent le maintien de l'horaire initial. L'insertion de « Vendredi soir » dans le programme immédiatement après le journal parlé comme il en allait déjà pour « La Tribune des journalistes », montre que la formule du débat entre journalistes est bien un complément de l'énoncé des nouvelles.

Dans le déroulement de l'émission, la fonction du meneur de jeu s'est modifiée. Dans les années 50, sa mission essentielle était de rendre le débat — toujours passionné, voire cacophonique — audible, calmant les uns, arbitrant les disputes oratoires, rappelant sans cesse le nom de l'intervenant. Aujourd'hui, il établit les thèmes qui seront abordés, donne la parole à chacun successivement, afin que tous puissent fournir leur interprétation de l'actualité. Dans les années 50, les invités eux-mêmes fournissaient des informations neuves et parfois surprenantes, car ils étaient mieux placés que quiconque pour savoir ce qui s'était débattu à l'Assemblée. La pratique du débat entre journalistes a donc évolué, le ton aussi ; moins de passion, plus de sérénité ; moins d'information critique ; plus de commentaires analytiques. La fonction des participants n'est plus tout à fait la même : porte-parole d'un courant de pensée hier, ils sont devenus les exégètes d'un discours délivré directement aux auditeurs par les hommes politiques eux-mêmes.

Il reste que le débat entre journalistes est bien conforme à la mission de service public de la radio nationale. La responsabilité des propos tenus dans l'émission est laissée aux intervenants et ne peut être imputée au meneur de jeu, neutre par fonction, ni à travers lui à l'État-arbitre. Mais comme dans le débat, la parole est plus libre, moins maîtrisée que dans tous les autres genres journalistiques, les journalistes en ont subi les conséquences en 1948, en 1956 lors des suspensions puis définitivement en 1963. Leur débat passionnel et polémique n'avait plus sa place sous l'autorité du général de Gaulle et leur source d'information essentielle, le Parlement, avait perdu de son importance. De leur côté les hommes politiques ont appris à communiquer directement ou à faire face à l'interview. Depuis la fin des années soixante-dix des journalistes plus sereins et des hommes politiques plus avertis ont retrouvé l'aptitude à la controverse. Il aura fallu un autre équilibre des forces politiques, le modèle de la télévision, le stimulant des postes périphériques et une nouvelle génération pour que les débats politiques reprennent place à l'antenne modestement et avec un autre ton.

Ces deux études sur le contenu des émissions et sur les procédés journalistiques, quoique couvrant des périodes un peu différentes, aboutissent à des résultats concordants quant à l'évolution de la liberté d'expression à la radio nationale. Lorsque l'information était la parente pauvre d'une RTF quasi monopolistique, le débat politique, soutenu par l'opinion, a pu survivre longtemps : seul espace de pluralisme démocratique de l'information, « La Tribune des journalistes » était devenue intouchable. Le changement de régime, le déclin du Parlement, la toute-puissance de l'Élysée, après 1962 surtout, et l'essor de la concurrence radiophonique ou télévisuelle expliquent que l'émission ait pu disparaître sans bruit en 1963. Mais 1963, c'est aussi l'année de la réforme Dhordain et de l'accélération du déclin du reportage personnalisé. Les journalistes, à la radio, perdent ainsi simultanément leur droit à la controverse et à l'enquête critique sur l'événement. Ils ont été remplacés par les hommes politiques eux-mêmes s'adressant au-delà des porte-micro au public presque sans médiation et par les présentateurs-animateurs en studio, modèle Elkabbach ou Mourousi.

Depuis la fin des années soixante-dix le reporter n'a guère retrouvé sa voix. Les explications politiques suffisent-elles aujourd'hui ? Une étude du coût du reportage apporterait peut-être des éclairages complémentaires. La qualité de l'information n'a rien gagné à la disparition du reportage ou plutôt à son amputation mais elle est devenue plus conforme au principe en vigueur chez les Anglo-Saxons de la séparation du fait et du commentaire. Les journalistes qui peuvent, de nouveau mais rarement, débattre de l'actualité n'apportent plus guère d'informations neuves mais la parenthèse d'une parole verrouillée, étouffée par l'inflation du discours des politiques, amorcée dès 1958, renforcée en 1963-1964, semble bien s'être refermée depuis 1977-1981. La radio nationale ne pouvait sans doute rester plus longtemps à l'écart d'un traitement de l'information si bien reçu à la télévision. L'étude du reportage en temps de crise ou d'agitation, depuis 1974, reste à faire. Sans doute montrerait-elle que là, gît tapie, une parole prête à s'enfler si l'histoire s'accélère. Dans les périodes troubles la radio conserve une spécificité forte dont le reportage reste assurément l'atout majeur.

Précurseur un temps en matière de traitement de l'information politique, la chaîne nationale de radio a laissé ses concurrents s'emparer de deux moyens d'expression privilégiés : le reportage et le débat politique. En matière d'information politique, la radio nationale, modèle unique de 1945 à 1955-1960, n'innove plus. A l'exemple de la télévision et des postes périphériques, une nouvelle génération de journalistes a appris un nouveau métier, le commentaire du spécialiste, l'interview désormais critique, l'animation-présentation. Récemment, après le succès de la politique spectacle à la télévision, l'heure de la politique spectacle a sonné aussi à la radio nationale comme le montre l'évolution de « L'Oreille en coin » de Jean Garetto invitant depuis 1984 des hommes politiques à se soumettre au bon plaisir des chansonniers.

Assurément le discours sur la liberté d'expression du journaliste de radio de service public en démocratie peut bien rester immuable, la pratique du métier, elle, a bien changé en quarante ans.

93

1. Michel Despratx, *L'Évolution des formes et des pratiques du journalisme radiophonique : l'exemple du reportage d'actualités au journal parlé de Paris-Inter à France-Inter (1955-1974)*, mémoire de maîtrise dirigé par J. J. Becker, Paris X, 1987, 216 p. Synthèse dans *Techniques et politiques de l'information*, Actes du séminaire « Histoire des politiques de la communication », pp. 99-131, organisé par J. Bourdon et C. Méadel, Paris, CNRS, INA, 1988.

2. Dominique Frichot, *Histoire des débats politiques à la radio nationale (1946-1963) : les journalistes parlementaires de la Tribune de Paris*, mémoire de maîtrise dirigé par J. J. Becker, Paris X, 1987, 253 p., synthèse publiée dans *Actes de la journée d'études du 29.02.1988*, « Histoire des informations à la radio et à la télévision », GEHRA, CHTU, CHR, février 1989, et *Les Magazines d'information radiodiffusés sur France-Inter de 1974 à 1982*, mémoire de DEA dirigé par J. J. Becker, Paris X, 1988, 56 p.

3. H. Brusini, F. James, *Voir la vérité, le journalisme de télévision*, PUF, 1982, 194 p.

4. Jean-Noël Jeanneney, *Échec à Panurge*, Seuil, 1986, 138 p.

5. Noël Nel, *Les Débats télévisés 1960-1987*, 1988, INA-Documentation Française.

6. H. Amouroux, P. Charpy, C. Sabatier, R. Leroy, J. d'Ormesson.

La fabrication du journal parlé

CÉCILE MÉADEL

Comment l'information est-elle fabriquée ? La question reste finalement assez neuve ; en effet, on a beaucoup traité de l'émetteur. Ainsi, l'histoire s'est largement intéressée aux institutions et aux journalistes ; elle a analysé la manière dont les médias se soumettaient ou résistaient aux exigences du politique[1]. Les chercheurs se sont également intéressés au récepteur, au public, à l'analyse des auditeurs ou des téléspectateurs. Dans ce cas, l'historien était dans une position légèrement plus difficile, en France du moins, car l'usage des sondages n'a commencé à se répandre véritablement que depuis une trentaine d'années environ[2]. Le message lui-même enfin a fait l'objet d'études multiples, analyses du contenu, sémiologie des textes[3]... La fabrication des informations (comme par ailleurs celle du contenu des émissions) a été laissée de côté sans doute parce qu'elle a pour premier effet de faire éclater le schéma simple : émetteur-message-récepteur. Il faut en effet s'intéresser à la fois au message, son contenu, sa forme, à l'émetteur — dans quelles conditions est-il produit ? par qui ? — au récepteur — comment réagit-il et fait-il savoir que le message l'intéresse ? par quels canaux se manifeste-t-il ? A étudier les formes pratiques de la construction des émissions, il devient très vite évident qu'un tel schéma ne peut être longtemps maintenu ; les trois parties doivent être simultanément présentes et en imbrication permanente pour que le journal parlé soit écouté.

Les journalistes présentent leur travail comme une opération de sélection ou de filtrage ; ils ont pour rôle de sélectionner les événements et de les présenter de manière intéressante pour leurs auditeurs. Cette manière de concevoir leur tâche conduit à la thèse de la puissance des médias, du quatrième pouvoir[4] : en effet, c'est parce que le journaliste est appréhendé comme un filtre entre le réel et le public[5] qu'on peut lui attribuer un pouvoir de distorsion ou de pression. Des sociologues ont préféré la thèse du « gate-keeper »[6], faisant du journaliste, là encore, un passeur qui fait traverser aux événements une série de filtres. Comme le souligne Marylin Lester[7], ces « portes » restent fort imprécises et aucun chercheur n'en a encore fourni une définition claire. Ces analyses font des médias des filtres plus ou moins efficaces, plus ou moins fidèles entre un monde de la réalité et un monde de la représentation, celui que proposent les médias. Ces filtres s'intercalent alors entre le réel et les auditeurs ou téléspectateurs. La logique qui préside au choix des informations n'est pas l'arbitraire, elle demeure pourtant extérieure à l'objet.

Les chercheurs américains ont établi une distinction entre trois catégories de nouvelles : les événements (ce qui se passe dans la vie quotidienne), les informations (c'est-à-dire ce que disent les médias de certains de ces événements) et les événements médiatisables[8] qui sont le matériel journalistique potentiel. Déjà, ces trois catégories n'opposent plus monde du réel et monde de la représentation. La distinction montre bien que c'est l'organisation pratique du journalisme qui rend un événement médiatisable ou non (et non le caractère intrinsèque de l'événement).

Une des tâches très importantes de la rédaction consiste justement à fixer ce qui est médiatisable et ce qui ne l'est pas. Mais ce choix s'effectue uniquement à partir d'un matériau lui-même déjà médiatisé : c'est-à-dire que les choix préliminaires ont déjà été faits par d'autres, agences de presse, correspondants...

Comment faire alors pour retrouver la substance dont se nourrit le journal ? S'interroger sur la construction de l'information, c'est répondre à la première — et plus mystérieuse si l'on en croit Bernard Voyenne[9] — question de Laswell : qui communique ? Les sociologues ont très vite montré que le journaliste était l'auteur formel de la communication mais qu'il n'était qu'un des relais. Dans cette perspective, « il faut connaître l'origine de l'information elle-même, le cheminement qu'elle a suivi, les filtres successifs qui ont été, délibérément ou non, interposés sur son chemin, les autres altérations qu'elle a pu subir et tout ce qui est impliqué dans chacune de ces étapes. L'étude des groupes de pression, des mécanismes de décision, de la psychologie individuelle et inter-individuelle des milieux de presse est évidemment contenue dans une telle recherche mais aussi la connaissance des phénomènes d'opinion publique, la dynamique des groupes, les conditions de l'expression individuelle... ». A la limite, comme le fait remarquer l'auteur, toute la société est contenue dans une telle question et on comprend donc pourquoi les auteurs ont craint de la traiter.

Si elle ne naît ni du monde ni du libre arbitre du journaliste, c'est que la nouvelle a été produite par des opérations pratiques. « Comme tout objet de discours, celui que nous appelons l'actualité est un objet construit [10] » dont on doit pouvoir retracer les étapes. Il n'y a pas un monde producteur d'une infinité de messages face à un journaliste qui pioche, sélectionne, et transmet d'un univers à l'autre, du producteur au consommateur. L'information n'est pas donnée, pas plus qu'elle n'est une donnée [11]. Elle est produite par une série hétérogène de points de vue qui parviennent au média par des canaux multiples mais dénombrables (le télex des agences de presse, les correspondances, les autorités politiques...), et c'est à la rédaction et dans les différentes tâches des professionnels qu'elle est construite. Si le journaliste n'est pas un sélectionneur qui saisit ailleurs des morceaux du monde, c'est que le monde est là dans son bureau, dans son travail quotidien. Il ne s'agit pas de filtres entre une vérité et son avatar, le journal, mais de techniques qui fabriquent l'actualité par une série d'opérations. C'est sur ces opérations que je voudrais me pencher en m'appuyant sur une enquête effectuée pendant une année à RTL [12].

L'information n'est pas un morceau découpé dans le tissu du monde ; elle est retissée par et pour chaque média [13]. Elle est construite par un processus de raréfaction que l'on peut décomposer en quatre procès : les canaux techniques ; la routine ; la continuité ; la concurrence [14].

LES CANAUX TECHNIQUES ET LA RHÉTORIQUE

Les canaux matériels produisent l'information par une multitude de techniques. Des télex aux correspondants, du chef des informations aux conférences de rédaction, des flashs aux journaux... tous les procédés d'écriture et de transmission de l'information sont autant de moyens de générer de l'information.

Le plus prolifique de ces canaux est le télex des agences de presse : « A 80 %, on travaille à partir des dépêches », nous disait une journaliste (RTL reçoit les télex de toutes les grandes agences internationales) ; c'est spécialement vrai dans les radios qui ont un nombre de représentants et d'envoyés permanents plus limité que les quotidiens ou la télévision. Viennent ensuite les nouvelles des correspondants, des reporters, puis toutes les informations fournies par les autres médias et enfin les invités. S'y ajoutent encore les appels des auditeurs qui signalent un feu non maîtrisé, un festival local, un anniversaire amusant... [15]. C'est dire que le flux de nouvelles qui parviennent chaque jour à la station excède largement ce qui sera diffusé.

Les procédés de style utilisés pour la présentation des journaux et leurs règles du jeu fixent déjà quelques bornes à ces flux. La rédaction en chef de RTL donne aux journalistes des indications explicites pour maintenir un rythme ; on leur demande de faire des plages courtes, des séquences rapides, de prévoir des respirations dans leur texte toutes les 7 minutes pour les écrans de publicité... On leur demande aussi de respecter les équilibres politiques ou sociaux, de ne pas heurter violemment des opinions... Les journalistes doivent enfin prévoir un plan qui indique la succession des séquences. Car les journaux de RTL ne sont composés que de très peu de « vrai [16] » direct en dehors des propos du présentateur : « Dans la mesure où la chronique n'a pas un caractère d'actualité brûlante, on préfère enregistrer. Les programmes sont structurés à la seconde. Et quand je dis à la seconde, c'est vraiment très précis. Quand les chroniques sont enregistrées, le service info peut les couper. Les interventions en direct ne sont souhaitées que pour l'actualité la plus brûlante. Quand on fait du direct pur, la personne qui est au bout du fil est en plein dans l'événement, elle a l'impression que c'est la chose la plus urgente de l'actualité ; elle ne sent pas la même urgence que le présentateur qui lui sait qu'il ne lui reste plus que 4 minutes avant la fin du journal et qu'il a encore trois informations à passer » (le directeur technique).

Le présentateur devient un représentant dans le studio de l'auditeur ; comme lui, il n'est pas dans l'événement et, comme lui, il sent bien lorsqu'une information se prolonge par trop, lorsque d'autres nouvelles peuvent venir...

LA ROUTINE

Pourquoi parler de routine à propos du travail d'information [17] alors que c'est plutôt l'aspect imprévu du travail qui est invoqué par les observateurs ou les journalistes ? D'où vient cette notion de routine : la sociologie nous a montré que les organisations visent à « routiner [18] » afin de mieux contrôler le procès de travail. L'École de

Chicago a même étendu cette question à la manière de prendre en compte les urgences. Ce phénomène est entravé par la variabilité des matières premières et c'est justement le caractère variable de l'information qui est souvent invoqué.

Comment les journalistes peuvent-ils diminuer la variabilité des événements qui forme la matière première de l'information ? Ils ont essentiellement deux moyens : la prévision et la programmation.

L'information dans une radio, c'est d'abord un service et un certain nombre d'émissions qui n'ont pas toutes le même statut ; à RTL, font partie des émissions dites d'information les flashs [19] et les journaux [20] mais aussi la grande émission hebdomadaire de débat politique (« Le grand jury » RTL-*Le Monde*) ainsi qu'une émission destinée aux auditeurs qui interviennent par téléphone pour donner leur opinion sur l'actualité [21]. Cette répartition semble immuable aux hommes de radio et, de fait, elle se retrouve à quelques petites variations près sur toutes les stations nationales et sur les locales qui font de l'information. Pourtant rien de plus construit que cet étalonnage qui impose que des informations soient données toutes les heures et que des journaux plus fournis soient proposés aux auditeurs à leur moment supposé de non-travail. Cette répartition donne des rendez-vous réguliers, fixe les césures des émissions, découpe l'antenne. Aucun autre programme n'a cette régularité que n'interrompent ni le week-end ni les mois d'été ou les jours de vacances [22].

Les journalistes établissent une distinction entre trois types d'événements : les événements prévus ou programmables (qu'ils appellent également des marronniers car ils tombent toujours aux mêmes dates), les événements non programmés mais programmables (leur date de sortie est déterminée par les journalistes ; les « dossiers » ou « sujets » sont souvent programmés de cette manière) et les événements inprogrammables qui seuls relèvent de l'imprévu. Cette distinction correspond à l'organisation actuelle du travail dans les rédactions. Elle n'a pas toujours été opératoire ; ainsi l'avant-guerre l'a ignoré jusqu'au milieu des années 30 au moins car l'imprévisible n'était pas alors pris en compte par la radio. A ce moment les informations consistaient plutôt en éditoriaux assez généraux qui reprenaient les informations données par les journaux et qui étaient lus au micro. L'actualité, la nouvelle étaient le fait de la presse. Ainsi, il faut attendre la fin des années 30 pour que les informations prennent le pas sur les autres émissions. Jusque-là, aucune nouvelle, pour urgente que nous la considérerions aujourd'hui, ne pouvait interrompre un programme.

Cette question de la routine est exactement celle à laquelle se trouve confronté tous les matins le rédacteur en chef d'un journal. Une partie très importante du travail de la rédaction consiste en effet à partager les tâches entre les différents services. Ainsi à RTL, il existe non seulement quatre plannings (desk, reporter, chef des informations, secrétaire de rédaction) mais aussi des conférences de rédaction et surtout de prévision qui ont toutes pour but de répartir à l'avance les ressources disponibles.

On insiste toujours sur l'imprévisible, l'instantanéité de la radio alors qu'une grande partie du travail est réalisée plusieurs heures avant le journal : « Le travail d'information demande beaucoup de préparation aux techniciens. Pour le 13 heures, les journalistes arrivent en cabine à 10 heures, ils interviennent à l'avance. »

Lorsque la grande émission d'information de la radio était encore située le soir après 18 heures, le plan provisoire du journal était fixé à 10 heures du matin [23] et aujourd'hui, les grandes lignes du journal du matin sont dessinées la veille au soir.

Dans certains cas, pour réduire les incertitudes, des arrangements stables sont mis en place afin que soient couverts en permanence certains événements : un voyage du président de la République, le Conseil des ministres... Cette répartition des ressources vise à recréer des situations stables.

« Des lignes extérieures relient le centre de modulation avec le domicile de certains chroniqueurs, avec des stades, avec l'Assemblée nationale, l'Élysée... en circuit permanent » (le directeur technique).

La programmation permet de savoir quand l'événement aura lieu et la manière dont l'histoire sera diffusée. La prévision vise, elle, à connaître le déroulement de l'événement. C'est par une connaissance approfondie et détaillée de son sujet que le journaliste peut faire ces prévisions. Il connaît les sources utiles à interviewer, peut choisir de tendre son micro à la personne loquace de l'Assemblée, il sait s'il peut négliger telle réunion pour écouter plutôt telle intervention à la Chambre ou le contraire [24]... L'intérêt accordé par les rédactions à ces opérations de prévision entraîne un accroissement du rôle des spécialistes. Nathalie Carré de Malberg, dans ce même colloque, abonde dans ce sens lorsqu'elle signale qu'à France-Inter « le gonflement du rôle du présentateur et du spécialiste chargé de l'examen a déplacé le champ de la médiation : la légitimité liée à la présence du reporter sur le terrain s'est affaiblie au profit de la légitimité de connaissance ».

LA CONTINUITÉ

Comme les parties musicales des émissions, ils sont nourris par des productions étrangères à la station. Mais ils sont composés, mis en forme et ordonnés à la station. La construction des journaux parlés conduit à faire de réalités extérieures une réalité propre à la radio.

Dans la fabrication des émissions d'information, un double problème se pose chaque jour, celui du choix et celui de la répétition. Le premier est commun à l'ensemble des médias tandis que le second est plus spécifiquement celui de la radio. Tous les jours, il faut choisir dans un flux de nouvelles celles qui construiront les journaux du jour ; il faut sélectionner la manière de les traiter mais aussi il faut répéter des informations au fil de la journée, chaque heure égrenant des nouvelles ni tout à fait identiques ni tout à fait dissemblables. Il faut répéter les dépêches, la presse, mais en les faisant siennes, en se les appropriant.

« L'important dans ce métier, c'est de trouver des angles. Ce qu'on appelle des angles dans le métier, c'est raconter des histoires d'une autre manière, regarder par le petit bout de la lorgnette. Sinon, vous êtes un fonctionnaire des dépêches » (un chef des informations).

Là encore, écouter le flux des informations ne suffit pas à faire comprendre les choix faits qui conduisent tantôt à abandonner une information après sa première diffusion et tantôt à la reprendre tout au long de la journée en la faisant enfler, enfler pour l'abandonner enfin.

« On peut monter des coups. Par exemple garder une nouvelle en fil rouge : on la garde toute la journée ; il faut alors qu'on ait du biscuit pour l'alimenter, on donne une info à 6 h 30, un complément à 7 h 30, on l'annonce dans les flashs... On la reprend, on fait monter la mayonnaise. Ça, c'est très bien, c'est le sel du boulot » (un chef des informations).

Dramatiser l'information, c'est mettre en évidence la manière même dont celle-ci est construite : du matériel est recherché et accumulé (des interviews, des reportages...), le temps est réintroduit dans la manière de raconter l'histoire (par le suspense, par exemple), l'attention des concurrents est attirée.

La mise en place d'une émission d'information est à la fois une œuvre individuelle et un ouvrage collectif. Chaque journal, qu'il s'agisse d'un flash de 2 minutes ou du journal de 13 heures, est présenté par un rédacteur qui choisit nouvelles, invités ou chroniqueur. Ce présentateur joue en même temps le rôle de rédacteur en chef puisqu'il a libre choix de conduire son journal comme il l'entend avec l'appui de la rédaction[25].

La mise en scène du journal et sa construction en font l'œuvre signée d'un homme. Lorsque le présentateur arrive à la station, il construit son journal en choisissant dans un ensemble de nouvelles qui ont été préparées par la rédaction, de reportages ou d'interviews qu'il peut faire effectuer à sa demande. Outre le contenu du journal, sa présentation est également rattachée directement à sa personne, le journal porte son nom. « Ce journal, je le fais avec mes tripes, avec mon cœur, avec tout ce que vous voulez. Je fais tout ce qui m'intéresse : un papier sur le dollar si ça m'intéresse de faire un papier sur le dollar. »

En même temps, tout est fait pour donner au présentateur un cadre extrêmement présent. Les différentes réunions d'organisation ont mis en évidence les points forts de l'actualité ; les reporters proposent des bobinots sur des événements déterminés à l'avance, le compte rendu des journaux précédents inscrit chaque journal dans une suite... Le monde n'est infini au présentateur que par la multiplicité des propositions qui lui sont faites.

RTL joue la carte d'une forte personnalisation des journaux parlés ; le présentateur n'est pas extérieur aux nouvelles qu'il donne puisqu'il les a choisies, elles ne peuvent que l'intéresser. Cette personnalisation s'appuie sur un collectif très serré qui soumet d'abord à l'épreuve de toute la rédaction le choix des « événements-en-tant-que-nouvelles-à-traiter » *(events-as-news)*. Chaque présentateur donne à son journal un caractère spécifique. « Untel fait du *France Dimanche*, je lui vends des sujets populaires », nous disait par exemple un journaliste d'un présentateur. La continuité de l'information repose sur cette personnalisation des différents éléments. Chaque présentateur peut les répéter de manière à chaque fois différente. Cette continuité est en même temps celle de l'antenne : la grille se reproduisant à l'identique jour après jour, la spécificité de chaque journée est donnée par quelques éléments propres de l'émission. Pour les variétés, ces éléments propres seront par exemple le voyage offert par Patrick Sabatier, un jour en Auvergne, le lendemain dans le Limousin, le jour suivant en Charente. L'information permet, comme les variétés, de faire du semblable avec des matériaux différents. La continuité de la semaine est donc assurée, par-delà la variabilité des éléments, par la répétition de la grille et l'unité de ton des présentateurs jour après jour.

Lors de notre enquête, la rédaction connaissait quelques problèmes avec deux présentateurs. Les deux dépassaient leur temps de parole et empiétaient sur le temps des variétés. Dans les deux cas, il y avait eu plusieurs rappels à l'ordre de la direction des programmes. Néanmoins, la situation des deux journalistes n'était pas la même. Pour l'un d'entre eux, la mécanique collective s'était grippée et provoquait le mécontentement de toute la rédaction : ses choix apparaissaient comme trop individuels (« le type qu'il a invité aujourd'hui, c'était pas génial, il y a du copinage ; enfin c'était casse-pieds ») ; les reportages proposés ne passaient pas, les techniciens n'avaient plus le temps de préparer leurs bobinots, les journalistes se sentaient inutiles ou doublés. « Moi, ma conception, c'est qu'on doit mettre en valeur le reporter. Lui, il ne le fait pas ; il fait des tunnels : il reprend dans son introduction toutes les informations que va donner le reporter et en plus il en a plus parce que, lui, il a toutes les dépêches. Après le journaliste fait doublon avec lui. »

La mise en avant d'un individu fonctionne lorsque toute la rédaction s'aligne derrière. Dès que l'individu agit effectivement seul, l'organisation collective se détraque. Et là c'était au sens fort du mot puisqu'aucun de ses journaux ne se déroulait sans de multiples pannes, erreurs de bobinots, pleurages et blancs.

De façon transverse, un professionnel incarne au sein de la rédaction la gestion et la fabrication des journaux, c'est le chef des informations. Responsable d'une partie de la journée, le chef des informations organise la couverture des nouvelles. Il suit l'actualité en continu, assure la liaison entre les différents présentateurs et fait préparer toute une série d'interventions dans lesquelles le présentateur pourra piocher ; il coordonne les activités des correspondants, des reporters sur le terrain, des journalistes de la rédaction... Son activité vise à réduire deux incertitudes : l'évolution continue des nouvelles et les choix individuels de chaque présentateur ; il propose toujours un panel de sujets qui couvre aussi bien les petits sujets qui grandissent que les sélections inattendues (parfois, il faut une nouvelle riante pour un journal trop triste, un peu de politique étrangère pour asseoir trop de faits divers, etc.), les urgences ou encore les sujets de dépannage des présentateurs (lorsqu'une correspondance ne fonctionne pas, un invité n'arrive pas...). Il a encore pour tâche d'assurer le bon déroulement en direct des journaux, il régule les relations entre la cabine technique et le studio, l'intervention extérieure des reporters, les liaisons téléphoniques, les passages entre les émissions qui précèdent et qui suivent.

Toujours présent à chaque étape de la fabrication du journal, le chef des informations n'intervient jamais directement à l'antenne. Comme le réalisateur des variétés, il est pris dans un double jeu face au présentateur-animateur : il le conduit tout en le servant. Il est son premier auditeur, son censeur et son porte-parole. Partout, il est l'intermédiaire entre l'abondance des sources et le journal, entre la rédaction et la vedette, entre la direction et le présentateur, entre les invités et la vedette.

LA CONCURRENCE

Les autres médias donnent des indications sur ce qui doit être repris. Les informations déjà présentées ailleurs précisent ce qui doit être dit. « Je lis toujours *le Monde*, je suis très attentive à ce qui est tombé la veille. Pas pour chercher l'information mais pour ne pas repasser ce qui est déjà tombé » (une journaliste). Comment mieux dire que les événements ne tombent pas du ciel mais des autres médias[26] ?

Le journaliste organise son monde non seulement en fonction d'un auditeur problématique mais d'abord en s'opposant aux autres médias. Ce qui est d'actualité, c'est ce qui est événement pour les autres journaux, ce qu'ils reprendront dans leurs propres bulletins : il n'est pas possible de rester muet sur ce dont tout le monde parle. Chaque média utilise les autres comme ressource de son propre discours. La prévision sert également au journaliste dans la construction collective de la nouvelle. Mieux le journaliste connaît son domaine, plus il a de capacités d'expert reconnu et plus son journal est coté, plus ses informations seront reprises par les concurrents et on pourra dire qu'il aura bien anticipé l'actualité puisque son travail l'aura préformée.

Le « scoop » témoigne de ce montage collectif : il ne peut exister qu'en fonction des autres médias. Comme l'auditeur, le journaliste a devant lui un kiosque de nouvelles parlées, écrites, télévisées. Le journaliste travaille en regardant et en étant regardé par ses confrères. Le premier cercle pour lequel il travaille est situé à l'intérieur même de la rédaction. A RTL, comme dans la plupart des stations de radio, toutes les pièces sont sonorisées en permanence et chacun suit d'une oreille distraite (à l'image de l'auditeur de radio entre rasage et aspirateur ?) les propos tenus.

Cette perspective ne conçoit plus le journaliste comme un passeur qui filtre la réalité et n'en retient que les plus gros morceaux ou encore comme un magicien qui donne vie à une réalité qui n'existerait pas en dehors de lui. Le journal est construit dans un environnement de médias, par une série de canaux matériels définis, par un discours spécifique et adressé ; autant dire que le monde qui est fabriqué ici n'est pas un infini en face duquel le média n'intervient que par son arbitraire sélectif, mais qu'il parvient au contraire déjà largement prédéfini au journaliste, à travers les canaux amont, les techniques et la place concurrentielle du média lui-même. C'est pourquoi on peut parler d'un processus collectif de « raréfaction ».

C'est que le journal parlé doit tenir en même temps quatre types de contraintes. 1) La continuité, cette contrainte spécifiquement radio-phonique : comment se répéter pour ne pas égarer l'auditeur mais tout en étant différent pour maintenir son attention et, de manière parallèle, comment être différent en répétant tous les jours une même grille ? 2) La concurrence ; là aussi il faut à la fois dire ce que disent les autres mais en y imprimant une marque spécifique. 3) La routine : comment préparer un travail qui anticipe à la fois le prévisible et l'imprévu ? 4) Les canaux techniques : comment construire les moyens par lesquels l'information sera fabriquée et quels types de procédés d'écriture et de transmission choisir. La réponse de RTL est résumée par un individu : le présentateur. Au bout de la chaîne de transformations, le journal construit tourne en effet entièrement autour du présentateur. Il conduit l'émission dans un face à face avec l'auditeur. Lui seul s'adresse directement au public ; aucun son extérieur, aucune intervention du journaliste ne sont introduits sans être précédés d'un chapeau, ces quelques phrases par lesquelles il introduit et résume un papier. A la différence de certaines autres radios, à RTL, le montage s'organise toujours autour du présentateur qui explique, introduit, commente, n'abandonnant jamais son audi-teur à une voix inconnue ou moins familière, à un insert nouveau ou inattendu. La mise en scène autour du présentateur, les jeux de rôle, toute la rhétorique des discours sont également des moyens de raréfier un monde trop généreux en nouvelles. Comme le face à face entre le présentateur du journal télévisé et le téléspectateur[27], l'organisation du journal parlé autour d'un homme porte-voix de toute la rédaction est devenu la caution référentielle de ces informa-tions.

1. Citons, parmi beaucoup d'autres, côté institutions : Jean Montaldo, *Dossier ORTF, 1944-1974*, Albin Michel, 1974, 306 p., et côté journalistes : Henri Poumerol, *Statut des journalistes de la radio et de la télévision de service public de 1935 à nos jours, évolutions et perspectives*, thèse, Paris II, 1988, 2230 p. Voir également un article de John Foote où il analyse comment Reagan a négocié avec les réseaux, joué sur les rapports entre presses écrite et audiovisuelle, et doublé les démocrates pour faire de la radio un instrument de la communication présidentielle ; « Reagan in Radio, *Communication Yearbook* 8, Beverly Hills, Londres-New York, 1984.

2. Jacques Durand, « Histoire des sondages », et Roger Bautier, « Informations et dispositifs de mesure des audiences », interventions au colloque *Histoire des informations* organisé par le GEHRA et le Comité d'histoire de la télévision, février 1988, à paraître. Voir nos articles, « Sondages d'audience, la concurrence des mesures », *Médiaspouvoirs*, n° 6, mars 1987, et « De la formation des comportements et des goûts. Une histoire des sondages à la télévision dans les années cinquante », *Réseaux*, n° 36, 1989.

3. Sur la radio, ce type d'études est assez rare. Patrick Charaudeau (sous la direction de), *Aspects du discours radiophonique*, Didier Érudition, coll. « Langage, discours et sociétés », n° 1, 1986. De nombreuses thèses proposent en revanche des monographies d'émissions.

4. Un ouvrage ancien fait le tour de la question : Sternberg et Sullerot, *Aspects sociaux de la radio et de la télévision*, Mouton, 1966. Voir également la quatrième partie de Roland Cayrol, *La Presse écrite et audiovisuelle*, PUF, 1973, 628 p.

5. Deux réels dont on voit mal où se produit le partage.

6. Wilbur Schramm, « The Gatekeeper : a Memorandum », *in* Schramm (éd.), *Mass Communication*, Urbana, University of Illinois Press, 1960.

7. « Generating Newsworthiness », *American Sociological Review*, vol. 45, n° 6, décembre 1980.

8. *Events, News* et *Events-as-news*.

9. Bernard Voyenne, *L'Information aujourd'hui*, Armand Colin, s.d., pp. 212-215.

10. « L'actualité d'une journée déterminée peut être façonnée de multiples manières. Ce que chacun désigne comme information " objective " n'est que celle qui lui convient le mieux, celle qui accroche sa croyance, celle qui accomplit son vraisemblable ou réveille son désir. » Eliseo Veron, « Produire l'information », *Le Monde diplomatique*, mars 1982.

11. Nous ne reviendrons pas sur ce point de vue qui a été très largement étudié, en particulier par la sociologie américaine. Lester M. et Molotch, « Les médias ne reflètent pas un monde extérieur mais les pratiques de ceux qui ont le pouvoir de désigner les expériences d'autrui » (« News as Purposive Behavior : on the Strategic Use of Routine Events, Accidents, and Scandals », *American Sociological Review*, vol. 39, n° 1, février 1974). Ce type d'analyse s'appuie le plus souvent sur les travaux de Garnfinkel et de l'ethnométhodologie (*Studies in Ethnomethodology*, Englewood Cliffs, Prentice Hall, 1967).

12. Cette enquête a donné lieu à un rapport : *Public et mesure, une sociologie de la radio*, Centre de sociologie de l'innovation, École des Mines, 1987, 121 p.

13. Voir Eliseo Veron qui montre dans *Construire l'événement, les médias et l'accident de Three Mile Island* (éd. de Minuit, 1981, 177 p.) comment se construit la vraisemblance d'un événement en fonction des contraintes propres à chaque support, de sa périodicité, de ses exigences de production, des interactions entre les différents moyens de communication (images, sons, photos...).

14. Avant d'entrer dans le détail de ce quadruple mode d'organisation, il faut relever qu'il est le fruit de l'enquête menée dans une station périphérique il y a peu de temps. Il serait intéressant de mener des comparaisons avec la fabrication des journaux à d'autres périodes ; la méthode ethnologique n'est pas absolument interdite à l'historien qui peut retrouver, dans les interviews, les traces écrites ou les journaux, des témoignages des manières de faire.

15. Le cas n'est pas rare à RTL qui fait alors vérifier l'information par un correspondant local.

16. Le vrai direct (par opposition au direct différé, beaucoup plus utilisé) oblige l'invité ou le reporter à être en direct sur l'antenne ; il interdit tout montage.

17. Cette question de la routine du processus d'information a été traitée par Gaye Tuchman, « Making News by Doing Work : Routinizing the Unexpected », *American Journal of Sociology*, vol. 79, n° 1, juillet 1973, pp. 110-131.

18. Le mot n'est pas un néologisme puisqu'il date de 1730 ; il est seulement tombé en désuétude sauf dans quelques régions où il est toujours usité. Nous l'utiliserons de préférence à rationaliser dont les connotations sont très fortes.

19. Il y en a 16 par jour.

20. Deux interventions le matin entre 5 h 30 et 6 h 30 puis de 6 h 30 à 8 h 30, quatre interventions jointes à une quinzaine de chroniques quotidiennes, puis trois journaux, à l'heure du déjeuner, en fin d'après-midi et en milieu de soirée.

21. « Les auditeurs ont la parole », tous les jours de 13 h 30 à 14 heures.

22. Même si la grille est alors légèrement modifiée, les grandes lignes demeurent.

23. Cf. Roland Dhordain, *Le Roman de la radio*, La Table ronde, 1983, 232 p.

24. Gaye Tuchman *(op. cit.)* note que c'est l'habitude de la prédiction qui a entraîné les journalistes sur le terrain difficile des pronostics (par exemple, en matière de résultats électoraux) : « Ayant en main un stock de connaissances et un système de classification fondés sur l'utilité de la prédiction par la connaissance détaillée, les journalistes peuvent se risquer à faire des pronostics. [...] Il est tentant d'identifier leurs prévisions inexactes à des erreurs. Mais en fait, à un moment donné, il y avait unanimité sur l'événement, l'expertise était partagée par tous ; c'est l'événement qui se trompe *(in-error)*. La situation a changé d'une manière qu'on ne pouvait pas anticiper. Cela demande alors une altération non planifiée du travail. »

25. A RTL, la rédaction, qui a à sa tête un directeur de l'information assisté de deux adjoints, comprend environ 80 journalistes aux statut et emploi différents : une dizaine de présentateurs, une demi-douzaine de journalistes qui assurent le service des flashs, une douzaine de chroniqueurs, presque toujours des stars de l'information, une dizaine d'envoyés spéciaux dans les régions et de correspondants à l'étranger. Et enfin des journalistes regroupés, comme dans toutes les entreprises de presse, en grands secteurs : politique française, économie et social, sports et courses.

26. Roland Dhordain écrit à propos du journal de la RTF : « Pierre (Desgraupes) arrive et fidèle à sa définition suivant laquelle un journaliste, c'est d'abord quelqu'un qui lit les journaux, se plonge dans la lecture très minutieuse des principales feuilles nationales et étrangères », *op. cit.*, p. 188.

27. Eliseo Veron, « Il est là, je le vois, il me parle », *Communications*, n° 38, 1983.

DISCUSSION

APRÈS LES INTERVENTIONS
DE N. CARRÉ DE MALBERG ET C. MÉADEL

JEAN RABAUT. — *C'est à partir de mon expérience de journaliste à l'ORTF de 1946 à 1974 que je vais faire quelques remarques. Il convient de se souvenir que les pressions politiques qu'on a décrites sous la Ve République avaient eu des précédents sous la IVe. La différence fondamentale, c'est que le pouvoir de la IVe République était tempéré par l'instabilité des ministères et qu'il s'est trouvé, au surplus, à la tête de la RTF, à la tête du journal parlé, deux hommes : l'un Wladimir Porché et l'autre Vital Gayman, qui ont duré douze ans.*

On a présenté la conception des journaux parlés comme le résultat d'une réflexion, d'une méthode à la fois imaginative et intelligente. Vous savez, nous autres journalistes, nous sommes des capricieux, des fantaisistes, nous avons des foucades et je n'ai pas l'impression que la succession des formules de tel ou tel journal ait été tellement méditée, ait été le résultat d'une réflexion tellement approfondie. Voici ce que j'ai pu observer de certains journalistes quand j'étais à la télévision entre 1956 et 1958.

Il y avait un commentateur de politique étrangère qui était un spécialiste des problèmes d'aviation. Voici comment se passait sa journée : le matin à Villacoublay, il prenait un avion, allait s'occuper de ses avions en France, revenait pour les 17 ou 18 heures et, à ce moment-là, il prenait le bulletin du Monde : c'était son travail de commentateur. Il y avait un autre commentateur qui était, ailleurs, spécialiste de l'automobile. Un jour, il est arrivé très en retard et il a

108

saisi un paquet de dépêches qui étaient là. Il a lu la première. L'embêtant, c'est qu'elle avait trois jours de retard. Je veux dire ceci : je suis extrêmement frappé à l'heure actuelle du sérieux et de la compétence de mes jeunes confrères que je ne connais que pour les regarder à la télévision. Et vous constatez les progrès de la qualité de l'information du journal télévisé depuis cette trentaine d'années.

Seulement il y a une autre considération que l'on est obligé de faire. En entrant à la radio en 1946, j'ai signé un contrat. En annexe de ce contrat il y avait la déclaration des droits et devoirs du journaliste. Il était dit dans cette déclaration : un journaliste digne de ce nom ne signe pas d'article de publicité commerciale ou financière. Je suis obligé de constater qu'en même temps que la compétence, la corruption est fort répandue à l'heure qu'il est.

MARC MARTIN. — C'est plutôt une hypothèse que je demande d'infirmer ou de confirmer. La question a été posée de savoir pourquoi il n'y a pas de débats contradictoires entre hommes politiques à la radio. Et c'est vrai que les débats contradictoires à la radio n'ont guère mis en face les uns des autres que des journalistes. Ils existent d'ailleurs encore aujourd'hui et je constate que les journalistes qui sont dans ces débats sont toujours les mêmes, c'est-à-dire qu'il y a une sorte de familiarité qui s'établit à la fois entre eux et entre eux et le public qui atténue l'effet des conflits verbaux. La grande époque de ces débats radiophoniques a été celle de « La Tribune de Paris ». Or, cette émission avait la réputation d'être une sorte de ring où l'on allait jusqu'au bord des coups. C'est-à-dire que cette émission prenait des caractères de dramatisation extrême. Ceci me semble pouvoir expliquer que les hommes politiques n'ont pas voulu paraître dans ce type d'émission. Je pense que l'on touche là un phénomène qui distingue les différents journalismes les uns des autres : c'est que la radio est un média spécifique. Elle a ses propres servitudes, ses propres caractéristiques et notamment celle de dramatiser particulièrement l'information. Les différents journalismes, de radio, de télévision et de presse écrite ne sont pas réductibles les uns aux autres.

RÉMY RIEFFEL. — Il y a une dizaine d'années, j'ai pu aussi étudier de près le fonctionnement de la rédaction de RTL et de celle d'Europe n° 1, en y passant quelques mois. A l'époque, il y avait une hiérarchie très stricte qui faisait que le journal du matin était très sérieusement contrôlé alors que ceux de 12 ou de 13 heures *disposaient d'une marge beaucoup plus grande. Je voudrais savoir si vous avez observé la même chose à l'heure actuelle, ou si les choses ont changé.*

Deuxième remarque : les décisions n'étaient pas prises dans la rédaction elle-même mais au premier étage, c'est-à-dire là où se trouvent les responsables administratifs. Cette conférence à laquelle participaient le rédacteur en chef et le directeur de l'information dont la personnalité comptait beaucoup, délimitait le champ des informations qui pouvaient passer à l'antenne, sans que les journalistes soient consultés. Est-ce que vous avez pu observer quelque chose de ce genre aujourd'hui ?

Troisième remarque : il y a dix ans, la rédaction de RTL et celle d'Europe n° 1 avaient des pratiques totalement différentes. Europe n° 1 était une machine très bien huilée, où les relations internes étaient feutrées, et qui fonctionnait au quart de seconde ; dès qu'il y avait un événement important, on savait très bien qui devait faire quoi. Inversement, à RTL, c'était un fouillis inextricable, et ça marchait malgré tout : l'audience de RTL était aussi forte que celle d'Europe n° 1. Alors, j'aimerais savoir si, avec une nouvelle génération de journalistes, vous avez pu constater des transformations au sein de cette rédaction.

NATHALIE CARRÉ DE MALBERG. — *A propos des pressions sous la IV* République, Dominique Frichot, qui a travaillé sur « La Tribune des journalistes parlementaires » de « La Tribune de Paris », explique qu'en 1948, le gouvernement a souhaité supprimer l'émission, mais les pressions contraires et multiples ont été telles que l'émission a survécu. Donc il y a eu pressions mais elles étaient probablement moins efficaces que par la suite. J'en viens à la spécificité du média sonore. Il y a sûrement une spécificité du média qui fait que les hommes politiques ont eu peur. Il suffit d'écouter les enregistrements de « La Tribune de Paris » pour constater la dramatisation du débat.*

MICHEL DESPRATX (À J. RABAUT). — *Ce que vous avez appelé le caprice des journalistes n'exclut pas que les changements de formules du journal parlé aient pu faire partie d'un plan. Les responsables qui présidaient aux destinées de la RTF ont aussi organisé des réformes du style de l'information parlée et de la forme du journal parlé qui ont obligé les professionnels à pratiquer une nouvelle forme de journalisme. Par exemple, en 1955, après la création d'Europe n° 1, à Paris-Inter, Pierre Desgraupes a essayé de réagir à la création de cette* chaîne qui arrivait avec un nouveau style, beaucoup plus parlé, et a rénové une émission déjà ancienne sur la chaîne nationale qui s'appelait « Paris vous parle » au moyen d'un dispositif encore timidement expérimenté qui était celui du meneur de jeu. C'était un journalisme beaucoup plus animé et beaucoup plus vivant.

Cécile Méadel. — *On continue, à RTL, à surveiller très attentivement les journaux du matin, comme il y a dix ans, parce que les journalistes sont convaincus que le seul moment où le monde politique est vraiment à l'écoute de leurs informations, c'est le matin. Le soir, c'est la télévision. Ce sont les interventions du matin qui suscitent les réactions du monde politique.*

Pour ce qui est des pressions politiques depuis 1981, c'est toujours difficile à mesurer. Ce que l'on constate, c'est que Philippe Alexandre, dont la démission avait été demandée à plusieurs reprises, est toujours en place. Quand j'ai fait mon étude, il y avait toujours cette conférence du matin. Effectivement, lors de celle-ci, un cadre général est donné, portant sur quelques points très sensibles de l'actualité.

A propos de l'organisation des journaux. Depuis sept ou huit ans, la rédaction de RTL a été assez profondément remaniée, notamment l'accent a été mis sur l'information puisque c'était ce que la direction concevait comme le point faible par rapport à Europe n° 1. Le résultat visible, c'est que les sondages sont très largement favorables à RTL, notamment, le journal du soir de J. Chapus dépasse celui d'Europe n° 1 dont l'audience s'écrase dès le début de l'après-midi.

Quant à l'impression de « fouillis » des journaux de RTL, on peut dire que les journaux du matin sont beaucoup plus préconstruits que ceux de la journée. Il y a toute une série de chroniqueurs qui interviennent de façon régulière, des gens connus qui ne sont pas de la rédaction, comme par exemple Christine Ockrent, Jean Boissonnat, etc. Ces chroniqueurs extérieurs de renom modulent le journal et le configurent d'une certaine manière.

Nathalie Carré de Malberg. — *Je voudrais demander à Cécile Méadel si les journalistes de RTL lisent leur papier.*

Cécile Méadel. — *Ce n'est pas systématique. Il y a toujours un papier qui rend compte de ce qui a été dit dans le journal. C'est moins pour des raisons politiques que parce qu'il est important pour la continuité de l'information de savoir ce qui a été dit. Jacques Chapus, lui, ne rédige pas. Il fait un plan, un menu, il le donne aux techniciens, et ne le respecte pas... Les conférences de rédaction ont notamment la fonction de faire le point de ce qui a été dit et de critiquer tous les incidents techniques et dérapages divers. Mais cette surveillance est assez informelle. Il y a un chef des informations qui contrôle que rien d'important n'a été oublié, mais en même temps il est au service du présentateur. Une anecdote caractéristique d'une atmosphère : un présentateur du soir était venu faire son journal avec un fusil parce qu'on avait menacé de le couper s'il ne respectait pas le cadre prévu et il avait juré que cela ne se passerait pas comme ça !*

Le problème de l'évolution du statut de l'image dans l'information télévisée

FRANCIS JAMES

Empruntée à René Char, la formule « Partage formel » éclaire par son « raccourci fascinateur » la naissance d'un nouvel ordre des gens et des choses dans l'information télévisée. « Partage » en exprime la redistribution des rôles et des responsabilités ; « formel », un certain style, tel que l'entend Gilles-Gaston Granger, un rapport neuf entre opération et objet. Il est souhaité ici s'essayer à l'histoire des méthodes et des fondements du journalisme de télévision, d'un moment de son développement où il est devenu nécessaire de soumettre à une critique rétroactive les principes appliqués jusque-là.

Voir la vérité : le journalisme de télévision[1] définit les schémas structurels de l'ancienne et de la nouvelle conception de l'actualité et décrit les changements produits par le passage de l'une à l'autre dans la deuxième moitié de la décennie 60. Ceux-ci semblent pouvoir être ramenés à deux éléments principaux, d'ailleurs étroitement liés entre eux, à savoir la formation d'un certain degré de problématisation accompagné d'un mouvement de thématisation dans la démarche de l'information télévisée et une redéfinition de la place de l'image concomitante d'un processus de schématisation. C'est-à-dire a) le remplacement d'une « manière d'approcher les choses » dans laquelle les magazines étaient « entièrement conditionnés par l'événement » par une activité journalistique qui ramène la conjoncture à une situation de problème « permanent »[2]. Et b) la coexistence, désormais, de l'image empirique et d'une représentation de la réalité davantage analytique, l'icône. C'est cet aspect du partage connu par le journalisme de télévision que j'ai en vue, dans la mesure où il ouvre un temps qui n'est pas encore achevé.

Les deux premiers numéros du magazine mensuel « XXᵉ siècle », diffusés en septembre 1969 et composés de reportages, d'enquêtes, d'interviews et de débats sur un même sujet, « Les juifs », paraissent aux yeux des contemporains d'un style très différent de celui qui fit pendant longtemps le succès de « Cinq colonnes à la une ». Si la transformation poétique sous-jacente aux modifications en train d'advenir dans la forme télévisuelle n'est pas une mutation brusque, le passage qui mène de la succession de reportages variés au sujet unique a cependant été parcouru rapidement : seize mois séparent les deux magazines produits par Pierre Desgraupes, Pierre Dumayet, Pierre Lazareff et Igor Barère, protagonistes parmi d'autres du débat en cours[3].

L'objet du journalisme de télévision naissant fut d'abord posé de façon implicite en accord avec l'expérience vulgaire et la pratique courante du journalisme de presse et de radio. Le terme vague d' « information » a longtemps suffi pour qualifier la relation des événements de toute nature et celui, non moins vague, d' « actualité », l'unité de temps dans laquelle ils adviennent. Dès lors, le trait le plus significatif de l'évolution du journalisme de télévision est la nécessité de définir son objet à deux niveaux : « " Actualité " est un mot équivoque. Si vous appelez actualité ce dont on parle aujourd'hui, c'est une actualité valable pour aujourd'hui, une actualité en crise. Comme on dit qu'une appendicite est en crise ! Il y a une actualité latente. De même que vous avez peut-être une appendicite latente qui fait que le médecin vous conseillera de vous faire opérer maintenant et de ne pas attendre la crise. Ce qui va désormais nous intéresser, c'est la latence, ce n'est pas la crise[4]. » C'est au moment où une notion change de sens qu'elle a le plus de sens[5]. Jusqu'ici mal définie et mise en pratique d'une manière spontanée, la notion ancienne d'actualité s'éclaire après coup quand P. Desgraupes revient sur la caractérisation de l'objet de l'information télévisée : « Ce que nous quittons, avec le style " Cinq colonnes ", c'est ce que j'appellerais la servitude de l'événement. L'émission était alors entièrement conditionnée par l'événement. L'événement, ce n'est pas la même chose que l'actualité. Notre sommaire était commandé par des événements qui ne dépendaient pas de nous[6]. »

Cette altération de la notion d'actualité ne saurait relever d'une décision *a priori* et arbitraire. Elle apparaît tout au contraire comme le résultat d'une évolution de l'exercice journalistique et se trouve correspondre à une transformation intellectuelle : « Tout ce que je peux affirmer, c'est que P. Lazareff, I. Barère et moi avons voulu faire quelque chose qui soit davantage dans l'esprit d'une encyclopédie que dans celui d'un journal. [...] Je vous parle d'encyclopédie, c'est peut-être par hasard. Dans les kiosques, depuis six mois ou un an, une nouvelle formule de publication connaît un grand succès et cette forme est encyclopédique, qu'il s'agisse de musique ou de sujets plus généraux. C'est quelque chose qui est dans l'air. Finalement, je m'aperçois que nous cherchons quelque chose que tout le monde semble chercher en ce moment. Ce qui fait qu'il y a peut-être un tournant dans l'information, une évolution qui se prépare et qu'ainsi nous serons parmi les premiers à évoluer[7]. » La variation de la notion d'actualité manifesterait tout à la fois un approfondissement et un enrichissement de la réalité, un « besoin » d'expliquer et de passer sous les phénomènes. « Réflexion sur le monde », « révéler, découvrir, décortiquer », « analyser le phénomène médical beaucoup plus en profondeur », « ce qui se passe derrière l'événement » sont autant d'assertions qui, en cette période de transition, expriment la nouvelle dualité « crise-latence » de l'objet journalistique ainsi que la foi en un nouvel esprit dont, désormais, un seul type d'information procéderait : le savoir[8].

L'objectivation journalistique se porte à présent sur le niveau latent de l'actualité entendu comme un état aux mouvements plus souterrains, s'étalant sur une plus longue durée et préparant la crise, elle, perçue comme explosion à la surface et bien évidemment de courte durée. La rupture avec l'ancienne conception, loin de séparer la crise de la latence, les lie entre elles au point de faire de la crise la manifestation de la latence et de celle-ci l'explication de celle-là : « Ce que nous voudrions surtout, c'est que lorsque les téléspectateurs trouveront l'actualité en crise parce qu'un matin, en ouvrant leur journal, ils verront que le Viêtcong a bombardé Saigon ou les Égyptiens le canal de Suez, ils rattachent cet état de crise à un état latent que nous leur aurons expliqué d'avance[9]. » Il n'y a donc pas pour l'information télévisée un objet, mais un objet au niveau de la crise sous la manifestation de l'événement et un objet au niveau de la latence sous la forme de grandes unités telles que la francophonie, le couple ou la main-d'œuvre dans le monde. Ce dédoublement de l'objet journalistique pose la latence comme englobant la crise, et le domaine de la crise sous ses manifestations visibles comme ne se suffisant pas à lui-même et ne pouvant être doté de significations sans que soit fait référence au niveau de la latence, de l'invisible. A la circonscription d'un niveau sous-jacent de réalité correspond un changement d'échelle des opérations intellectuelles et des procédures

115

qui constituent l'expérience télévisuelle. En « tournant le dos radicalement et résolument à ce qui était (leur) attitude mentale et (leur) manière d'approcher les choses pendant les dix ans qu'ils ont fait " Cinq colonnes ", les producteurs de " xxe siècle " introduisent dans l'objectivation du fait journalistique des unités globales posées comme problèmes stables : " Le problème de la main-d'œuvre est permanent. Nous vivons dans une actualité qui dure dix ans [10]. " » Ces grandes unités sont différentes des événements en ce qu'elles sont souvent étrangères aux temps forts qui scandent l'actualité et définies non plus par leur brièveté mais par leur caractère durable, ce qui les rend ainsi comparables dans une plage de temps et un espace donnés : « Nous ne cherchons pas l'explosion, le scandale ! Vous ne pouvez tout de même pas dire qu'il n'y a pas une crise dans la francophonie ? C'est ce genre d'actualité que nous voulons traiter [11]. » Elles se prêtent aussi plus facilement que l'événement unique à un premier degré de problématisation, c'est-à-dire à une intégration dans un système d'intelligibilité régi non plus par l'ordre chronologique et la relation, mais par la décomposition analytique et la thématisation. Dans cet autre système d'intelligibilité, le fait n'est plus retenu pour lui-même, sa singularité, sa violence, mais pour sa valeur comparative avec ceux qui, comme lui, composent les aspects du problème : « Chaque émission aura un caractère universel et comparatif [12]. » « xxe siècle » consacre deux numéros au « problème juif » en raison de « son caractère historique et en même temps actuel » ; dans le premier, cernant le terme « la diaspora », par des enquêtes comparant la condition d'exilé dans quatre pays : aux États-Unis et en Afrique du Sud, le racisme ; aux Indes, la vie dans un pays non chrétien ; en France, les particularités de la région d'Alsace face à l'intégration ainsi que la reconstitution d'une communauté de juifs pieds-noirs à Sarcelles [13].

Traiter l'actualité en fonction d'un problème assigne un statut thématique aux unités supposées composer son niveau latent, la thématisation se présentant comme la saisie et l'organisation de cette actualité en termes thématiques, et le thème à la fois comme un cadre permettant l'unification d'événements distincts et une construction conceptuelle ressortissant d'un regroupement de faits disparates donné comme représentatif d'un ou de tous ses aspects : « xxe siècle sera axé sur un thème. Les subjets abordés seront divers mais ils tireront leur unité de celui-ci [14]. » Les situations respectives de la dispersion des juifs aux États-Unis, aux Indes, en France ainsi que les témoignages de Polonais partis de leur pays depuis les six derniers mois sont présentés comme exemplaires de la diaspora. A l'inverse, si l'on choisit le thème comme point de départ et l'actualité comme point d'arrivée, la thématisation épouse une autre trajectoire. A tenir la diaspora en tant qu'entité intemporelle et universelle, représentée par n'importe quel exode, celui des Arméniens par exemple, peut être considéré comme l'une de ses manifestations. Libéré de la « servitude de l'événement », thématiser se présente comme un exercice sensible au choix du cadre et des faits représentatifs ainsi qu'aux conditions dans lesquelles il est effectué, le savoir, les préoccupations ou « l'humeur » du journaliste. Cet exercice génère également des objets reconstruits. Abstraits au sens où ils n'ont aucun équivalent dans l'expérience vécue, ils ne se laissent appréhender qu'indirectement : en élaborant une étiquette qui exprime le dénominateur commun à un ensemble de faits hétérogènes. Ainsi beaucoup de juifs ont vécu l'exode, mais la diaspora, comme un des aspects du « problème juif », n'est accessible qu'à travers la mise en relation de reportages et d'interviews sur des situations variées.

La thématisation rend les faits pensables. Le thème succède à l'événement comme unité interprétative de l'actualité, et la condition de son existence réside dans le décalage entre l'actualité et l'activité d'explication qui se développe à son propos. Plus qu'un signifié, il en apparaît comme le référent à la fois intérieur et extérieur, portant en lui une réserve de formulations sans cesse renouvelable au gré du commentaire journalistique et le vertige d'un domaine sans limites, l'actualité pouvant être thématisée à l'infini. Cependant, les thèmes d'actualité qui se succèdent dans « XXe siècle » ne doivent leur existence télévisuelle qu'à la décision de ses producteurs de les reconnaître comme tels ou de se les approprier : « Désormais, notre sommaire sera commandé par l'analyse que nous ferons du monde. [...] Nous allons inventorier (l'actualité latente) au hasard de nos humeurs ou des informations que nous avons, de l'intérêt que paraît revêtir le sujet à un moment plutôt qu'à un autre[15]. » La thématisa-tion de l'actualité semble dépendre tout autant de l'actualité que du journaliste, du cadre conceptuel et des procédures accomplies pour intégrer les faits choisis à un schéma qui, sur la base de liens de ressemblance ou de contraste, les unifie entre eux et les harmonise avec le thème posé : « On a traité du " problème juif ", deux émissions de 1 h 30 chacune. Par exemple, sur la diaspora, dans la première émission, on a fait une sélection. On a choisi l'Alsace, les Indes, les USA, l'Afrique du Sud. On a choisi des points, on aurait pu en prendre d'autres. Il a fallu en chaque point envoyer une équipe

117

pour faire une enquête, pour préparer un sujet, pour nous en parler, à nous, les rédacteurs en chef, pour savoir si c'était bien dans ce sens qu'on voulait que les choses s'orientent, ensuite pour que le tournage corresponde à une définition presque prise à l'avance, en fonction d'une enquête, bien entendu[16]. » A la hauteur de l'enquête, la technique du reportage se trouve redéfinie : « Il fallait que je tienne compte du fait que mon reportage était placé dans un ensemble et qu'il n'était qu'une partie d'un tout rassemblant d'autres reportages faits par d'autres personnes, dans d'autres endroits, pour aboutir à une unité. Il y a donc eu, au niveau des méthodes de travail, un travail préalable avec répartition, disons, des tâches, et une nécessaire vision globale de l'émission telle qu'elle serait une fois terminée. Ce qui n'était pas le cas du tout quand je partais en reportage au Congo[17]. »

Le thème n'est pas transparent. Et la thématisation ne découpe pas simplement en grandes unités l'actualité — en fin de compte, le monde —, elle la fait. Elle la réduit en rejetant de son cadre les faits non représentatifs ou encore en limitant la portée significative de ceux qu'elle retient, comme elle l'amplifie en transformant l'événement en thème selon les opérations de positionnement, de généralisation et de spécification[18].

Le positionnement d'un thème par le journaliste, à l'occasion d'un événement, consiste à induire de celui-ci un thème non encore dégagé. Ainsi le texte introductif énoncé par le présentateur ou encore des images diffusées pour amorcer l'émission donnent lieu à poser le problème. Le générique de « XXᵉ siècle » achevé, Pierre Dumayet, sur le plateau, assis devant un fond composé de quatre écrans de télévision, attaque : « La liberté de la presse, c'est un sujet qui nous concerne aussi bien vous que nous. Pourquoi la liberté de la presse aux États-Unis ? D'abord une raison générale : vous avez constaté, nous avons constaté cent fois qu'on pouvait là-bas enregistrer, filmer librement. [...] Vous vous souvenez certainement que c'est un grand hebdomadaire américain, pas du tout gauchiste, *Life*, qui a le premier rendu public le massacre de la population d'un village vietnamien, Sung Mi ou Mi-Lay, massacre dont le responsable était un officier américain », poursuit-il sur un plan de la revue américaine ouverte à la page sur laquelle figure la photo du massacre. A nouveau à l'écran, il conclut : « Cela nous a tellement frappés qu'un hebdomadaire à tirage énorme ait osé publier ce fait, cette information, que nous avons voulu comprendre comment la presse pouvait être ce qu'elle était aux États-Unis. On verra finalement que l'information, la liberté de la presse posent tous les problèmes politiques de notre temps [19]. »

La généralisation réside en la reprise par le journaliste d'un fait ou d'un événement déjà présenté, voire d'un thème déjà posé, à l'occasion d'une actualité ancienne, sous un énoncé qui substitue une dénomination générale à la description de caractères particuliers. C'est la scène d'un enfant qui meurt de faim diffusée sur Antenne 2 une première fois au cours d'un reportage consacré à la sécheresse que connaît l'Ouganda en 1980 puis reprise pour amorcer un commentaire off à propos de l'opposition pays riches-pays pauvres. Patrick Poivre d'Arvor : « [...] Souvenons-nous de ces images qui nous avaient bouleversés samedi. » Philippe Sassier attaque : « Cet enfant meurt de faim. Antenne 2 vous a déjà montré samedi cette scène insoutenable. Elle se passe en Ouganda où 140 000 personnes tentent de survivre, de survivre dans un pays ravagé par la sécheresse qui laisse les greniers vides. A quelques heures d'avion de nos villes et de nos lumières, on meurt de faim. Symbole d'un monde déréglé à la recherche d'un nouvel équilibre économique (à l'écran succession de photos de revues vantant les vertus de régimes alimentaires), on nous propose des régimes amaigrissants pour perdre des calories qui manquent tant là-bas. C'est démagogique, sûrement, d'opposer la mort d'un enfant à de la cellulite, c'est peut-être le seul moyen de briser le ronronnement des statistiques. » Sur de courts plans d'enfants ramassant des branches de palmier ou mangeant, le commentaire poursuit : « 800 millions d'êtres humains vivent dans un état de pauvreté absolue. Regardez ces deux chiffres : la dette du tiers monde représente 450 milliards de dollars, soit environ quatre fois le budget d'un pays comme la France [20].[...] » L'image ne renvoie alors plus à la seule situation de l'Ouganda en cet été 1980, telle que le reportage la présentait antérieurement, mais également au problème général des relations sur-développement/sous-développement économiques. Elle ne redouble plus seulement cet enfant qui, saisi de tremblements, s'effondre en criant aux pieds de ceux qui le regardent impuissants mais aussi illustre la mort de tous les enfants du tiers monde victimes de la « pauvreté absolue ».

Au contraire, la spécification consiste en la reprise par le journaliste d'un thème déjà posé sous une formulation qui remplace une démonstration générale par la description de caractères particuliers. Le thème de la liberté de la presse posé d'emblée par Pierre Dumayet se spécifie en la publication par *Life* du massacre de Mi-

119

Lay, spécification traduite par la conjonction du commentaire et de la photo, extraite du magazine, insérée à l'écran.

Il est à remarquer, à partir de ce même exemple, que le positionnement d'un thème associe souvent les opérations de généralisation et de spécification. Tout d'abord, la liberté de la presse se décompose en liberté de la presse aux États-Unis qui, elle-même, se spécifie en la publication du massacre de Mi-Lay. De manière implicite, la publication du massacre du village vietnamien se généralise sous la forme de l'interrogation sur le statut de la presse aux États-Unis, interrogation qui s'élargit en la chute : « On verra finalement que l'information, la liberté de la presse, pose tous les problèmes politiques de notre temps. »

La transformation de l'événement en thème dépouille son image des éléments considérés *a priori* comme secondaires par rapport au but poursuivi. Quoique très circonstanciée, la scène de la mort de l'enfant ougandais n'en voit pas moins s'estomper les marques de sa localisation, de son avoir-été-là propre filmé par une équipe de télévision au profit d'une représentation qui ouvre la voie plus largement au temps et d'un contour qui privilégie les signes spectaculaires de la famine, afin de commencer une argumentation qui expose le problème du sous-développement économique dans sa relation avec les pays industrialisés sous la forme d'oppositions frappantes : famine-régimes amaigrissants, nombre de pauvres dans le monde-dette du tiers monde-budget de la France. L'image de la « scène insoutenable » gagne en symbole ce qu'elle perd en dénotation de cette agonie comme fait unique. En isolant un élément pour le supprimer comme pour le mettre en valeur, l'abstraction remplace les « choses en soi » par des références à des catégories *a priori* et extérieures à l'actualité, dans le cadre de cet exemple, la mort de l'enfant par la « faim dans le monde ». Elle insiste aussi davantage sur le temps subrogeant à une relation qui épouse la durée de la scène un commentaire qui manipule plusieurs temps, son passé de manifestation empirique et son présent de « signification éternelle ». Enfin, au cours du processus d'abstraction l'image perd sa valeur de témoignage au profit d'une valeur d'emblème, la séquence citée exprimant davantage un des aspects des relations entre les pays riches et les pays pauvres que témoignant des conséquences dramatiques de la sécheresse en Ouganda lors de l'été 1980. Si elle est encore figurative, l'image de l'agonie du jeune Ougandais tient déjà d'un mouvement de schématisation. Le passage de sa valeur de témoignage à celle d'attribut, de son statut d'indice à celui de symbole en compose une étape qui la « lisse dans ses détails inutiles les plus fins et par là augmente sa pertinence[21] », et son efficacité, parce que plus condensée. Les images suivantes, courts fragments de vies quotidiennes sans leur son d'origine (enfants asiatiques ramassant des feuilles de palmier, enfants africains mangeant accroupis), servent de support au commentaire et à l'incrustation de chiffres plus qu'elles ne manifestent une qualité du sous-développement. Si cet usage, qui ravale l'image à un rôle d'accompagnement ou de secours optique, ne saurait être rare, il n'en reste pas moins que le développement de la schématisation soulève l'aspect méthodologique et heuristique de la représentation télévisuelle : la mise en images des problèmes.

La prise en considération de l'étage latent de l'actualité et le traitement de ces macro-unités que sont les problèmes tendent à substituer à la notion d'image celle de « représentation visualisante[22] ». L'abstraction est inséparable d'une orientation intellectuelle que manifestent le choix du thème ou la vision globale de l'émission comme le commentaire qui fait appel à des images de plus en plus dépouillées de leurs éléments jugés non pertinents envers l'analyse que les producteurs d'émissions d'actualité font du monde. Les sites de Bombay, Johannesburg, New York, Sarcelles, Strasbourg, et les séquences qui y ont été tournées, furent choisis pour leur caractère pertinent par rapport au cadre thématique que constituait « la diaspora » — à savoir leur validité à illustrer la relation avec l'autochtone — plus que pour leur force à témoigner de la vie des communautés juives dispersées dans le monde ou de leur actualité, même si celle-ci peut « se trouver au détour d'une enquête mais incidemment[23] ». Schématiser, ou encore thématiser parce que celui-ci recouvre celui-là, apparaît comme un processus qui ramasse la réalité et la systématise en substituant à un fouillis de faits la visualisation des aspects du phénomène selon la relation des parties au tout, à l'échelle de l'enquête comme à celle de l'image. L'image figurative voit ses détails inutiles être gommés ou des artifices être greffés tels que la flèche qui, sur la séquence d'une action de but au cours de la retransmission d'un match de football, met en évidence la position hors-jeu d'un joueur, la « palette électronique » augmentant ainsi sa lisibilité. Ce dernier cas suppose un nouveau dessin de la limite entre le visible et l'invisible : serait visible désormais ce qui est « objectivable[24] ».

1. Hervé Brusini et Francis James, *Voir la vérité : le journalisme de télévision*, PUF, 1982.

2. Pierre Desgraupes, *in Presse Actualité*, été 1969, n° 51, pp. 34-37.

3. La diffusion du magazine « Cinq colonnes à la une » s'est interrompue le 3 mai 1968, « XXe siècle » débuta le 2 septembre 1969 à 20 h 30 sur la 2e chaîne avec le premier volet du « Problème juif » consacré à « La diaspora », le second à « La terre d'Israël » le 16 septembre. Il est à souligner que, à la différence de « Cinq colonnes », Pierre Dumayet n'est pas producteur du nouveau magazine à son lancement mais il rejoindra l'équipe par la suite.

4. P. Desgraupes, déjà cité.

5. « C'est au moment où un concept change de sens qu'il a le plus de sens », Gaston Bachelard cité par Jean Ullmo, « Les Concepts physiques », *in Logique et connaissance scientifique*, Encyclopédie de la Pléiade, Gallimard, 1967, p. 670.

6. P. Desgraupes, déjà cité.

7. *Ibid.*

8. *In Voir la vérité, op. cit.*, pp. 107-109.

9. P. Desgraupes, déjà cité.

10. *Ibid.*

11. *Ibid.*

12. *Télérama*, n° 1024, pp. 28-29.

13. *Ibid.*

14. Igor Barère, *in Voir la vérité*, p. 109.

15. P. Desgraupes, déjà cité.

16. I. Barère, *in op. cit.*, p. 132.

17. Roger Louis, *in Voir la vérité*, pp. 131-132.

18. Claude Brémond, « En lisant une fable », *in* « Variations sur le thème », *Communications*, Seuil, 1988, n° 47, pp. 56-57.

19. Extrait de « L'information télévisée : l'histoire d'un changement », H. Brusini et F. James, document de montage vidéo. INA-CNRS, 1980.

20. *Ibid.*

21. Abraham A. Moles, « La visualisation thématique du monde : triomphe du structuralisme appliqué », *in Nouvelles images nouveau réel, Cahiers internationaux de sociologie*, PUF, 1987, p. 169.

22. *Ibid.*, p. 151.

23. *Télérama, art. cit.*

24. A. Moles, *op. cit.*, p. 172.

Les journalistes de télévision l'émergence d'une profession [1] (1960-1968)

JÉRÔME BOURDON

INTÉRÊT DE LA PÉRIODE

Les années de Gaulle, c'est, pour le journaliste de télévision, l'âge paléolithique. Des témoins aussi différents que Jean-Pierre Elkabbach [2], Édouard Guibert [3], Joseph Pasteur [4], Jean-Pierre Girault (formateur à FR 3, entré à l'ORTF en 1970) [5] renvoient de cette époque la même image : un statut lourd, terrifiant, des contrôles politiques tatillons, la surveillance étroite théoriquement exercée par Alain Peyrefitte et le Service de liaisons interministérielles de l'information, le « quadrillage » des stations régionales.

Pour poursuivre cette histoire d'Épinal du journalisme télévisé, la deuxième période serait celle où « le libéralisme vient [6] » avec la réforme de Jacques Chaban-Delmas et la création de deux unités autonomes d'information dont celle dirigée par Pierre Desgraupes. De l'esclavage on passe à la liberté. Ensuite, malgré des retours en arrière, la marche vers la liberté des journalistes de télévision continue.

Je crois ces années de Gaulle quelque peu mythifiées, y compris par les journalistes eux-mêmes. Elles ont des traits particuliers, mais aussi quelque chose de commun avec l'époque actuelle. C'est dans les années 60 que la profession de journaliste de télévision se constitue, conquiert les premiers éléments d'un statut peut-être pas juridique mais social, éléments dont beaucoup sont conservés aujourd'hui.

L'HÉRITAGE DE LA RADIO :
STATUT, STRATES ET SYNDICATS

Pour se constituer, la profession doit d'abord faire nombre. En 1960, sur les 340 journalistes statutaires de la RTF, il y a seulement 30 journalistes de télévision : chiffre minuscule. Au 340 journalistes, il faut ajouter au moins 50 % de « pigistes permanents ». Les « pigistes permanents » sont une tradition de l'information radiodiffusée publique vite reprise par la télévision. En 1967, l'ORTF comprend plus de 615 journalistes statutaires, dont 167 travaillent à l'actualité télévisée parisienne (ce qui fait plus de 220 personnes si l'on ajoute les 60 « pigistes permanents »), 150 dans les stations régionales. En outre l'ORTF a 201 correspondants à l'étranger. La majorité des journalistes de l'ORTF travaillent désormais totalement ou principalement pour la télévision. Une télévision qui est désormais sous les yeux de la nation : en 1960, 13 % des ménages sont équipés d'un téléviseur, en 1968, 61 %.

Les journalistes de télévision héritent largement des problèmes et des avantages de la radio publique. La IVe République se gaussait volontiers des strates de journalistes laissées par les différents gouvernements. Le contrôle sur l'information s'était bien sûr aggravé au rythme des « événements d'Algérie ». La Ve naissante ne manque pas à la tradition, et promeut ou fait venir des éléments nouveaux. En juin 1958, Louis Terrenoire, futur ministre de l'Information, devient directeur de l'information de la RTF, fait mettre Jean Teitgen, de sympathie SFIO, à l'écart, et promeut des fidèles gaullistes qui joueront un rôle clef dans les années 60 : Jacqueline Baudrier, Pierre Fromentin, Lucien Renault. Dans les derniers mois de mai 1958, ils montent la rédaction de France I.

Deuxième héritage : le statut des journalistes. En 1958, fait oublié qu'Henri Poumerol a justement rappelé dans sa thèse[7], les journalistes de la radiodiffusion ont un statut tout à fait avantageux obtenu d'une direction très favorable en mars 1949. Clef de voûte de ce statut : une commission paritaire qui est consultée en cas de recrutement et surtout accueille directement les recours des journalistes en cas de conflit avec la direction. Le statut des journalistes de la radiodiffusion était alors presque plus favorable que celui des journalistes de la presse écrite.

Troisième héritage : la syndicalisation. Si l'on ne connaît pas les **taux**, la radio possède alors une solide tradition syndicale, autour de

Force ouvrière et du SJF-CFTC (Syndicat des journalistes français CFTC), dont le premier de ces deux syndicats est le mieux implanté. Les pigistes leur reprochent d'être trop axés sur la défense des intérêts professionnels des seuls journalistes statutaires. En outre, la politisation croissante de la télévision va leur poser des problèmes.

En 1958, ces syndicats sont en première ligne. Depuis le retour du général, un nouveau statut est espéré par les personnels de la RTF, et redouté par les journalistes, qui lisent avec inquiétude l'article final de l'ordonnance de février 1959 où il est prévu d'intégrer les journalistes dans un grand statut unique. Le 25 février, les présidents des syndicats envoient au président de la République une lettre publiée dans *Le Monde* du 17 juin, où ils réclament notamment la nomination du directeur général de la RTF par le conseil d'administration et non par le Conseil des ministres, et la création d'un haut conseil de l'information qui serait la « conscience » de la radiotélévision.

Les journalistes obtiennent en tout état de cause un statut séparé, contenu dans un décret — mais un décret négocié avec la direction — le 7 novembre 1960. Sur le plan matériel et social, le statut est largement aussi avantageux que le texte de 1949. Mais la commission paritaire de 1949 ne donne plus d'avis en cas de recrutement et ne reçoit plus de recours. Enfin, les postes de journalistes sont définis, comme dans le statut général, à partir de délimitations de fonctions strictes, et c'est même en pensant à des individus précis que les négociateurs établissent certaines fonctions. Mais la direction change peu après le statut, et les journalistes sont fort déçus. En outre, le statut de 1960 institutionnalise la pratique des journalistes temporaires (nantis de contrats à durée déterminée, article 2) et des pigistes sans contrat (article 3), qui n'apparaissent pas dans les tableaux d'effectifs.

PREMIERS MALAISES À LA TÉLÉVISION (1958-1962)

Le nouveau statut est rapidement jugé défavorable par la masse des journalistes. Le malaise va éclater d'une conjonction de deux facteurs : politisation croissante à la télévision surtout, et politique du personnel perçue comme sévère et méprisante.

A la télévision, le malaise se voit d'abord en haut. De 1958 à 1962, la rotation des dirigeants de l'actualité télévisée, et plus encore du journal télévisé, est particulièrement rapide. A la direction des informations, se succèdent Louis Terrenoire (qui devient ensuite ministre de l'Information), Albert Ollivier (qui devient directeur des programmes), René Trotobas dit René Thibault, et enfin André-Marie Gérard : tous des gaullistes convaincus et des proches du général. Au journal, coexistent depuis 1956 deux rédacteurs en chef, l'un technique, l'autre politique. Fin 1958, Jacques Sallebert est nommé, et part en janvier 1959 après un incident avec le cabinet du ministre de l'Information à propos d'un reportage sur des heurts entre policiers et anciens combattants lors d'une manifestation. Philippe Ragueneau lui succède jusqu'en octobre 1959. Est-ce parce qu'il refuse d'exécuter les consignes d'un ministre au téléphone qu'il ne dure pas très longtemps à ce poste ? Pierre Sabbagh le remplace, mais, malgré son goût des honneurs, il préfère partir en juillet 1961, lorsque le directeur de l'Information nomme un fidèle gaulliste rédacteur en chef au journal — sans l'assentiment de Pierre Sabbagh. Quel que soit l'homme, le poste est intenable. Tout le monde se mêle du journal télévisé : le ministre de l'Information, son directeur de cabinet, les membres des différents cabinets ministériels. Pas directement, semble-t-il, le chef de l'État.

Le cas de Michel Debré est célèbre. Comme pour Claude Sérillon et Jacques Chirac en 1987, on racontait que la seule vue du présentateur Joseph Pasteur suffisait à exaspérer le Premier ministre. Joseph Pasteur doit en tout cas quitter la télévision, pour des motifs peut-être plus sérieux : présentateur, c'est-à-dire déjà vedette, mais sans pouvoir, Joseph Pasteur joue un rôle dans les mouvements qui agitent le journal télévisé en 1961-1962.

Car c'est la nouveauté de ces années : si les revendications sont émises par de nombreuses rédactions, le journal joue un rôle moteur, et surtout un rôle d'emblème, dans le mouvement. C'est lors d'une assemblée générale en novembre 1961 que les journalistes votent la grève contre l'avis des deux syndicats FO et CFTC. Première revendication : paiement des rappels dus aux pigistes nouvellement intégrés. Deuxième revendication : un nouveau statut plus proche de celui de la presse écrite. De cette assemblée naît un nouveau syndicat : le syndicat des journalistes de radio et de télévision (SJRT) qui prend la défense des rédactions jugées « mineures, inférieures et déclassées » (tract syndical) : « France II, France III,... Arabes, cameramen. » Cameramen : le chiffre très faible que nous avons cité pour les journalistes de télévision inclut les cameramen qui, tradition héritée des reporters du cinéma, ont statut de journaliste. A l'actualité télévisée, ils sont et seront souvent le fer de lance des mouvements revendicatifs.

Au printemps 1962, à la veille des élections à la commission paritaire, c'est le secrétaire général du syndicat, Joseph Pasteur, qui est suspendu, ce qui n'empêche pas le SJRT de recueillir la majorité des voix. En octobre 1962, le malaise éclate publiquement. On est en pleine campagne pour le référendum sur l'élection du président de la République au suffrage universel. Le rédacteur en chef Max Petit remonte alors un reportage d'un journaliste, Gilbert Lauzun, dans un sens favorable au gouvernement, mais en le diffusant toujours sous la signature du journaliste. C'est d'une question de principe qu'il s'agit : le journaliste estime qu'il ne peut « signer » un reportage s'il n'endosse pas la responsabilité totale du contenu. Le 17 octobre au soir, à la suite d'un accord qui lie le SJRT au SUT (syndicat unifié des techniciens), c'est la grève : « Pendant 20 minutes, le JT est remplacé par des nénuphars » (tract syndical).

Premier conflit suscité par des journalistes au nom d'une question de principe, cette grève n'est pas une victoire. Des sanctions sont prises contre les leaders. Joseph Pasteur est alors écarté de la télévision, et jugé indésirable pour de longues années. Il ne sera rappelé que par Armand Jammot pour présenter « Les Dossiers de l'écran » sur la 2e chaîne en 1966. Quant au nouveau syndicat, il périclite rapidement. Les sanctions ont dissuadé les leaders. Le syndicalisme de journaliste, à la télévision en tout cas, est durement frappé. On ne reverra plus de présentateur secrétaire général d'une organisation syndicale. C'est le SNJ, autre syndicat sans étiquette politique, mais plus proche de la base et des journalistes en général, qui va bénéficier de cette montée des revendications.

LES ANNÉES PEYREFITTE (1962-1965)

D'autant qu'à partir de 1962, les choses se gâtent encore. Les journalistes héritent d'un nouveau ministre, auquel colle encore aujourd'hui l'étiquette de « grand censeur » de la télévision : Alain Peyrefitte. Qu'en est-il ?

A son arrivée, le ministre de l'Information a l'image du libéral qu'il souhaite donner de lui-même. Veut-il resserrer le contrôle ? En tout cas, il ne veut pas d'un contrôle visible. Installé avenue de Friedland, il fait supprimer la batterie de sonnettes qui permet au ministre de l'Information de faire venir, de l'étage en dessous, les différents directeurs de la RTF. Il refuse de voir son futur bureau installé dans la Maison de la Radio.

La différence majeure avec ses prédécesseurs est en tout cas une intelligence de l'information et de ses problèmes très neuve dans la classe politique de l'époque, et qu'il partage avec un ami diplomate, Jacques Leprette, qu'il fait venir en janvier 1964 pour diriger le Service des liaisons interministérielles pour l'information, officiellement créé par une loi de juillet 1963. Dans les premiers temps, le SLII n'est pas un outil de contrôle — des journalistes tout au moins. Son existence n'est pas secrète, mais la presse en parle peu, et les journalistes de télévision interrogés ne se souviennent pas de lui à cette époque.

Son rôle principal est de coordonner l'action des différents ministères qui sollicitent fort la télévision et la radio, dans le plus grand désordre. Toutes leurs demandes doivent transiter par le SLII. Pour ce faire, ont lieu des réunions quotidiennes avec des correspondants des ministères et directeurs de l'information radiodiffusée et télévisée. Les ministres ne voient pas d'un très bon œil ce qui paraît peut-être un instrument de l'ambition du ministre de l'information. En outre, le SLII s'efforce d'amorcer un rôle de réflexion sur la communication gouvernementale, édite des « notes bleues » sur l'activité publique et organise des stages de formation : les CII (Comité interministériel pour l'information qui lui succède après Mai 68) et SID en recueilleront l'héritage.

L'action d'Alain Peyrefitte sur l'information télévisée s'exerce d'abord par d'autres voies. L'une, traditionnelle, est la nomination (et son corollaire, l'exclusion). Comme avant, on cherche à placer, à promouvoir, des éléments sûrs. Raymond Marcillac, gaulliste fidèle mais sans grand sens politique, est nommé directeur de l'information télévisée où il reste jusqu'en 1965. Il s'accroche avec « son » ministre, en particulier parce que celui-ci fait connaître, à plusieurs reprises, ses vœux de nomination. Il sera remplacé par Édouard Sablier, plus souple, mais tout aussi dévoué au général.

La régionalisation est une autre initiative majeure d'Alain Peyrefitte. Sous la houlette de Roland Dhordain (1963-64), puis de Bernard Gouley (1964-70), sont mis en place, entre octobre 1963 et fin 1965, 23 CAT (Centre d'actualité télévisée), dont 15 créés de toutes pièces et 8 en renforçant les moyens existants. Dès 1965, ces centres produisent en nombre total d'heures l'équivalent d'une troisième chaîne de télévision. La politisation tant dénoncée au journal parisien est sans doute plus vive dans les stations régionales.

Le directeur des services techniques se souvient de la nature très politique des nominations. Quant à Alain Peyrefitte, il dira, à l'occasion des élections municipales de 1965 : « Dans certaines régions, l'opposition détient un quasi-monopole de la presse écrite. Ce peut être le rôle de la télévision de rétablir l'équilibre[8]. »

Conséquence directe de toutes ces initiatives : on recrute beaucoup de journalistes. Très vite une tension apparaît entre deux objectifs : d'un côté l'on veut professionnaliser, de l'autre l'on veut des journalistes fidèles sur le plan politique. Mais s'il est facile de contrôler 20 ou 30 personnes, plusieurs centaines de journalistes, dont beaucoup sont dans des stations régionales, ne peuvent être surveillés si facilement. Au journal parisien, sont ainsi recrutés en 1963 Christian Bernadac, Maurice Ferro, André Harris, Alain de Sédouy, François Gerbaud, Charles Finaltéri. André Harris et Alain de Sédouy quittent vite le guêpier du journal pour aller produire des magazines. Les deux derniers nommés s'illustreront plutôt dans la fidélité au pouvoir politique. En 1965, arrivent de l'AFP François de Closets et Emmanuel de La Taille. Des matières peu subversives, l'économie et la science, font leur entrée à la télévision, mais aussi deux des futurs grévistes de 1968. En 1963 comme en 1965, on recrute des journalistes de la presse écrite et de la radio (notamment d'Europe n° 1, station qui sera « ponctionnée » par la télévision une troisième fois (au début de 1969).

Outre les nominations, on joue des promotions : ainsi, celle du présentateur du « service minimum » en février 1964 (voir *infra*), François Gerbaud. C'est aussi à la télévision que Bernard Gouley fait venir, par exemple, une jeune journaliste de *France-Inter* toute dévouée au général, Betty Durot[9]. Cette politique rencontre très vite des limites : car faire venir les « éléments sûrs » à la télévision, c'est aussi rendre moins facilement contrôlables les autres rédactions.

A défaut de surveiller le contenu des informations, il est un autre moyen d'obtenir une certaine tranquillité de la part de personnels jugés indociles et réputés peu favorables au régime : le statut. Par statut, entendons tous les textes qui régissent l'exercice de la profession. Première pièce de ce nouveau statut, même s'il n'en a pas le nom : le service minimum. Pour rendre moins visibles et efficaces ces grèves dont on s'irrite tant, y compris en très haut lieu, une circulaire est édictée par le directeur général, sur instructions du ministre de l'Information le 23 janvier 1964. Le service minimum suppose le journal du soir suivi d'un film, et une antenne disponible en permanence pour les messages gouvernementaux. Plusieurs grèves ont lieu en février contre cette circulaire, mais le directeur de l'information télévisée réussit à faire passer le journal, depuis le pied de la Tour Eiffel. C'est un élément essentiel du statut des journalistes, et du statut de la télévision, qui se trouve mis en place, et qui sera repris par la loi de 1972.

La grève est suivie des nouveaux textes sur l'ORTF. La loi du 26 juin 1964 paraît plus libérale que l'ordonnance de février 1959 : la radiotélévision est désormais sous la tutelle du ministre de l'Information, la direction de l'Office est théoriquement renforcée par un conseil d'administration. Mais les personnels sont désormais contrôlés plus étroitement par cette même direction. Dans le nouveau décret sur les journalistes (22 juillet 1964), la commission paritaire n'a plus que des attributions consultatives en matière disciplinaire, le directeur général est seul maître de la rémunération, de l'avancement, des définitions de fonctions. Privilégiés en 1949, préservés en 1960, les journalistes de l'audiovisuel voient leur statut se dégrader.

LIBÉRALISATION PAR LE SOMMET, RÉPRESSION À LA BASE (1965-67)

Les événements des années 1965-67 sont au centre de notre période et de la thèse défendue ici. Les journalistes de télévision vivent alors un processus d'apparence contradictoire, mais qui illustre bien l'ambiguïté de leur situation sociale et professionnelle. Au sommet, c'est la libéralisation : une certaine ouverture du débat politique place les journalistes dans une position nouvelle de médiateurs entre hommes politiques et spectateurs, leur confère un rôle nouveau d'interprète et d'interrogateur. Mais cette conquête est particulièrement fragile. Les vedettes du journal et des magazines et les journalistes-producteurs tirent leur épingle du jeu. Les autres journalistes ne peuvent pas se satisfaire de l'espoir de devenir vedettes.

Commençons par l'événement qui est resté dans la mémoire nationale : les élections présidentielles de décembre 1965. L'apparition des candidats de l'opposition à la radio et à la télévision, chacun bénéficiant de 2 heures d'antenne sur chaque média, est une surprise considérable. De façon plus générale, toute la télévision se sent obligée à un certain effort d'objectivité. Le journal télévisé lui-même s'ouvre plus qu'auparavant à l'opposition[10].

La campagne met aussi en vedette des journalistes. Elle manifeste une proximité nouvelle avec les hommes politiques. Fourbissant les armes de la propagande, conseillés par des experts d'un nouveau genre, Charles de Gaulle et François Mitterrand choisissent de se faire interroger par des journalistes, Michel Droit pour le premier, Roger Louis et Georges de Caunes pour le second. Dans un tel rôle, les journalistes sont intermédiaires soumis, mais intermédiaires indispensables. On sait peu que c'est Alain Peyrefitte qui avait pris l'habitude, dans ces débuts au ministère de l'Information, de se faire interroger par des journalistes en préparant les questions à l'avance. (Il est vrai qu'il manifestait une forte tendance à se tourner vers la caméra pour répondre, glissant du modèle de l'entretien à celui de l'allocution[11].)

C'est après la campagne que se mettent en place de nouveaux magazines. L'émission la plus remarquée est « Face à face ». Un panel de journalistes y interroge en direct un homme politique. Inaugurée en mars 1966, programmée à 20 h 30 sur la 1re chaîne, l'émission est un remarquable succès. Les journalistes y figurent en interrogateurs des hommes politiques : des journalistes de la presse ne dédaignent pas, au contraire, de répondre à l'invitation. Des journalistes de l'audiovisuel participent également.

« Face à face » est coproduit par une grande figure de la presse et de la radio : Jean Farran. Les journalistes manifestent leur pouvoir en produisant des magazines où s'exerce une insolence critique impossible ou très rare au journal. Le premier de ces journalistes-producteurs de la télévision, c'est au fond Pierre Lazareff (pour « Cinq colonnes ») qui vient de la presse écrite. Mais, sur la 2e chaîne, apparaissent une série de magazines qui sont produits par des journalistes passés d'abord par la télévision, employés par elle, dont bien sûr le fameux « Zoom », d'André Harris et Alain de Sédouy. La télévision consolide ainsi, non sans difficulté, des pratiques d'indépendance qui n'étaient à l'origine possibles qu'avec des appuis extérieurs. Il est vrai que les magazines survivent sur la 2e chaîne. Sous la forme de la confrontation entre un politique et des journalistes, « Face à face » disparaît rapidement, malgré une forte audience.

Voici donc les journalistes en quête de légitimité. Mais, notons-le, il s'agit plutôt des journalistes à ou par la télévision que des journalistes de télévision. En province, chez les cameramen, à la base, les journalistes ne recueillent pas les fruits de cette célébrité d'ailleurs fragile. Relations difficiles avec la hiérarchie, grogne à propos des salaires contrastent avec les processus de « libéralisation » décrits plus haut.

Une mutation syndicale a lieu. En 1964, la scission de la CFTC en deux syndicats ruine définitivement ses chances syndicales auprès de la base et des pigistes, de tout temps détournés de FO, le syndicat « d'assurance, de tradition ». Qui plus est, en province, « la quasi-totalité des rédacteurs en chef sont FO [12] ». Or, le rédacteur en chef est soupçonné par sa base de compromissions avec la direction. En plein essor au niveau national, avec une étiquette purement professionnelle, le SNJ continue de recueillir des adhésions. A l'ORTF, il fait recette auprès des jeunes, auprès des pigistes permanents (comme jadis la CFTC), en reprenant des thèmes très politiques sur le statut du journaliste. C'est surtout à la radio, et à la rédaction de France-Inter, que le syndicat est influent, avec deux leaders, Jean-Claude Héberlé, puis Édouard Guibert, qui arrive de Nancy en 1967.

Les journalistes de l'ORTF démontrent leur représentativité et leur spécificité au cours de la grève de 1966 qui succède à la construction d'une intersyndicale des journalistes de l'ORTF en 1965, où apparaît pour la première fois le rôle dominant du SNJ. Début 1966, des rencontres sont provoquées avec le directeur général, où sont évoquées les lacunes du statut : retard dans les promotions, absence de représentants des journalistes au conseil d'administration, intégration des « pigistes permanents », retard des salaires par rapport à la presse écrite. Les propositions du directeur général — dont la marge de manœuvre est de toute façon limitée par la nécessité d'un accord préalable du ministre des Finances — sont jugées insuffisantes. La réaction des journalistes est immédiate : « Il fallait faire face et même faire la guerre, selon l'expression employée par le directeur général. Cette guerre, il fallait la faire seul, sans se camoufler derrière un conflit généralisé, c'est-à-dire une grève des techniciens », dit le secrétaire général du SNJ [13].

La grève a lieu du 7 au 9 février. A l'inverse des conflits de 1962 et 1964, elle ne sera pas suivie d'un conflit généralisé. Le service minimum instauré par la circulaire « Peyrefitte-Bordaz » fonctionne. Mais la grève démontre la combativité des journalistes sur lesquels font pression le directeur général et le directeur de l'actualité, dont le prestige est réel. La grande majorité des journalistes radio font grève, une moitié peut-être à la télévision, et moins de la moitié en région. Soit au total environ les deux tiers des journalistes. Au-delà des problèmes de statut et de salaires, la grève témoigne de l'exaspération des journalistes, car « il y a plus grave » que les problèmes matériels,

« il y a ce mépris dans lequel étaient le plus souvent tenus les journalistes de l'Office aux différents échelons de la hiérarchie diverse [14] ».

Pourtant, la grève n'est pas une victoire. Elle est certes suivie par d'importants mouvements de personnel en juillet 1966. Il s'agit d'abord d'une régularisation technique : « Le ministre des Finances a finalement autorisé la création de 200 nouveaux postes de contractuels [15] », pour la plupart des « pigistes permanents » qui travaillaient depuis des années avec la radiotélévision dans l'attente de leur intégration. Mais, en contrepartie, ces créations de postes entraînent le licenciement de 92 journalistes, dont 20 à l'actualité télévisée, certains des licenciés étant réemployés aussitôt comme contractuels. Ces chiffres importants ne dissimulent pas des « purges politiques » de grande ampleur, comme celles qui auront lieu en 1968 et 1974. Après ces mouvements de personnel, les syndicats rencontrent à nouveau la direction générale, sans résultat.

Pourtant, si les journalistes ont prouvé leur spécificité, la profession est loin d'être homogène. Les différences dans les taux de grévistes montrent que la télévision est à part. Bien sûr parce que le pouvoir politique la surveille. Mais aussi — au mécontentement des autres journalistes — parce qu'après tout ceux de la télévision ne sont pas tout à fait « comme les autres ». Plus connus que leurs collègues de la radio, mis en vedette et en images, ils jouissent aux yeux du public d'une notoriété certaine, même si leur prestige professionnel à l'intérieur de l'ORTF est faible.

De plus, il y a aussi au sein de la télévision une hiérarchie du prestige. Les professionnels du journal jalousent leurs confrères des magazines. Selon Jean-Louis Guillaud : « Entre les magazines et le journal, la séparation était nette au niveau des rédactions plus qu'au niveau des journalistes. Dès que les journalistes avaient goûté du magazine, ils ne voulaient plus faire que du magazine [16]. » Au sein même du journal, les présentateurs ont la vedette par rapport aux cameramen.

Peu syndicalisés, les journalistes de télévision sont plutôt séduits par des projets d'associations détachées des syndicats nationaux. Le modèle de la presse écrite joue de nouveau. Des sociétés de rédacteurs se sont constituées dans plusieurs grands quotidiens de la presse écrite entre 1965 et 1967. En 1967 est avancé le projet d'une association de rédacteurs qui viendrait « renforcer le prestige et l'autorité morale de la profession de journalistes à la télévision ». Ce projet ne verra pas le jour. Pour en mesurer l'ambiguïté, il suffit de savoir que les auteurs, dont Maurice Séveno, François de Closets, et Emmanuel de La Taille se réunissaient dans le bureau du rédacteur en chef du journal, Jean-Louis Guillaud. La reconnaissance des journalistes de télévision pouvait difficilement se faire loin de la direction, c'est-à-dire loin du pouvoir politique. D'où la méfiance de leurs collègues de la radio. Pour que les journalistes de télévision deviennent des journalistes à part entière, il faudra attendre, du côté du pouvoir politique, la réforme de 1969. Peut-être aussi le conflit de Mai 68 et leur participation à la grève ont-ils été une nécessaire preuve de solidarité professionnelle [17].

« PAS COMME LES AUTRES » ?

Les années 60 ont donc été beaucoup plus que celles de la « censure ». Bien plutôt, la censure a été mise en vedette parce qu'elle paraissait insupportable dans un contexte nouveau. Les pressions politiques ont été bien réelles. Plutôt que les demandes directes, elles s'exerçaient surtout par les nominations et les promotions à des postes de direction d'éléments sûrs, chargés de contrôler la masse des journalistes.

Si les journalistes de la RTF/ORTF s'organisent, se syndicalisent, sont plus combatifs qu'ils ne le seront jamais, ils ont cependant du mal à se mobiliser longtemps, durablement, comme les autres professions de la télévision. Car ils sont pris entre plusieurs modèles professionnels. Peu à peu, la télévision cesse de s'appuyer sur la référence à la presse écrite et devient une véritable profession : ou du moins, on sent qu'elle va, qu'elle pourrait le devenir.

Avant de brosser ces modèles professionnels, rappelons un trait commun aux journalistes de télévision comme aux autres, mais qui distingue, à la télévision, le journaliste de télévision des autres professions : l'origine sociale. Il ne fait guère de doute que, par rapport aux techniciens, aux réalisateurs, aux personnels de production, professions clefs de l'époque, les journalistes de télévision proviennent d'une classe sociale plus favorisée. Cela contribue à les rapprocher des hommes politiques, qu'ils connaissent déjà la plupart du temps avant de les rencontrer personnellement. Cela facilite, à cette époque en tout cas, une certaine interpénétration des deux professions. Mais, dans la télévision de l'époque, cela met plutôt en position de faiblesse et, avec le vedettariat, renforce leur individualisme et leur fragilité par rapport à des groupes qui savent et sentent la nécessité de déléguer la défense de leurs intérêts à une force collective et organisée[18].

Premier modèle, héros des journalistes de l'époque, venu du magazine de reportage à la manière de « Cinq colonnes », le grand reporter (Roger Louis) est roi en 1960, mais fortement concurrencé en 1967. Le journaliste interrogateur de l'homme politique devient un modèle concurrent. S'il est dans l'ombre du politique, il accède à une certaine autonomie en 1966. Au sommet de la hiérarchie, les producteurs de magazines exercent une grande influence, et ils sont souvent, mais pas toujours, des journalistes : le rédacteur en chef du journal télévisé lui-même, Jean-Louis Guillaud, produit un magazine en 1965. Il faut surtout citer ici André Harris et Alain de Sédouy.

Une espèce a aujourd'hui disparu : le journaliste-homme politique. Les journalistes de l'audiovisuel sont alors si politisés que les va-et-vient sont fréquents. Des militants politiques deviennent des journalistes : c'est particulièrement vrai au début de la période. Dans le sens inverse, des journalistes deviennent des hommes politiques. Du journal télévisé, Max Petit est député UNR en 1962, François Brigneau devient également député UNR, et Raymond Marcillac est suppléant d'Achille Peretti après 1968. L'appartenance d'Édouard Sablier à l'UNR est bien connue lorsqu'il est nommé en 1963.

A côté de ce modèle disparu, remarquons que le journaliste de télévision aujourd'hui le plus important : le présentateur du journal de 20 heures, n'a pas dans les années 60 le statut qu'il a aujourd'hui. Les présentateurs du journal sont déjà des vedettes, mais des vedettes un peu comme le sont les animateurs d'une émission de variétés, comme l'étaient aux États-Unis les « *anchormen* » des années 50[19]. Leur prestige ambigu ne séduira vraiment les journalistes eux-mêmes que plus tard. Quand Alain Peyrefitte vient présenter la nouvelle formule du journal en 1963, il est le ministre de l'Information qui a sous son autorité la RTF. Léon Zitrone lui cède respectueusement la parole plus qu'il ne l'interroge. En 1966, et plus encore en 1969, les rôles vont commencer de se renverser.

Une espèce disparue, le journaliste-député (Michel Péricard, journaliste de télévision antigaulliste en 1962, est un des derniers survivants), mais aussi une espèce pas encore présente, « l'étoile du soir » : voilà qui résume bien les différences entre les deux époques. Les journalistes de télévision commencent de poser des questions aux hommes politiques, mais ils sont encore un peu des hommes politiques, dans une télévision trop proche du pouvoir. Pourtant, les choses vont changer. La télévision est perçue comme un tel instrument d'influence que celui qui donne l'accès, qui sait contrôler la mise en scène, sera bientôt dévolu à un rôle social essentiel, parfois méprisé, hier comme aujourd'hui. Mais le mépris cache aussi la peur.

1. Ce texte reprend, dans une perspective différente, certains éléments du chapitre IV de ma thèse, *Le Monopole du général, histoire de la télévision française de 1959 à 1968*, préparée sous la direction de Jean-Noël Jeanneney à l'Institut d'Études politiques, et publiée depuis sous le titre : *Histoire de la télévision sous de Gaulle*, Anthropos et Institut national de l'audiovisuel, 1990.

2. Nicole Avril et Jean-Pierre Elkabbach, *Taisez-vous Elkabbach*, Flammarion, 1982, p. 76.

3. Édouard Guibert, entretien avec l'auteur.

4. Joseph Pasteur, entretien avec l'auteur et Michel Despratx.

5. Jean-Pierre Girault, cité par Michel Despratx, *in Les Journalistes et l'outil technique*, rapport INA/CHTV, 1988.

6. Noël Nel, *A fleurets mouchetés. Vingt-cinq ans de débats télévisés*, INA/Documentation Française, 1988, p. 30.

7. Henri Poumerol, *Le Statut et les conditions de travail des journalistes de la radio et de la télévision de service public en France depuis 1935*, thèse en sciences de l'information, Paris II, 1988.

8. Cité par *Le Monde*, 4 mai 1965.

9. Betty Durot, entretien avec l'auteur.

10. Cf. le chapitre sur la propagande électorale, *in L'Élection présidentielle de décembre 1965*, Cahiers de la Fondation nationale des Sciences politiques, 1967.

11. Édouard Guibert, entretien avec l'auteur.

12. N. Avril et J.-P. Elkabbach, *op. cit.*

13. Jean-Claude Héberlé, « Journal du SNJ », mai 1966, cité par Jean-Pierre Filiu, *Mai 68 à l'ORTF*, thèse de l'Institut d'Études politiques, 1986, p. 11.

14. Jean-Claude Héberlé, « Libéraliser l'ORTF », *Le Monde*, 3 mars 1966.

15. *Le Monde*, 30 juillet 1966.

16. Jean-Louis Guillaud, entretien avec l'auteur.

17. Je rappelle que la place des journalistes dans la grève de 1968 a été beaucoup étudiée. Cf. l'ouvrage collectif, *Mai 68 à l'ORTF*, INA/Documentation Française, 1986. Consulter aussi la thèse déjà citée de Jean-Pierre Filiu.

18. Sur l'origine sociale des journalistes de radiotélévision en général, on pourra consulter l'enquête, postérieure à notre période, de Roland Cayrol, « A la recherche des journalistes de radiotélévision », *Études de la radiotélévision belge francophone*, 1977.

19. Barbara Matusow, *The Evening Stars*, Boston, Houghton Mifflin Company, 1983, p. 44.

Les journalistes multimédias

ANDRÉ-JEAN TUDESQ

Qu'un journaliste assure une émission à la télévision, une chronique dans une radio et publie des articles dans un quotidien ou un hebdomadaire semble aujourd'hui symbole du succès ou de la notoriété. Cette situation a des antécédents. Des journalistes de la presse écrite figuraient parmi ceux qui lancèrent les premiers journaux parlés ; puis les postes émetteurs s'efforcèrent de s'attacher des noms connus de la presse écrite comme Paul Reboux ou Clément Vautel ; avant la Deuxième Guerre mondiale, Jean Guignebert s'était révélé aussi bon journaliste à Radio-Cité qu'à *L'Intransigeant*[1].

Toutefois, si le métier de journaliste depuis longtemps s'associe à d'autres activités intellectuelles : écrivains (depuis Chateaubriand et Balzac), professeurs, avocats, hommes politiques et plus récemment cinéastes, la pratique systématique par des journalistes d'un synergie des médias ne s'est imposée que récemment. Il nous a semblé intéressant d'en présenter l'évolution au cours des trente dernières années ; l'antagonisme entre la presse et la radio sous la IVe République avait limité les possibilités de collaborations régulières et simultanées dans les deux médias.

La notion de journaliste n'a pas la même signification dans la presse écrite et à la radiotélévision où le passage du journalisme à l'animation a lieu fréquemment. Tel animateur d'émission télévisée à grand spectacle a commencé comme journaliste et parfois journaliste sportif et peut continuer d'écrire une chronique dans un journal ; nous le comptons parmi les journalistes multimédias.

Nous ne retenons pas, dans notre étude, le cas des interviews publiées dans la presse écrite, d'hommes de radio ou de télévision. Par contre, les collaborations à la radio et à la télévision présentant une si grande variété de formes, il nous a semblé nécessaire d'inclure les participations régulières de journalistes de la presse écrite à des émissions hebdomadaires comme le fut « La Tribune de Paris » à la radio ou comme le sont le « Club de la presse » d'Europe n° 1 ou le « Droit de réponse » à TF1.

L'évolution chronologique nous a paru la plus intéressante dans une perspective historique. Aux activités de la presse écrite se sont jointes d'abord celles de la radio, puis celles de la télévision et aujourd'hui, le vidéotex.

LA PRIORITÉ DE LA RELATION PRESSE-RADIO JUSQU'AU MILIEU DES ANNÉES 60

La supériorité de la presse écrite non seulement n'était pas discutée il y a trente ans, mais encore seuls ceux qui écrivaient ou avaient écrit dans les journaux étaient considérés comme journalistes. Lorsque se prépare Europe n° 1 en 1954, ce poste qui devait renouveler le style de la radio, Charles Michelson et les premiers promoteurs font appel à des journalistes chevronnés, Georges Altschuler, éditorialiste de *Combat*, et Maurice Siegel qui dirigeait les informations générales à *France-Soir* (après avoir été rédacteur au *Populaire*, à *France Dimanche*, à *Paris-Presse*). Ce dernier lança le journal parlé et recruta Claude Terrien du *Populaire*, Jean Gorini de *Radar* et un groupe de jeunes aux destins politiques ou professionnels divers comme François Gerbaud ou Georges Fillioud, Gilbert Lauzun et Jacques Paoli. Un homme de radio les conseillait ; Pierre Sabbagh, qui avait lancé le journal télévisé en 1949, dans l'ignorance et l'indifférence du plus grand nombre, apporta son expérience du micro.

La RTF, de son côté, faisait appel à des journalistes de la presse écrite pour participer à certaines émissions, notamment à « La Tribune de Paris », plus particulièrement pour les débats entre journalistes parlementaires ; mais elle était très sourcilleuse sur cette collaboration. Le Conseil supérieur de la radiodiffusion, sous la présidence du professeur Rivet et en présence du directeur de la RTF, Vladimir Porché, avait consacré une réunion le 6 octobre 1947 à la Direction des informations ; Porché avait déclaré notamment : « Le journaliste qui vient devant le micro pour exprimer son opinion au cours de débats, estime (et surtout lorsque la radio prend la précaution d'annoncer que les propos tenus n'engagent que la responsabilité de leur auteur) qu'il a le droit de dire tout ce qu'il pense. Par contre, le même journaliste, lorsqu'il n'est plus devant le micro et qu'il est amené à commenter dans son journal les propos d'un confrère d'opinion différente, ne craint pas d'affirmer que la radiodiffusion française est engagée par les propos dudit confrère[2]. »

Cette distinction entre journalistes invités et journalistes de la RTF n'est pas suivie par la majorité des auditeurs. Elle valorise les journalistes de la presse écrite participant par exemple à « La Tribune de Paris », associant une fois par semaine des journalistes parlementaires dans un débat[3].

La RTF est pourtant très soucieuse d'établir une distinction et refuse, notamment aux journalistes qu'elle envoie en reportage à l'étranger, le droit de publier des articles dans la presse écrite sur les pays d'où ils viennent. C'est une clause du statut des journalistes qui devait tomber peu à peu en désuétude avec les premiers développements de la télévision ; en effet, l'émission « Cinq colonnes à la une » ne peut se développer qu'avec l'appui de Pierre Lazareff qui envoya des journalistes de *France-Soir* et les associa au reportage télévisé ; c'était la situation inverse de celle que refusait la RTF.

Encore en 1960, le décret du 7 novembre sur le statut des journalistes de la RTF indique qu'il était interdit aux journalistes permanents d'exercer une autre profession (article 7) et l'article 33 précisait qu' « ils ne peuvent occuper d'emploi de caractère permanent dans une publication quotidienne ou périodique paraissant en France ».

Pendant toute la IVe République, un conflit parfois aigu, le plus souvent latent, opposait presse écrite et radio. C'est donc sucessivement plus que de façon concomitante, que des journalistes se trouvent dans les deux médias. Quant à la télévision, elle ne démarre en France que très lentement et reste dans le sillage de la radio.

Passer de la radio à la télévision avait été peut-être une aventure dans les années 50, ce n'était pas encore une promotion professionnelle pour les journalistes ; c'était le fait de gens jeunes. En 1949 à la création du journal télévisé, Pierre Sabbagh (qui était entré à la RDF en mai 1945) de même que Pierre Desgraupes (au journal parlé en 1947) ont 31 ans, Michel Droit et Pierre Dumayet ont 26 ans. Jacques Sallebert, un ancien élève de l'IDHEC a 29 ans, Pierre Tchernia, élève aussi de l'IDHEC, a 21 ans[4].

L'exemple de Michel Droit me paraît significatif de la génération issue de la Résistance ayant commencé sa vie active après la Libération à la fois à la radio et dans la presse écrite ; un entretien avec Noël Copin publié dans *Presse-Actualité* de novembre 1966 fait ressortir, dès cette date, la diversité de sa carrière de romancier et journaliste, et aussi de son journalisme « écrit, parlé et télévisé ».

Il en ressort aussi un autre aspect, que l'on retrouve souvent chez les journalistes multimédias, des études supérieures avancées ; pour Michel Droit, les sciences politiques. Significatif enfin qu'en octobre 1961, alors qu'il est rédacteur en chef de l'actualité télévisée, il préfère — sans abandonner complètement la télévision — le poste de rédacteur en chef du *Figaro littéraire* « poste que l'on peut considérer comme l'un des sommets du journalisme », déclare alors Noël Copin, qui devait devenir lui aussi un journaliste multimédia[5].

Lorsque la télévision prend de l'importance dans les années 60, elle recrute des journalistes de la presse écrite : Édouard Sablier, grand reporter et éditorialiste du *Monde* ; Jean Benedetti, journaliste parlementaire à *la Croix* et au *Petit Parisien* avant la guerre, puis à *L'Aube* de 1945 à 1951, ensuite à *Paris-Presse* avant d'entrer à la télévision en juillet 1965.

Le meilleur exemple est sans doute — dès 1959 — le rôle de Pierre Lazareff, le directeur de *France-Soir,* qui était alors le quotidien français ayant le plus fort tirage, dans la création et la production de « Cinq colonnes à la une » que nous venons de citer. Ce fut aussi le cas de Jean Farran, journaliste au *Parisien libéré,* puis de 1950 à 1966 à *Paris-Match* avant de lancer la série des « Face à face » à la télévision ; mais il est significatif de l'importance respective de la radio et de la télévision en 1966, à cette date il abandonna la télévision pour devenir directeur de Radio-Luxembourg.

Le mouvement pour les plus jeunes s'opérait en sens inverse ; en effet, c'est surtout de la radio que viennent les journalistes de la télévision dans les années 60 ; ainsi Georges Bortoli, qui avait débuté en 1945 à Radio Tunis, avait créé en 1955 un hebdomadaire *Lundi matin,* puis était entré en 1957 au journal parlé de la RTF. En 1962, il devint responsable de la page littéraire spéciale du journal télévisé.

La radio reste (et le restera jusqu'à nos jours) un lieu d'apprentissage.

PRIORITÉ DE LA TÉLÉVISION

Il est toujours difficile et arbitraire de vouloir dater les mouvements de société. La périodisation est pourtant une des tâches primordiales de l'historien. S'il fallait dater l'importance prise par le journalisme télévisé et plus encore par la télévision dans l'information politique, je citerai l'élection présidentielle de 1965 qui a vu une triple innovation : l'élection du président de la République au suffrage universel, une large publicité donnée aux sondages d'opinion et la campagne électorale à la télévision.

Pendant toute la période de l'ORTF de 1964 à 1974, s'est posé — avec une acuité inégale et sous des formes différentes — le problème de savoir si les journalistes de la télévision étaient des journalistes comme les autres ou s'ils étaient — selon la formule de Georges Pompidou au cours d'une conférence de presse — « la voix de la France ».

Un autre élément qui entre en ligne de compte, c'est le recrutement de plus en plus, à partir des années 70, de journalistes issus des écoles de journalisme : une enquête sur les nouveaux titulaires de la carte de journaliste en comptait 6 % en 1964 et 20 % en 1971.

Troisième élément enfin : l'accroissement du nombre des chaînes, deux, puis trois à partir de 1973, l'existence de bureaux régionaux d'information dans les stations régionales, la multiplication des magazines télévisés augmentent très sensiblement le nombre des journalistes de la télévision ou des journalistes collaborant à un titre ou à un autre avec la télévision. Selon une étude de la profession de journaliste publiée en 1974, le nombre de reporters cameramen et presse filmée journalistes est passé de 42 en 1964 à 226 en 1971 et 278 en 1973. Cette étude, très complète, ne se préoccupe, nulle part, de l'activité multimédia de journalistes ; sans doute parce qu'elle porte sur les nouveaux journalistes, occupant encore le plus souvent leur premier emploi, mais aussi parce que le journalisme multimédia était encore au début des années 70 un phénomène individuel, relativement peu fréquent[6].

Les journalistes de la presse écrite sont attirés par la radio et la télévision, surtout après la crise de 1968. Ainsi, Jean-François Kahn en 1969 alors qu'il était journaliste à *L'Express* entre à Europe n° 1. Jacques Chancel a été longtemps journaliste de la presse écrite, puis critique de télévision avant d'assurer l'émission « Radioscopie », puis à la télévision « Le grand échiquier ».

La radio recrute proportionnellement davantage de jeunes. Patrick Poivre d'Arvor entre à France-Inter en 1971 à 24 ans, comme reporter, puis assure la revue de presse.

La priorité de la télévision s'impose après 1968, peut-être parce que la crise de l'ORTF en a souligné toute l'importance dans la vie quotidienne ; même si les événements de 1968 ont montré la vitalité de la radio dont certains avaient cru diagnostiquer le déclin face à la télévision. C'est en analysant les années 70 que Régis Debray, dans *Le Pouvoir intellectuel en France* (publié en 1979), dégage le rôle grandissant des médias et des diffuseurs de la pensée devenus plus importants que les producteurs de la pensée : s'appuyant sur Gilles Deleuze — « le journalisme en liaison avec la radio et la télé a pris de plus en plus vivement conscience de la possibilité de créer l'événement » —, il écrit : « Pour les médias le monde objectif — ce dont il y a quelque chose à dire —, c'est ce qu'en disent les autres médias. » Moins sensible à l'aspect multimédia qu'à l'irruption des intellectuels dans la radio et la télévision, il écrit : « Les maîtres à penser d'antan avaient une production, les nouveaux ont des émissions[7]. »

La télévision attire intellectuels et écrivains, scientifiques aussi, et les convie au commentaire des événements, des situations ou des crises ; ainsi Raymond Aron, Bernard-Henri Lévy, René Rémond à des titres divers ; elle tend à faire de tout intellectuel un journaliste ; inversement, la presse écrite subit elle aussi la fascination de la télévision en ouvrant ses colonnes aux vedettes de la télévision, notamment aux présentateurs de journal télévisé ou aux animateurs d'émission. Des journalistes de la radio et de la télévision passent dans la presse écrite. Pierre Desgraupes, qui était passé à la radio (de RTF puis RTL et Europe n° 1) et à la télévision, alterna ces activités avec celles de journaliste à *Paris-Presse* et à *France-Soir* entre 1960 et 1964, puis en 1972 au *Point*.

Ainsi, de différentes façons, la télévision non seulement favorisa le journalisme multimédia mais contribua à introduire dans le domaine de l'information d'autres professionnels que les journalistes. Les journalistes multimédias ont connu leur plus grande notoriété à la fin des années 70 jusqu'en 1981 ; le nombre restreint des radios, des chaînes de télévision, des quotidiens parisiens ou des news magazines, limitait à quelques dizaines ceux qui avaient accès aux trois. Roger Gicquel, retiré volontairement du journal télévisé, peut symboliser l'influence qu'eut alors un présentateur ; de même l'animosité manifestée en 1981 par les partisans de François Mitterrand contre Elkabbach au moment des résultats électoraux est une reconnaissance implicite d'une influence — réelle ou supposée — qui ne semble plus aujourd'hui être l'apanage d'un journaliste.

LA SITUATION CONTEMPORAINE

Quand on parle aujourd'hui de journalistes multimédias, on se trouve devant une multiplicité de situations ; il y a certes ceux qui utilisent la presse écrite, la radio et la télévision et ceux qui n'utilisent que deux de ces médias. Il y a ceux qui présentent l'information (par écrit ou oralement), ceux qui interviennent dans le processus (rédacteur en chef, directeur, chef de service...), ceux qui assurent tantôt une fonction d'information, tantôt une fonction d'animation.

Mais il me semble qu'il faut distinguer ce que j'appellerai la trilogie journalistique et la trilogie médiatique (et c'est aussi valable lorsqu'il n'y a que deux médias en jeu).

1. La trilogie journalistique concerne ceux qui exercent une activité d'information simultanément à la radio, à la télévision et dans la presse écrite, activité multiple comprenant à la fois le compte rendu des faits, leur présentation et leur commentaire, fonctions multiples ne s'adressant pas nécessairement au même public selon le support médiatique utilisé. C'est le cas de quelques journalistes politiques dont le meilleur exemple me paraît être Alain Duhamel, entré au *Monde* en 1963, journaliste de la 2ᵉ chaîne de télévision en 1971, assurant à la fois chroniques à Europe nᵒ 1, émissions politiques sur TF1 et donnant des articles dans plusieurs journaux.

Elle concerne aussi des journalistes spécialisés ; je prendrai l'exemple de René Tendron qui assure une chronique économique sur Europe nᵒ1 à 7 h 55, une chronique boursière sur TF1 et qui publie des articles dans des journaux spécialisés, ou Jean-Marc Sylvestre qui est chroniqueur économique à France Inter, le matin sur La Cinq, et qui écrit dans *Le Quotidien de Paris* dont il a dirigé le service économique. C'est le cas aussi de journalistes scientifiques : François de Closets se consacra à l'information scientifique d'abord à l'Agence France-Presse et à *Sciences et avenir* (en 1964), avant d'assurer la chronique scientifique des actualités télévisées.

2. J'appellerai trilogie médiatique ceux qui participent en même temps aux trois médias, mais à des titres différents, par exemple Philippe Bouvard. Celui-ci a été journaliste pendant dix ans au *Figaro*, chroniqueur à RTL, puis assura des émissions de 1975 à 1987 à Antenne 2, tout en étant rédacteur en chef à *France-Soir* et, en 1987, directeur de la rédaction et chroniqueur dans des hebdomadaires. Il anime aussi actuellement des émissions sur La Cinq et une émission à RTL « Les grosses têtes ».

Le passage de journaliste à animateur a offert, notamment à des journalistes sportifs, l'occasion d'une carrière plus valorisante, c'est le cas de Michel Drucker, Michel Denisot, Stéphane Collaro.

Pari dangereux à long terme si l'on considère la très sensible diminution du nombre des animateurs dans les *networks* américains.

Ce passage peut être aussi le fait de circonstances ; ainsi des journalistes « mis au placard », par exemple J.-C. Narcy en 1985, tout en continuant d'émarger au service de l'information, ont une activité d'animation dans les émissions de programme.

Les articles revenant périodiquement dans la presse sur les revenus des journalistes soulignent la priorité de la combinaison information-animation ; l'animation d'émissions à succès donne des salaires plus importants que ceux des directeurs d'information[8]. Les professionnels de la télévision ont une propension très nette à publier leur autoportrait : propension incitée certes par les éditeurs qui comptent sur les relations de confraternité pour assurer la promotion de ces livres dans les médias, mais aussi recherche implicite d'une légitimation par l'écrit de la part des auteurs. Nous reviendrons sur cet aspect en conclusion. Ces ouvrages, en dépit de leur subjectivité et peut-être en raison même de celle-ci, donnent des renseignements intéressants sur la formation, les carrières, et plus encore les mentalités et l'image que les auteurs veulent donner d'eux-mêmes : exemplaire de ce type d'ouvrage, le livre de Patrick Sabatier qui, avant d'être animateur à RTL puis à Europe n° 1, ensuite à TF1, prépara une licence de sciences économiques et le diplôme de l'Institut français de presse[9].

Il y aurait enfin une troisième catégorie : ceux qui ont été des professionnels des trois médias mais à des moments différents, avec des fonctions différentes.

Alors que la télévision occupe aujourd'hui une place centrale dans la vie quotidienne et traduit autant qu'elle l'engendre le *star-system*, c'est davantage dans la presse écrite et la radio que s'enracinent et se situent les journalistes multimédias ; je prendrai comme exemple, pour la presse écrite, Jean-François Kahn qui, après avoir exercé avec brio le journalisme à la radio[10] et à la télévision, a trouvé son assise en créant *L'Événement du jeudi*.

Pour la radio, Philippe Labro qui, après avoir été journaliste à Europe n° 1 en 1957, puis à *France-Soir* en 1959, à « Cinq colonnes à la une » aussi, a été journaliste à Antenne 2 avant de diriger à RTL. Si on rappelle qu'il est aussi auteur de romans et de films, on peut considérer Philippe Labro comme un des journalistes les plus multimédias.

Le cas de Roger Gicquel, le présentateur du journal télévisé de TF1 à 20 heures pendant plusieurs années, actuellement de la revue de presse de France Inter à 8 h 30, illustre un passage moins fréquent de la télévision à la radio ; mais il avait déjà travaillé à France Inter et avait commencé sa carrière de journaliste au *Parisien libéré*.

A la trilogie précédemment présentée, il faudrait ajouter une autre activité de communication du journaliste, de télévision de préférence, parfois très rémunératrice, presque toujours valorisante, celle d'animateur de tables rondes, de débats, séminaires.

On pourrait reprendre les trois mêmes distinctions pour les journalistes dont l'activité se partage entre deux médias ; il faut toutefois différencier les doublets.

La relation radio-télévision apparaît comme la plus étroite tantôt au même moment, tantôt à des époques successives. Parfois, l'activité à la télévision a précédé le passage à la radio, Alain Rodier entré à l'ORTF (Strasbourg) en 1967, reporter à la 1re chaîne en 1970, puis à TF1 devint directeur de l'information à RFI en 1987. Le plus souvent, c'est l'inverse ; Pierre Lescure, reporter à RTL en 1965 en sortant du CFJ, passa ensuite à RMC puis à la 2e chaîne de télévision, ensuite revint à la radio (Europe n° 1 puis RMC) avant de passer à Antenne 2 et, en 1983, de diriger Canal Plus.

La radio reste encore le lieu d'apprentissage des plus jeunes.

Mais ainsi que le constatait déjà J.-P. Aymon dans *L'Express* du 4 novembre 1978 : « Les radios recrutent des journalistes de préférence chéris du public que celui-ci retrouve le soir sur le petit écran. »

De nombreuses carrières se présentent en alternance entre les deux médias : ainsi Alexandre Baloud (né en 1940) entré à Europe n° 1 en 1964 puis à France Inter, à la 1re chaîne de télévision en 1971, à RTL en 1973 avant de passer en 1986 à La Cinq, puis à M6.

Héberlé entre à la RTF à Alger en 1957, à la télévision de 1971 à 1981, puis à RMC en 1981 avant de devenir le P-DG d'Antenne 2. Christine Ockrent, qui avait travaillé à la télévision américaine, alterna entre FR3, Europe n° 1, Antenne 2, RTL.

Si la relation presse écrite-radio apporte moins de popularité, elle donne plus de notoriété au sein de la classe médiatique : ainsi Philippe Alexandre, chroniqueur à RTL depuis 1969, mais aussi à *VSD* et à *Investir* après avoir commencé sa carrière en 1956 dans *L'Oise libérée* de Dassault, puis au *Nouveau Candide* et au *Figaro littéraire.* Robert Schneider travailla dix ans au *Dauphiné libéré,* puis à *L'Express* et au *Progrès* avant de devenir rédacteur en chef de France Inter en 1982.

La relation presse écrite-télévision présente un autre aspect. Il s'agit rarement du passage de la presse écrite à la télévision, et ce passage ne réussit pas souvent comme le montre l'exemple de Jean Offredo longtemps journaliste à *La Vie catholique* et à *Télérama* avant de devenir présentateur du journal télévisé de TF1 en 1983-1984.

Dans le cas inverse, c'est la notoriété acquise à la télévision (dans l'information ou dans l'animation) qui amène des journaux à confier une chronique à une vedette de la télévision. Un cas particulier est représenté par la presse hebdomadaire de radiotélévision, c'est elle qui a, actuellement, la plus forte pénétration dans les foyers : *Télé 7 jours* est le périodique le plus lu en France depuis plusieurs années. Cette presse attire des hommes de radio et de télévision ; après avoir travaillé successivement à France Inter, à Europe n° 1 et à RTL, puis de nouveau à Europe n° 1, Étienne Mougeotte devint directeur de *Télé 7 jours* avant de devenir directeur général de l'antenne à TF1 en 1987.

Le journalisme multimédia permet aussi à ceux qui le pratiquent d'éviter ou de réduire l'instabilité de l'emploi qui est importante dans la profession. C'est la télévision qui « vedettarise » le plus ; mais une fois écartés, les anciens présentateurs ou animateurs sont le plus rapidement oubliés.

Le journalisme multimédia résulte d'une situation qui contribue en même temps à créer ce que Françoise Tristain-Potteaux appelle « le processus de courte échelle [11] », ce que dénonce Philippe Gavi dans *Libération* du 6 août 1981 en parlant des « journalistes qui passent le temps à s'interviewer ».

Illustré notamment par « La Tribune de Paris, plus tard par le « Club de la presse » d'Europe n° 1 ou « Droit de réponse » à la télévision, le journalisme multimédia — à son niveau le plus élevé — représente une minorité privilégiée qui se retrouve et — consciemment ou non — s'autolégitime par-delà les divergences idéologiques de ses membres [12].

Peut-on conclure ? Nulle surprise dans l'évolution d'une profession qui a vu et qui continue à voir apparaître de nouvelles formes d'activités : journal télématique, télévision câblée... Cette évolution passe par deux tendances contradictoires : l'élargissement du recrutement et des activités bien plus sensible à la radio et à la télévision que dans la presse écrite, avec une séparation moins nette entre l'information, l'animation et le spectacle, un mélange des genres ; le sportif, le comédien, l'enseignant, le syndicaliste, voire le scientifique devient journaliste. D'autre part, le professionnalisme — un instant contesté au lendemain de 1968 ou au lendemain de 1981 — qui privilégie la forme aux dépens du fond et qui trouve sa justification dans le critère à la fois objectif et fallacieux parce qu'éphémère que sont les sondages.

Le journalisme multimédia, c'est quelques dizaines de personnes à Paris, à la fois rivaux et « copains », corporation jalouse de sa rente de situation riche de son réseau de relations.

Mais à côté des vedettes de la profession reconnues par leurs confrères plus encore que par le public potentiel des lecteurs et téléspectateurs, il y a d'autres journalistes multimédias liés à l'évolution des moyens d'information en groupes multimédias intégrant les nouvelles technologies de communication ; ainsi les journalistes chargés de la conception de nouveaux produits, de réfléchir aux logiciels permettant d'adapter l'ordinateur aux besoins d'une entreprise de presse, de concevoir un journal télématique avec un type d'écriture différent de celle du quotidien papier, tâches transformant le journaliste en technicien informatique, voire en agent de marketing. Avec les écrans de visualisation pour composer les textes, le journaliste et non un ouvrier de presse opère la saisie directe du texte à publier. De façon analogue, le journaliste de télévision peut être son propre reporter photographe avec la Betacam ; dans les deux cas, le journaliste remplit désormais deux fonctions, la sienne et celle précédemment remplie par l'ouvrier du livre dans le premier cas, par le reporter cameraman dans le second [13].

Ce sont aussi des centaines de journalistes souvent pigistes besogneux cherchant à compléter un revenu incertain dans une profession qui a son contingent important de chômeurs (18 % en 1985) qui connaît une instabilité de l'emploi atteignant même parfois les membres du star-system ; selon un article de Sylvie Milhaud publié dans L'Événement du jeudi du 7-13 novembre 1985, seulement 8 % de professionnels restent plus de 5 ans dans la même entreprise.

La notoriété du journaliste n'est pas nécessairement liée à la multiplicité des supports dans lesquels il produit, moins encore son influence ; quand j'avais proposé de traiter des journalistes multimédias, j'avais cru aborder la présentation d'une catégorie supérieure des journalistes, y retrouver ceux auxquels Rémy Rieffel a consacré une étude sociologique dans *L'Élite des journalistes*[12], analyser une évolution et même un renversement de situation. Mais d'une part le mouvement ne semble pas linéaire, d'autre part l'évolution n'est pas seulement liée à l'apparition et au développement d'un nouveau support, la télévision.

Mais la recherche amène à poser le problème de l'identité du journaliste, en rapport à la fois avec l'évolution des médias avec la place de l'information dans la société et avec les comportements et les attentes d'un public à la fois lecteur, auditeur et téléspectateur.

Ainsi d'une analyse sociologique au départ, aboutit-on à une réflexion plus épistémologique : qu'est-ce que l'information dans les médias ? A devenir des médiateurs, intermédiaires, relais, les journalistes perdent une identité autonome et une légitimité professionnelle qu'ils n'auraient jamais possédées d'après R. Rieffel[14] ou Francis Balle. Une étude récente publiée par *Médiaspouvoirs* révèle une baisse de la crédibilité des journalistes entre 1975 et 1987[15].

L'existence et le développement du journalisme multimédia me semble poser trois problèmes. D'abord, il souligne l'absence de délimitation d'un champ journalistique puisque des journalistes professionnels exercent aussi des activités extérieures à ce champ et qu'au contraire des éléments étrangers à la profession (universitaires, sportifs, hommes du spectacle, représentants politiques ou syndicaux) y participent.

Ensuite il s'établit une dualité, mais aussi une dialectique entre l'image du journaliste dans le public, image pour laquelle le média dominant, la télévision, joue le rôle principal, et l'image du journaliste au sein de sa profession, bien plus fondée sur l'incorporation de celui-ci dans une classe dirigeante elle aussi peu délimitée comprenant à la fois une partie de l'intelligentsia et des décideurs politiques, syndicaux ou économiques. Dialectique, car la première image amène à intégrer dans la classe dirigeante des journalistes qui, sans cet appui médiatique, n'y auraient pas accès.

Mais tous les journalistes multimédias n'y entrent pas, et inversement des journalistes de la seule presse écrite y figurent.

Enfin le journalisme multimédia — avec la multiplication des radios et des télévisions (hertziennes ou câblées) qui relativise et dévalorise chacune — tend à redonner une plus grande importance, je ne dis pas à la presse, mais à l'écrit sous des formes diverses. Ni l'information ni la communication ne sont ou ne sont plus l'apanage du journaliste tant elles revêtent des significations multiples. Mais dans la communication de l'information, les journalistes sont devenus un maillon essentiel ; leur rôle se trouve accru s'ils peuvent combiner l'écrit (primordial pour l'information) et la pratique de la radiotélévision, plus communicante. Toutefois, la pratique d'un journalisme multimédia, en se multipliant se banalise et ne confère plus autant le vedettariat. Le *star-system* touche certes les professionnels de l'information plus que d'autres activités : mais il n'est pas nécessairement générateur de pouvoir.

1. On trouvera des exemples de journalistes multimédias avant-guerre dans notre étude « Animateurs et journalistes de la radiodiffusion » *in Les Intermédiaires culturels*, actes du colloque du Centre méridional d'histoire sociale des mentalités et des cultures, 1978, publication de l'Université de Provence, pp. 581-593.

2. Archives de l'ORTF comprenant des archives de la RTF, déposées aux Archives nationales contemporaines à Fontainebleau.

3. Cf. Dominique Frichot, *Histoire des débats politiques à la radio nationale 1946-1963 : les journalistes parlementaires de la Tribune de Paris*, 1987, mémoire de maîtrise de l'Université Paris X.

4. Nous avons utilisé pour les notices biographiques principalement la collection de la *Correspondance de la presse* et le *who's who* France. Cf. aussi R. Bailly et A. Roche, *Dictionnaire de la télévision*, Hachette, 1967.

5. *Presse-Actualité*, novembre 1966. Le mensuel publia un grand nombre d'entretiens avec des professionnels de l'information.

6. *Les journalistes : étude statistique et sociologique de la profession*, dossier du CEREQ, Documentation Française, 1974.

7. Régis Debray, *Le Pouvoir intellectuel en France*, Ramsay, 1979, p. 109, n. 1 et p. 138.

8. Par exemple Franck Eskenazi, Michel Faure, « Télévision : que les gros salaires lèvent le doigt », *Libération*, 6 mai 1986, ou *L'Événement du jeudi*, 7-13 novembre 1985. Cf. aussi Rémy Rieffel, *L'Élite des journalistes*, PUF, 1984.

9. Patrick Sabatier, *Mon tour de vérité*, Grasset, 1985. On peut citer aussi à titre d'exemple : J.-M. Cavada, *En toute liberté*, Grasset, 1986, Philippe Bouvard, *Un oursin dans le caviar*, LGF, 1974, ou *Je ne l'ai pas dit dans les journaux*, Cavieu, 1977, J.-F. Kahn, *Chacun son tour*, Stock, 1975 et *Si on essayait autre chose*, Seuil, 1983, J.-P. Elkabbach, *Taisez-vous Elkabbach*, Flammarion, 1982, Yves Mourousi, *Il est temps de parler ;* entre autres.

10. Ses chroniques sur Europe n° 1 ont été à l'origine du départ de Maurice Siegel de la direction de cette station en 1974. Nous pouvons aussi noter que Maurice Siegel, issu de la presse écrite, y revint en fondant *VSD*.

11. Françoise Tristain-Potteaux, *L'Information malade de ses stars : comment la personnalisation de l'information se fait instrument de pouvoir*, Pauvert, 1983, p. 242. Cf. aussi Patrick et Philippe Chastenet, *Les Divas de l'information. Voyage en classe médiatique*, Le Pré aux Clercs, 1986.

12. Cf. Rémy Rieffel, *op. cit.*, qui écrit p. 210 : « Sous le couvert d'un engagement inlassable se cachent des rivalités latentes et des connivences implicites. »

13. Cf. Jean-Marie Charon, « Le temps des animateurs », *Le Monde*,

1er décembre 1986, et aussi Yves Saint-Jacob, « Les grands multimédias : le caractère de la profession de journaliste en jeu », *Le journaliste démocratique*, octobre 1985, pp. 26-27.

14. R. Rieffel a écrit, depuis son livre, un très intéressant article dans le numéro de *Réseaux,* consacré aux Médiateurs.

15. Jérôme Jaffré et Jean-Louis Missika, « Les Français et leurs médias : crise de confiance », *Médiaspouvoirs,* janvier-mars 1988, pp. 5-15 ; cf. aussi R. Rieffel dans le numéro de *Réseaux,* consacré aux Médiateurs.

DISCUSSION

APRÈS LES INTERVENTIONS DE F. JAMES, J. BOURDON, A.-J. TUDESQ

PIERRE ALBERT. — *Aujourd'hui les journalistes vedettes, notamment ces journalistes multimédias, se servent abondamment de leur familiarité avec le public pour faire des succès de librairie... De tout temps, les journalistes ont cherché à s'évader ou à se diversifier dans le livre, même quand il n'y avait que la presse écrite. C'est une dimension qu'il ne faut pas négliger.*

ANDRÉ-JEAN TUDESQ. — *J'ai dit en effet que les professionnels de la télévision ont une propension très nette à publier leur autoportrait, propension encouragée certes par le public mais aussi par le fait qu'ils se renvoient l'ascenseur.*

PIERRE ALBERT. — *Il y a cela, mais aussi on pense à tel présentateur qui est devenu l'auteur d'une série de publications sur les herbes médicinales, sur les gendarmes, et qui est à la tête d'une véritable entreprise. Il y en a eu d'autres. Dans le fond, le journalisme, c'est un distributeur de notoriété et au passage les journalistes savent se servir.*

JEAN RABAUT. — *Une remarque au sujet de ce texte, qui aurait été élaboré par le Conseil supérieur de la radio, interdisant les collaborations multiples. Je suis formel : ou ce texte a été supprimé ou il a dormi sans que jamais on l'applique. Les collaborations multiples pouvaient être parfois refusées mais le cas général, c'était qu'on pouvait les pratiquer sous la réserve que ce qu'on faisait dans la presse écrite ne*

151

parût que le lendemain du jour où on avait parlé à la radio. Il m'est arrivé de traiter dans la presse écrite de problèmes à propos desquels la radio m'envoyait enquêter en province. Simone Dubreuil était critique de cinéma en même temps à la radio et à Libération. Évidemment il y aurait eu un problème politique si les mêmes commentateurs de politique étrangère avaient, durant la guerre froide, prétendu passer des copies dans L'Humanité.

Je crois que M. Bourdon a parfaitement raison de dire que la participation de journalistes à des compétitions électorales provenait davantage de sollicitations des milieux politiques que du désir des gens de télévision. J'ai des souvenirs précis là-dessus, y compris d'une offre déclinée par Léon Zitrone.

MICHAEL PALMER. — M. Bourdon a fait allusion à des divergences d'opinion entre les représentants des différents ministères au sein du SLII (Service de liaison interministériel pour l'information), manifestes dans les comptes rendus. Quand j'ai lu les comptes rendus des procès-verbaux du conseil d'administration de l'AFP, c'était la même chose, il y avait souvent des discordances entre le ministère de l'Économie et des Finances et celui des Affaires étrangères. Il arrivait que le ministère des Affaires étrangères défende le réseau à l'étranger de l'AFP là où le ministère de l'Économie et des Finances était pour une politique d'économies maximales. Je me demandais, en écoutant M. Tudesq parler du conseil d'administration à l'ORTF, s'il y avait trace dans ces procès-verbaux de discordances ministérielles.

A propos des présentateurs animateurs et de ce que disait M. Tudesq, il me semble que vous êtes allé un peu vite en disant que cette question des journalistes multimédias, c'est depuis 1945 et surtout depuis les années 60. Dans l'entre-deux-guerres, entre le Poste parisien et Le Petit Parisien, entre L'Intransigeant et la radio, il y avait tout de même un certain transfert, une certaine polyvalence. Est-ce que là il ne s'agit pas de stratégies de diversification de la part d'entreprises de communication de l'époque qui veulent à tout prix occuper le nouveau support qu'est la radio ? Alors on envoie des gens de la maison pour être présents dans les nouveaux supports radiophoniques de ces journaux. Est-ce qu'il ne faut pas lier la question des journalistes multimédias à la stratégie de diversification de certaines entreprises ? D'après ce que vous dites, ce sont plutôt des carrières personnelles.

MARC MARTIN. — On ne peut pas comparer le journalisme multimédia contemporain et la présence de journalistes de la presse

152

dans la radio d'avant-guerre. D'abord parce que la présence de ces journalistes a été réduite dans le temps. Elle s'est même restreinte encore, voire effacée après 1937. C'est-à-dire que tant que la radio ne s'est pas véritablement intéressée à l'information, tant qu'il n'y a pas eu une sorte de politique des émetteurs en direction du public pour le conquérir par l'intermédiaire de l'information, il y a eu effectivement ce mimétisme du journalisme radiophonique par rapport au journalisme de la presse écrite, et c'est sans doute au Poste parisien qu'il s'exprime le mieux. Mais après 1935, il y a, avec Radio-Cité en particulier, la création d'un journalisme qui se considère comme spécifique, qui s'attache à rechercher les moyens propres du média radiophonique, et à partir de ce moment-là, il y a eu au contraire concurrence entre le journalisme de la presse écrite et celui de la radio. Cela s'est manifesté par les campagnes menées par la presse écrite en 1937 et 1938 qui ont abouti à réduire la place de l'information et le rôle des journalistes radiophoniques. Ce phénomène me paraît tout à fait différent de ce qui se passe dans la période contemporaine.

CÉCILE MÉADEL. — *On prend toujours comme exemple Radio-Cité, un cas qui est quand même particulier. Si l'on prend les 15 postes publics et les autres postes privés, mis à part le Poste parisien, la situation est assez différente. Les trois journalistes qui couvrent le plus l'information à ce moment-là sur les postes publics sont Pierre Brossolette, Lionel Ripault et Pierre Paraf, journalistes de la presse écrite. Mais ce n'est pas une stratégie de diversification de la presse, comme l'envisageait M. Palmer. Ce sont des stratégies individuelles d'hommes qui publient régulièrement dans des organes de presse et qui en plus viennent faire leur papier sur les postes publics où il n'existe pas vraiment de rédactions, alors qu'elle existera à Radio-Cité et au Poste parisien, mais dans la quasi-totalité des postes jusqu'à la guerre, il n'y a pas de rédaction. Il y a donc seulement un ensemble de chroniqueurs qui viennent et font leur papier. C'est une stratégie différente et c'est pourquoi je pense que ce n'est pas le journalisme multimédia d'après-guerre.*

ANDRÉ-JEAN TUDESQ. — *Il faut distinguer dans la période d'avant-guerre. D'une part des journalistes de la presse écrite ont été parmi les premiers à réaliser des journaux parlés, mais à l'époque la radio n'était pas encore un média : jusqu'en 1930, il y avait au plus 600 000 postes.*

Lorsque la radio a commencé à prendre plus d'importance, effectivement à partir de 1935 — au moment où il y a eu une tension presse écrite et radio, on a vu à ce moment-là un certain nombre de journalistes, de grands noms de la presse écrite, attirés par des postes de radio. Clément Vautel ou Paul Reboux, l'un des deux avait été appelé par Radio-Paris, *et, dans ce qui était le conseil de direction, on s'indignait qu'il l'ait été à prix d'or alors que dans ses articles il critiquait les émissions de radio. Mais je crois que c'étaient des cas individuels.*

Je voudrais maintenant répondre aux autres questions de M. Palmer. A propos des documents : pour la période de la IVᵉ République, ce que l'on a — mais la série n'est pas complète dans les archives de Fontainebleau — ce sont des comptes rendus de réunion de directeurs. Et justement le fait que, dans ces comptes rendus, on revienne souvent à déplorer et à vouloir interdire que les journalistes envoyés par la RTF fassent ensuite des articles dans les journaux montre bien que ce n'était pas une règle respectée. La direction de la RTF y revenait sans cesse. D'où la présence de cette interdiction dans les décrets ultérieurs, y compris un décret de 1960.

Il y a plus tard, surtout à partir de 1964, les procès-verbaux des conseils de programmes où l'on trouve des éléments, mais assez peu. Ce serait difficile de vous faire une réponse plus complète, me semble-t-il.

RÉMY RIEFFEL. — *M. Palmer, partant d'une remarque sur le SLII, s'est ensuite demandé si dans les réunions du conseil d'administration de l'ORTF il y avait des divergences similaires. Mais je ne sais pas si ces comparaisons tiennent exactement. Au SLII, on a des gens qui sont seulement et d'abord des représentants délégués par des ministères pour dire : « Le ministère veut... ou souhaiterait que... » Ici ces discordances et ces difficultés de faire respecter une discipline gouvernementale rendaient les journalistes de TV et de radio moins vulnérables qu'on ne l'imagine.*

Au conseil d'administration de l'ORTF, le cas est assez différent parce que d'abord il n'y avait pas à proprement parler de représentants des ministères en tant que tels, ils pouvaient appartenir à des ministères, il y avait des directeurs de cabinet, il y avait Pierre Archambaud qui représentait la presse, il y avait quelqu'un qui représentait le CNC... Ces divergences, à supposer qu'il y en ait eu, avait-elles beaucoup d'importance ? Ensuite le conseil d'administration de l'ORTF apparaissait à cette époque-là, comme un organe complètement impuissant, qui ne prenait aucune espèce de décision. Il exprimait essentiellement des regrets, des coups de colère. C'est la substance des comptes rendus. C'est d'ailleurs très décevant pour l'historien de la télévision.

HÉLÈNE DUCCINI. — Je voudrais poser à J. Bourdon une question naïve : finalement quelle est la formation de ces journalistes ? Comment devient-on journaliste ? Vous dites : « il y avait beaucoup de liens entre les journalistes de la radio et la presse écrite. » Mais comment arrivait-on à la radio sinon par la presse écrite ? Dire qu'il y avait des liens m'apparaît un peu comme un truisme. Y avait-il seulement quelqu'un qui n'ait eu quelque formation de presse écrite ?

MONIQUE DAGNAUD. — Je voudrais aussi poser une question à Jérôme Bourdon sur ce qu'il a dit des relations, pendant la période Peyrefitte, entre les journalistes et le pouvoir. Dans nos recherches sur les télévisions actuelles, il nous paraît très difficile de détecter le degré d'engagement des journalistes ou des dirigeants, dans la mesure ou à droite, en général, on ne revendique pas une appartenance politique, où la politisation ne passe pas comme à gauche par le militantisme, l'affirmation des convictions. Je voudrais savoir comment vous avez pu mener votre enquête, détecter véritablement qu'il s'agissait d'un personnel aux ordres. Je peux poser la question aussi de façon différente puisque beaucoup de ces journalistes qui ont été engagés à cette période se sont ensuite rebellés et ont été contestataires. Je sais bien que tout ceci porte sur beaucoup de gens, qu'il y en a qui étaient aux ordres, qu'il y en a qui y étaient moins. Mais avancer des affirmations de ce type sur l'engagement du personnel journalistique, notamment en ce qui concerne ce monde de l'UDF, de l'UDR, nous paraît très difficile à partir de renseignements fiables. Je pose la question en tant que sociologue, travaillant sur un matériel qui normalement est encore plus palpable qu'un matériel historique.

NATHALIE CARRÉ DE MALBERG. — J'élargis un peu la question posée par Monique Dagnaud. Jérôme Bourdon a parlé à propos des journalistes des années 60 de même famille que les hommes politiques. Que faut-il entendre par même famille ? Est-ce que c'est social, est-ce que c'est politique ? En outre, de quels hommes politiques parlez-vous précisément ? Des députés, des ministres, des chargés de mission ?

CAROLINE MAURIAT. — *Je voulais juste ajouter qu'aujourd'hui les écoles de journalisme forment des journalistes multimédias, donc c'est vraiment rentré dans les mœurs.*

JÉRÔME BOURDON. — *Pour commencer par le plus simple, par ce point de vocabulaire, qui est un point de fond en même temps sur la notion de famille. Quand je parlais de famille, je parlais d'abord de proximité sociale, et c'est en premier à cela que je pensais. Sur cette proximité, j'ai quelques exemples mais je n'ai pas d'enquêtes statistiques qui permettent de préciser les pourcentages.*

Dans les cas que j'ai cités — j'ai trouvé d'autres cas —, ce sont des gens qui étaient destinés à devenir ministres et/ou députés et qui étaient d'une origine voisine de celle des journalistes.

En ce qui concerne la formation, je suis plus embarrassé pour répondre car je n'ai pas fait de fichiers et de pourcentages. J'ai seulement fait des inductions un peu prudentes. Je dispose de quelques dizaines d'exemples individuels. J'y trouve une assez grande variété de profils. Beaucoup de gens entrent directement comme journalistes à la télévision sans une formation professionnelle, simplement parce qu'il n'y en a pas. Au début des années 60, certains avaient exercé des carrières para-littéraires ; d'autres, tout particulièrement à partir de 1963, étaient formés pour la presse écrite, ou y avaient travaillé longtemps. En outre, je crois qu'il faut bien distinguer ce qu'est la formation, qui est une donnée objective, de l'intérêt, chez ces journalistes, pour la presse écrite. Même sans y avoir travaillé, certains regardent vers le journalisme de presse écrite comme un modèle, une référence.

Troisième point, la parenté avec les politiques. En tout cas pour les vedettes, le problème est, pour cette période, infiniment plus clair qu'aujourd'hui. Édouard Sablier dit à peu près : « J'étais dans les instances dirigeantes de l'UNR et on m'a recruté pour ça. » Marcillac était gaulliste depuis la Libération. Les carrières de journalistes devenus députés, ou inversement, se retrouvent dans le Who's w'ho. Ce n'était nullement confidentiel comme aujourd'hui. Ça se voyait, ça se lisait, ce n'était pas une appartenance souterraine. Il n'y avait pas à droite le même climat qu'aujourd'hui sur le plan des engagements politiques.

MONIQUE DAGNAUD. — *Ceci est valable pour ceux qui occupaient les postes de direction. Mais il y avait aussi toutes les rédactions et il y a eu plusieurs centaines de journalistes qui ont* été nommés. Sur quels critères ? Parmi eux, beaucoup sont ensuite devenus contestataires. C'est assez contradictoire.

JÉRÔME BOURDON. — Ce que je dis vaut surtout pour les rédactions parisiennes. Je crois qu'il faut bien distinguer la situation des stations régionales, où je n'ai des éclairages que pour quelques-unes. Pour Paris, les choses sont beaucoup mieux éclaircies. Comme dirigeants, de l'avis de tous les témoins, on recrutait des gens qu'on voulait sûrs, soit des gaullistes avoués, des militants avoués, ou des énarques qui étaient alors réputés favorables au gaullisme. Pour ce qui est de la masse des jeunes journalistes, c'est là que nommer des gens sûrs devenait plus difficile. Les gens ayant reçu une formation profession-nelle adéquate étaient rares. Beaucoup de jeunes qui sortaient de l'Université étaient marqués par la guerre d'Algérie. On avait beau leur recommander la prudence, de ménager les notables, très vite il y avait des tiraillements. Les témoignages que j'ai recueillis sont concordants.

PIERRE ALBERT. — Je crois que ce n'est pas parce que certains sont devenus contestataires qu'il ne faudrait pas supposer qu'ils aient été recrutés pour leur esprit partisan. Beaucoup ont changé totalement d'attitude en 1968, à la grande surprise d'ailleurs des lecteurs et des auditeurs qui n'ont absolument rien compris à ces journalistes qui tout d'un coup se reprochaient d'avoir servi et bien servi un pouvoir qui les avait nommés et qu'ils trouvaient tout à coup insupportable.

CAROLINE MAURIAT. — Parmi les journalistes qu'on recrutait, il y avait beaucoup de jeunes dont on ne connaissait pas l'orientation. Quand ils faisaient un écart, on les interdisait d'antenne pendant un certain temps. La pratique était courante.

CÉCILE MÉADEL. — Ce journalisme multimédia va-t-il dans le sens d'une spécialisation : des journalistes hyper-spécialisés circulant de média en média, ou ne concerne-t-il que cette catégorie supérieure des présentateurs vedettes dont a parlé M. Tudesq ? Est-ce qu'il n'y a pas deux catégories dans ces journalistes multimédias ? Complémentaire-ment, cette circulation accélérée des journalistes transforme-t-elle les pratiques de travail et conduit-elle à leur homogénéisation ?

ANDRÉ-JEAN TUDESQ. — Sur le premier point, je pense qu'il y a deux aspects. Il y a effectivement des journalistes multimédias très spécialisés, par exemple René Tendron dans l'information boursière et économique, qui a une chronique économique sur Europe n° 1, une autre, boursière, à la télévision. Puis il y a ceux qui tendent plus au vedettariat et vont de l'un à l'autre des trois médias. Il y a aussi un journalisme multimédia sur deux médias seulement, qui est souvent besogneux. J'ai l'impression que le journalisme multimédia actuellement est très dilué avec des formes plus diverses qu'il y a quelques années. Plus il y a de médias et plus se généralise un journalisme multimédia avec des catégories multiples, des hiérarchies différentes et aussi une relative dévalorisation.

Troisième partie

JOURNALISTES ET SPÉCIALISTES, INFORMATION OU COMMUNICATION

Le journaliste saisi par la communication

YVES LAVOINNE

Le journalisme change, les journalistes aussi. Évidence pour qui songe au développement des applications de l'informatique, dans la presse écrite en particulier[1]. Mais, au cours des trois dernières décennies, la profession[2] de journaliste a connu une véritable mutation. A côté du modèle séculaire du reporter, s'est développé celui du communicateur, figure éminente de la postmodernité[3].

Loin d'être une simple adjonction, un enrichissement d'une palette de rôles déjà riche[4], ce développement a autorisé la restructuration de l'univers journalistique. D'un côté, pratiques et valeurs professionnelles se réorganisent : de l'autre, se redéfinit le rapport du métier avec d'autres professions jusqu'alors réputées distinctes : publicité, communication interne, par exemple.

L'entrée dans l'ère de la communication[5], ses facteurs techniques, économiques, sociaux et idéologiques, permettent donc de comprendre quelques traits majeurs de l'évolution du journalisme contemporain en France. Ce faisant, on a sans conteste privilégié ce qui bouge ou a bougé par rapport à ce qui demeure : les rythmes de l'évolution sont bien différents pour le localier en zone rurale ou pour le journaliste de télévision. A l'analyse proposée, des nuances s'imposent. Mais ce sont bien les journalistes saisis par la communication, qui, s'y référant, sont révélés par elle, qui indiquent une tendance lourde du changement en cours.

L'ENTRÉE DANS L'ÈRE DE LA COMMUNICATION

Dans le champ journalistique, une pratique et une problématique de la communication se développent à partir des années 50 avant de s'imposer dans les années 80. Peu à peu, au modèle de l'information, c'est-à-dire de la diffusion, va se substituer le modèle de la communication[6].

La communication : une pratique et une rhétorique

Avant même que le mot de « communication » ne devienne à la mode[7], apparaissent de nouvelles pratiques que l'on classera ultérieurement sous cette rubrique. En particulier dans l'audiovisuel s'inventent de nouveaux rôles, ce qui entraînera une transformation des conditions d'énonciation. En découlera une nouvelle rhétorique professionnelle qui se généralisera dans les années 70, sans qu'au demeurant son usage devienne exclusif. A cet égard, la radio et la presse écrite fournissent d'excellents terrains d'observation[8].

En radio, tout d'abord, 1955 constitue une année charnière où se produisent des innovations décisives. La création d'Europe n° 1 marque en effet une rupture dans l'histoire de l'information radiophonique et, par là, l'entrée dans l'ère de la communication.

Schématiquement[9], le journal radio était jusqu'alors confié à un speaker unique, à la voix censément neutre. Son rôle correspondait au modèle de diffusion de l'information, modèle didactique et universaliste dont la clef de voûte était l'objectivité. Avec Europe n° 1, en revanche, les journalistes accèdent systématiquement à l'antenne.

Ce changement a deux conséquences majeures. En premier lieu, la systématisation de la polyphonie énonciative, le jeu sur les registres de voix, permet de figurer la hiérarchie des informations[10]. Ensuite, obligé d'utiliser les ressources de sa voix, du rythme, des intonations, le journaliste est amené, comme on dira ensuite[11], à « vendre » son papier, c'est-à-dire à capter l'attention de l'auditeur. Au passage, on le notera, cela implique qu'on se représente celui-ci comme beaucoup moins passif que ne l'imaginaient alors les doctes[12]. Ainsi, le pôle émetteur, journalistique, se transforme avec cette mise en scène de la subjectivité et des affects liés à la voix, que l'on nomme personnalité ; mise en scène selon le modèle d'une conversation, tant la hiérarchie des paroles restait floue[13].

Mais la « révolution » d'Europe n° 1 réside non moins dans la mise en scène de l'auditeur, ou plutôt de son représentant (en raison d'une inévitable sélection). Désormais, à côté du journaliste, il accède à l'antenne en direct ; qu'il soit physiquement présent en studio (ce qui transforme la situation d'écoute) ou qu'il intervienne par le canal du téléphone[14].

Progressivement, un nouveau dispositif s'élabore : celui de l'interlocution, représentation, dans les deux sens du terme, du dialogue journaliste-auditeur, figure de base de l'audiovisuel contemporain. Avec son extension à l'ensemble des radios et des télévisions, les divers possibles en seront explorés, le journaliste pouvant aller jusqu'à devenir le simple médiateur d'une relation entre le spécialiste (ou l'homme politique) et l'auditeur[15].

Généralisé à la fin des années 60, dans un contexte social et idéologique où la prise de parole était largement revendiquée, le dispositif n'a pas peu contribué à populariser la thématique de la communication, c'est-à-dire tout à la fois des pratiques, une rhétorique et une idéologie.

Sauf à accentuer rapidement son recul, la presse écrite ne pouvait ignorer le phénomène, ne pas figurer la communication. Certes, la nature du média interdisait toute transposition mécanique du dispositif d'interlocution. En revanche se développa une rhétorique de l'allocution, de l'adresse, de la mise en scène linguistique du destinataire, qui jouissait d'une grande vogue dans la publicité. Mais son succès tient aussi à une raison structurelle : le déclin du modèle de la presse d'opinion[16], support fort de l'identification journal-lecteur, rendait nécessaire l'invention d'une forme qui renforçât la relation du lecteur à l'information.

De ce point de vue, 1974 constitue une date clef. Le 28 janvier en effet, *Le Point* interpellait, pour la première fois, son lecteur dans un titre de couverture : « Que faire de votre argent[17] ? »

Avec l'adoption de cette forme par les hebdomadaires et les quotidiens, coexistent désormais deux rhétoriques professionnelles : celle de l'information, centrée sur le « Il », l'objet ; celle de la communication centrée sur le « Je » et plus encore le « Vous »[18], pour les caractériser rapidement. Le fait est d'importance car ce changement des formes traduit un changement des valeurs, manifeste une évolution des mentalités.

Dans la rhétorique de l'Information, c'est le fait qui prime ou plutôt sa relation, sa représentation. Dans la rhétorique de la Communication, en revanche, prime la relation entre le journaliste et l'auditeur (interlocution) ou le lecteur (allocution). La nouvelle, son intérêt cessent de s'imposer d'eux-mêmes ; désormais, il faut signifier au destinataire qu'il est concerné. Certes, initialement, cette rhétorique fut mise en œuvre à propos de sujets de vie quotidienne ou de société ; mais ensuite elle s'appliqua aussi, quoique plus rarement, à la politique : « Comment a travaillé votre député ? » (*Le Point*, 2 janvier 1978).

Un des cas-limites de cette rhétorique de la communication est assurément celui où le journal s'adresse au personnage-objet de l'information, par exemple, s'écrie : « Adieu Brassens[19]. » La comparaison avec un énoncé informatif permet de schématiser la transformation du journal, d'espace d'Information en espace de Communication :

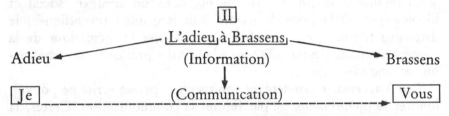

Qu'il s'agisse d'une rhétorique de l'interlocution ou de l'allocution. Le contrat d'énonciation se transforme ; au contrat d'Information : *X* est important (en soi), se substitue le contrat de Communication : X est important pour *vous*[20].

Journaliste et communicateur

L'analyse des pratiques et des discours afférents permet de repérer le déclin du modèle de diffusion de l'information (moins fortement sans doute sur le plan statistique dans la presse écrite). Mais ce déclin a été, pour l'essentiel, une révolution silencieuse. Toutefois une première théorisation de la nouvelle situation a été produite, au début des années 70, par Jean-Louis Servan-Schreiber. Son intérêt ici est double. D'une part, elle esquisse le principe d'une nouvelle division du travail journalistique, d'autre part, elle propose à cette fin un néologisme sémantique : « communicateur » pour désigner une forme de journalisme de desk[21].

Patron de presse féru de modèle américain, le fondateur de *l'Expansion* publia en 1972 *Le Pouvoir d'informer*. Le premier en France, l'auteur distinguait deux rôles fonctionnels dans l'entreprise de presse : celui du journaliste et celui du communicateur. Son analyse les opposait nettement : « Traditionnellement, le journaliste cherche des nouvelles. Le communicateur, lui, les trouve pour l'essentiel à son bureau fournies par [...] les agences de presse. [...] Le rôle presque exclusif du communicateur peut ainsi se résumer en quatre points : simplifier, condenser, choisir et synthétiser [22]. »

Jusqu'alors conjoints et habituellement exercés par un même individu, la collecte et le traitement rédactionnel de l'information se voyaient, au moins en théorie, dissociés et assignés à des agents distincts. Certes, l'usage du milieu professionnel n'a pas (pas encore ?) consacré le néologisme de l'auteur. Cependant la distinction proposée correspond à une triple réalité : fonctionnelle, statutaire et idéologique.

La télévision en offre une excellente illustration [23]. Le présentateur du journal télévisé qui, dans sa version actuelle, est apparu en 1971 [24] constitue l'archétype du « communicateur » défini par Jean-Louis Servan-Schreiber. De façon symptomatique, un Patrick Poivre d'Arvor retrouve des termes analogues pour définir son objectif : « Transmettre (les richesses culturelles) sous une forme allégée, compréhensible, et, je l'espère, la plus complète possible [25]. »

Mais, en raison de la charge idéologique et axiologique du mot « communication », la distinction proposée par l'auteur du *Pouvoir d'informer* n'est pas seulement fonctionnelle, elle aboutit à hiérarchiser des fonctions. Comme le constate avec amertume l'un d'entre eux, « un journaliste qui entre aujourd'hui à la télévision et veut faire carrière doit éviter le reportage. Le choix qui s'ouvre à lui est simple : montrer sa gueule ou opter pour une voie hiérarchique [26] ». Ce témoignage quelque peu abrupt rend bien compte d'un phénomène majeur dans l'audiovisuel, ces 15 dernières années : la dévalorisation structurelle du reportage, du reporter.

A la distinction des pratiques correspond et s'ajoute (en termes de statut social, surtout dans une société où le verbe est une valeur forte) celle des qualités requises : « Le journaliste traditionnel devait allier le sens de l'observation et celui de l'enquête. Aujourd'hui, le travail du communicateur part des mots qui lui sont fournis [27]. »

Très logiquement se transforment donc les signes par lesquels le « nouveau » journaliste manifeste son objectivité, comme le souligne Eliseo Veron : « L'énonciateur moderne [...] crée une distance, non pas entre nous et lui, mais entre lui et le réel. Chez lui, l'objectivité se mesure non pas au poids du témoignage, mais à sa capacité de créer l'espace nécessaire à l'évaluation, l'interrogation, la prudence devant des nouvelles qui arrivent et qu'il est souvent difficile de trier [28] »

D'un côté donc, conformément à la logique de sa position, le communicateur joue sur deux registres : distance à l'égard des faits auxquels il n'a pas d'accès direct (modalisations), présence à l'écran (accentuée par les modalisations) qui le rend plus proche du public. De l'autre, le reporter a une situation quasiment inverse. Toujours plus proche de l'événement[29] et parfois des acteurs de celui-ci[30], il oscille entre deux positions, non moins risquées l'une que l'autre. D'une part, sous couvert d'honnêteté, il fait primer la subjectivité. Revendiquée dès le début des années 70, en réaction contre une objectivité décriée, l'honnêteté comme conformité du journaliste à soi-même marque la rupture avec le modèle de l'Information, avec l'objectivité comme conformité à l'objet [le « j'ai vu » du reportage traditionnel est, lui, un opérateur d'objectivité]. D'autre part, sous prétexte de diffuser l'information, il est menacé de se laisser enfermer dans un rôle passif : enregistrer des déclarations, des témoignages. Ainsi en 1977, Philippe Alfonsi déclarait : « Le journaliste n'est plus qu'un simple porte-micro. Il fait de plus en plus un métier d'OS[31]. »

Ainsi, en moins de trente ans, une division plus fonctionnelle du travail (collecte par opposition à traitement rédactionnel) a considérablement modifié les manières d'exercer le journalisme. D'ailleurs inégalement selon la nature des entreprises : plus dans l'audiovisuel que dans la presse écrite, plus dans les hebdomadaires que dans les quotidiens. Quoique souvent peu perceptible dans l'immédiat, une nouvelle hiérarchie des tâches s'est imposée, fondée sur une réappropriation des valeurs de la forme, d'une forme au demeurant subordonnée à l'efficacité[32]. Car la restructuration en cours s'inscrit dans la logique du processus d'industrialisation de l'univers journalistique où l'on tente désormais d'imposer le rendement comme critère d'appréciation[33].

UNE DISTINCTION MENACÉE ?

La déshérence du modèle informatif mis en place dans la seconde moitié du XIXe siècle n'a donc laissé intacte aucune des pièces du système journalistique. Même la très stricte division du travail entre informateur et informé tend à s'atténuer. A des degrés divers et sous des formes variées, auditeurs et téléspectateurs ont été invités à se transformer en informateurs, voire en journalistes : téléphone rouge d'Europe n° 1 (1973), « Journal d'en France » (A2, 1982) pour ne citer que quelques exemples marquants[34].

Alors l'entrée du journaliste dans l'ère de la communication prend l'allure d'un phénomène paradoxal : « vedettisation » et banalisation. D'un côté, quelques communicateurs accèdent à la « starisation », de l'autre la spécificité professionnelle du journaliste semble s'effriter avec la large diffusion du modèle de la communication.

La publicité : un nouvel impérialisme ?

Les risques d'une banalisation et donc d'une dévalorisation n'apparaissent pas nuls lorsqu'on examine l'évolution des rapports entre publicité et information (considérée comme l'apanage du journaliste). En moins de 20 ans, celle-là est devenue la référence majeure des années 80 en matière de communication.

Trois moments suffisent à caractériser cette évolution. Vers 1960, l'information est encore la valeur de référence de l'univers médiatique. Dans une France majoritairement publiphobe avant la lettre [35], la publicité, qui cherche une légitimité, veut obtenir l'adhésion du public, se proclame volontiers information.

Moins de 15 ans après, la reconnaissance sociale lui est pratiquement acquise (sauf dans une partie de l'intelligentsia et de la jeunesse). Dès lors, les publicitaires entendent définir clairement leur rôle par rapport à celui du journaliste. A l'aube du septennat de Valéry Giscard d'Estaing, le magazine *Stratégies* (18 novembre 1974) publie un éditorial intitulé « Pour un ministère de la Communication » où l'on propose une distinction fonctionnelle et axiologique entre journalistes et publicitaires.

Témoignant par là des enjeux de la querelle sémantique (Information-Communication), l'éditorialiste constate : « L'information n'est plus aujourd'hui un concept suffisamment fort et percutant pour recouvrir la totalité de la communication écrite ou audiovisuelle. » Ensuite il invite le gouvernement à créer un ministère de la Communication afin de ne pas « laisser le soin aux journalistes — critiques par nature — de servir d'écran à la communication de ses initiatives. » Ledit ministère contrebalancerait l'influence de ceux-ci par une « communication globale dirigée » que « personne mieux que les publicitaires ne saura (...) établir ».

Sous son apparente naïveté fonctionnaliste (communication positive par opposition à information critique), ce texte révèle clairement l'enjeu souvent latent de bien des discours sur la communication [36] : la revendication de donner une image souhaitée. C'est là son mérite car, au demeurant, il ne fut pas suivi des effets attendus, au moins en la forme [37].

En revanche, dans les années 80, la publicité, devenue pleinement légitime, constitue une sorte de référence obligée. Un exemple parmi d'autres, parce que très symptomatique : la soirée électorale du 16 mars 1986 sur A2. Invités, pour la première fois dans une soirée de ce genre, les publicitaires prirent à partie journalistes et hommes politiques présents pour leur expliquer ce qu'ils devaient dire aux Français s'ils voulaient les intéresser. Cette prétention au monopole de la maîtrise de la communication et donc à une légitimité supérieure constitue un remarquable renversement de situation.

Le « tout communicant »

Non sans quelque impérialisme, la publicité (à la fois comme corps professionnel et agent économique) contribue puissamment à la restructuration des univers professionnels liés à la communication. Notamment, elle bénéficie d'opérations sémantiques... dont elle n'est d'ailleurs pas toujours l'instigatrice. Ainsi l'usage croissant de vocables comme « communicant », « communicateur », voire « homme de communication » peut contribuer à renforcer ses tendances hégémoniques.

A cet égard, 1981 marque le début de ces grandes manœuvres sémantiques avec l'ouverture sur la place publique (dans les médias) d'un débat sur les métiers, nouveaux ou non, de la communication et sur le rôle social de celle-ci. En toile de fond, une question : quelle place pour le journaliste dans la société en devenir ?

Deux textes pionniers permettent de mesurer l'ébranlement du modèle traditionnel et de percevoir quelques enjeux de la mutation en cours. Deux cadres de Radio France[38], tout d'abord, estiment que « la communication plénière [...] exclut [...], par définition, un monopole des spécialistes ». Aussi interpellent-ils les journalistes avec véhémence : « Admettez que désormais s'ouvre une nouvelle profession, qui vous englobe mais que vous ne résumez pas : celle, tout simplement, de communicateur. »

Depuis 1972, depuis Le Pouvoir d'informer, la conception du « communicateur » s'est radicalement transformée. De sous-ensemble de la profession de journaliste (et donc d'élément de distinction interne), il est devenu un vaste ensemble dont le journaliste n'est plus qu'un sous-ensemble (et donc, de ce fait, dévalorisé).

Préférant le terme de « communiquant[39] », le second texte aboutit, lui aussi, à une banalisation du journalisme. Maître de conférences au CELSA, entrepreneur de presse, René Finkelstein souligne et déplore le flou dans la définition du journaliste professionnel : ainsi, pour peu qu'il réponde aux critères de la loi du 29 mars 1935, un auteur de mots-croisés peut se voir reconnaître cette qualité. S'autorisant de cas marginaux et, plus encore, sensible à « l'élargissement du champ de l'information, qui va de la télématique à la radio locale », il fait deux propositions : « Redéfinir ce qu'on appelle aujourd'hui le journalisme » et se préoccuper des « communiquants » afin d'imaginer « le profil d'une nouvelle profession[40] ».

Aujourd'hui les deux vocables coexistent sans que, d'ailleurs, aucune institution (professionnelle ou étatique) ait entrepris le travail de définition envisagé. Dans le lexique, s'inscrit la trace d'une réorganisation du champ médiatique, voire de la société globale sous l'influence de trois facteurs, technique (informatique et télécommunications), économique (la publicité) et symbolique (la publicité comme modèle de conception de messages).

Les journalistes saisis par la communication

En deçà des querelles terminologiques, le phénomène majeur des années 80, de ce point de vue, c'est l'acceptation progressive du modèle de la communication par les entreprises de presse et les journalistes, malgré quelques réticences.

A partir de 1982, en raison du développement des radios locales privées qui entendent avoir droit aux ressources publicitaires, l'entreprise de presse commence à se définir comme entreprise de communication. La Fédération nationale de la presse française, par exemple, estime que ses membres ont vocation à exercer une activité radiophonique et attire l'attention du Premier ministre, Pierre Mauroy, sur ce point : « Les journaux d'information politique et culturelle, dont le métier est la communication, peuvent garantir ce service (radiophonique)[41]. »

Brouillage sémantique destiné à légitimer une stratégie de diversification. Et Claude Puhl, président de l'USPQR, présente, non sans humour, au président de la République, la presse régionale comme « authentique force tranquille de la communication[42] ». Mais au-delà de l'aspect tactique, la référence à la communication relève d'un changement de modèle (pour les pratiques professionnelles) dont les journalistes eux-mêmes prennent progressivement conscience.

Ainsi, à peine élu directeur du *Monde*, André Fontaine prend-il soin d'indiquer la nouvelle orientation qu'il entend imprimer au journal. Après avoir rappelé l'exigence d' « impartialité de l'information », il précise : « Le fond n'est pas tout ; le journalisme n'a de sens que s'il est un métier de la communication. [...] Il faut que le maximum de lecteurs puissent accéder aux informations et aux commentaires que nous leur proposons : ce qui suppose une langue simple et imagée[43]. » On est aux antipodes de la consigne d'Hubert Beuve-Méry : « Faites ennuyeux ». Le souci de communication comme forme (succès de l'écriture dite « incitative ») sonne le glas de la rhétorique informative.

Pourtant, conscients du risque de dissolution de leur métier dans la nébuleuse de la Communication, bien des journalistes répugnent à se reconnaître comme « hommes de communication ». Ainsi lorsque Patrick Sabatier proclame avec un zeste de provocation : « Sur mes fiches de paie, il est indiqué " présentateur-animateur, producteur ". Moi je préfère dire " homme de communication ". Je fais ce métier pour communiquer : que je sois clown, saltimbanque ou journaliste », son interviewer ne manque pas de réagir : « (merci de l'énumération...)[44] ». Pour mieux se démarquer de son concurrent, Michel Drucker souligne en revanche sa qualité professionnelle : « Je suis journaliste [...] comme Bouvard ou Chancel. Nous sommes des journalistes qui ont dévié sur le spectacle. Des journalistes en paillettes, si vous voulez, mais des journalistes[45]. »

Le jeu lexical des uns et des autres, la sélection soigneuse des appellations, tout renvoie au même enjeu ; la place du journaliste, sa légitimité ; question cruciale à l'heure du « tout communicant[46] » où même le vendeur est défini comme « homme de communication[47] ».

De plus, tandis que s'abaissent peu à peu les barrières sociales et symboliques entre les métiers qu'on tend à regrouper sous l'étiquette de communication, diminue la pertinence de l'opposition entre réel et fiction qui semblait le socle même du journalisme.

Dès les années 70, avec le docudrame, l'information se donnait à voir sous une forme (partiellement) fictionnalisée. Premier[48] élément majeur de rupture. De même avec « Contre-enquête », où elle faisait parfois intervenir des comédiens, Anne Hoang parlait plutôt de travail de « communication »[49]. Aujourd'hui, pour Philippe Alfonsi, « l'avenir, c'est de mettre sur pied des fictions de 90 minutes entièrement bâties sur une investigation journalistique menée par une équipe de reporters dont les résultats sont confiés à un scénariste[50] ». Bref, comme l'écrivait joliment une journaliste, à propos des émissions de l'INC (scénarisées, avec emploi de comédiens) : on passe d' « un traitement strictement journalistique à une appréhension plus médiatique de l'information[51] ». Et les possibilités offertes

170

par l'image de synthèse renforceront la tendance, la recherche d'une visualisation attractive.

Telles sont les principales caractéristiques de l'évolution du métier de journaliste au cours des trente dernières années. Même si des nuances doivent être apportées à cette rapide description du passage d'un modèle de diffusion de l'information à celui de la communication, trois aspects peuvent cependant être mis en relief.

Tout d'abord, la dévalorisation, même relative, de la collecte de l'information autorise le rapprochement avec d'autres métiers de la communication et donc la dilution de la spécificité du journaliste. Celle-ci se fondait en effet sur un rapport testimonial au réel.

Aussi, transmué en communicateur, le journaliste apparaît-il désormais avant tout comme un expert en matière de formes efficaces : graphique, linguistique, iconique ; un spécialiste du traitement de données, parfois éparses, qu'il adapte à ce public qu'il lui faut sans cesse reconstituer (économie oblige). Plus qu'un promoteur de l'information, le communicateur est bien un monteur[52].

Mais, alors que s'instaure un risque de banalisation, le découplage difficile de l'information et de la politique rend plus crédible l'affirmation d'un professionnalisme, devenue fréquente depuis peu.

1. Les syndicats se sont tout particulièrement attachés à cet aspect : accords-cadre des 21 avril 1986 (SNPQR, SQR), 11 septembre 1986 (SPP), 25 juillet 1988 (SQD). A ce sujet, voir notamment : « Le nouveau secrétaire de rédaction : homme-système ou journaliste-technique ? », *L'Echo de la presse et de la publicité*, 20 mai 1988.

2. Sous l'influence de la sociologie américaine, on affirme qu' « en France du moins, le journalisme n'a jamais constitué une véritable profession, c'est-à-dire une activité soumise à une autodétermination des pairs et à une déontologie rigoureuse » (Rémy Rieffel : « Communication politique et vedettariat médiatique », *Revue politique et parlementaire*, n° 934, 03/1988, p. 29). Voir aussi Francis Balle, *Médias et société*, Montchrestien 1980, pp. 448-451. A cela, on objectera l'organisation des professionnels eux-mêmes (syndicats, loi du 29 mars 1935), le développement de la formation professionnelle initiale et continue.

3. Voir, entre autres, les analyses de Jean-François Lyotard, *La Condition postmoderne*, éd. de Minuit, « Critique », 1979, Jürgen Habermas, *Théorie de l'agir communicationnel* (1981), Fayard, « L'espace du politique », 1987, 2 vol.

4. Voir, par exemple, Denis Lalanne : « Les mille métiers du journaliste », *L'Expansion*, octobre 1973.

5. C'est-à-dire « la conjugaison de l'électronique, des médias audiovisuels, de l'information et de ses effets » (Georges Balandier : « Images images images », *Cahiers internationaux de sociologie*, vol. LXXXII, 01/1987, p. 7).

6. Sur les rapports entre information et communication, on trouvera une synthèse des grandes orientations dans Anne-Marie Laulan (sous la direction de), *L'Espace*

social de la communication (concepts et théories), Retz-CNRS, « Actualité des sciences humaines », s.d.

7. Quelques points de repère pour une histoire encore largement à faire :
— 1961 : *Communications*, n° 1, EPHE et Centre d'Étude des communications de masse ;
— 1978 : Création d'un ministère de la Culture et de la Communication (devenu ministère de la Communication en 1981).

8. Pour la télévision, voir Hervé Brusini, Francis James, *Voir la vérité (Le journalisme de télévision)*, PUF, « Recherches politiques », 1982.

9. Pour nuancer les rapports du journaliste et du speaker, voir André-Jean Tudesq, « La radio des années 30 et la nouvelle perception de l'information », *Communications*, n° 3, 1986, pp. 97-107.

10. « Il y avait des voix aiguës et des voix graves qui correspondaient aux caractères d'imprimerie. [...] Les basses étant utilisées pour donner les titres et l'essentiel des nouvelles les plus importantes » (Maurice Siegel, *Vingt ans ça suffit !*, Plon 1975, p. 59).

11. Courante dans le milieu professionnel dès le début des années 70, la formule symbolise bien l'introduction d'une nouvelle perspective d'efficacité (économique).

12. Pendant la décennie 70 encore, la discussion de la thèse de la passivité reste un thème obligé. Cf., par exemple, Oliver Burgelin, *La Communication de masse*, SGPP, « Le point de la question », 1970, pp. 202-217.

13. En attendant le présentateur unique, maître du jeu.

14. Voir Maurice Siegel, *op. cit.*, pp. 48-49, 119-122.

15. Par exemple, l'identification du présentateur à l'auditeur (Henri Sannier, A2, 1987-1988).

16. Le déclin est achevé au milieu de la décennie 60 ; 1964 : transformation de *L'Express* en « news magazine », de *France-Observateur* en *Le Nouvel Observateur ;* 1966 : disparition du *Populaire*.

17. Le même titre sera repris les 5 septembre 1977 et 20 octobre 1988 avec, cette fois, l'adjonction initiale du mot « crise ».

18. Le « Nous », associant le journaliste et le lecteur, est d'emploi plus rare. Entre autres, « Nos enfants en savent-ils plus que nous ? », *Le Point*, 6 novembre 1978 ; « Ce qui nous attend », *ibid.*, 22 juin 1981.

19. *La Nouvelle République*, 31 octobre 1981. Pour une analyse plus détaillée, voir Yves Lavoinne : « Quand il est mort le poète », *Trimedia*, n° 12, printemps 1982, pp. 18-22.

20. Le zapping est le dernier en date des symptômes de cette évolution selon Pierre-Alain Mercier, pour qui « l'émetteur se voit contraint de négocier à chaque seconde l'attention mais aussi l'adhésion de son partenaire » (« Le zapping ou l'art d'accommoder les rogatons télévisuels », *Communication et langages*, n° 76, 2ᵉ tr. 1988, p. 89).

21. Curieusement le *Robert* (2ᵉ éd., 1985) signale, pour la « fin xxᵉ », ce sens : « Correspondant local (d'un journal). » On en ignore l'usage dans la presse.

22. J.-L. Servan-Schreiber, *Le Pouvoir d'informer*, 1972, J'ai lu, « Documents », 1974, p. 250.

23. Dans la presse hebdomadaire, par exemple, certains articles comportent en gras la signature d'un journaliste-communicateur et en maigre celles des journalistes collecteurs de l'information (d'ailleurs dépourvus de maîtrise sur l'article).

24. Voir Hervé Brusini, Francis James, *op. cit.*, p. 144. Le présentateur unique doté d'une maîtrise sur la forme du journal a ensuite revendiqué une autorité sur le contenu, et donc un statut hiérarchique. Le retour de Christine Ockrent à la présentation du journal de 20 heures d'A2 avec le titre de directeur délégué auprès du directeur de l'information consacre l'évolution (septembre 1988).

25. *Le Monde*, 21 septembre 1986.

26. Bernard Benyamin cité par Jean-Claude Raspiengeas, « Grand reportage. Le 2ᵉ souffle », *Télérama*, 29 juin 1988.

27. Jean-Louis Servan-Schreiber, *op. cit.*, p. 253.

28. *Construire l'événement*, éd. de Minuit, 1981, p. 77.

29. Pour l'audiovisuel, l'allégement des moyens d'enregistrement, le passage à la vidéo ont favorisé ce mouvement.

30. Le nouveau journalisme américain des années 60-70 en fut l'archétype.

31. *Le Monde*, 16 janvier 1977.

32. En France, contrairement aux États-Unis, l'écriture journalistique n'est pas encore codifiée de façon systématique : quasi-absence de manuel sérieux.

33. Les dernières tentatives en ce sens sont celles de l'AFP et de TF1 (*Le Monde*, 19 décembre 1987).

34. Pour une interprétation en termes d'accroissement du contrôle social, voir Paul Virilio : « La délation de masse... ou la contre-subversion », *Cause commune*, n° 1, 1975, UGE-10/18, pp. 13-57.

35. Le terme de « publiphobe » apparaît vers 1972.

36. Francis Balle a fortement souligné les ambiguïtés de la revendication du droit à la communication (*Et si la presse n'existait pas...*, J.-C. Lattès, 1987).

37. Depuis 1976, sous l'impulsion du SID, la communication (publicitaire) gouvernementale a pris une expansion considérable.

38. Sous le pseudonyme d'Antoine Guillaume, « Le temps des mères poules », *Le Monde*, 16 juillet 1981.

39. On trouve aussi « Communicant » sans nuance sémantique appréciable.

40. « Les Communiquants », *Le Matin*, 18 mai 1981.

41. *Le Monde*, 3 avril 1982.

42. *Ibid.*, 27 mars 1982.

43. « Une ambition pour *Le Monde* », *Ibid.*, 22 janvier 1985.

44. Fabienne Pascaud, *Télérama*, 12 mars 1986.

45. *Le Matin*, 17 janvier 1986.

46. Slogan du Festival national de l'audiovisuel d'entreprises, Biarritz, 1987.

47. Annie Kahn : « Le vendeur : nouvel enfant chéri de l'entreprise », *Le Monde*, 25 juin 1987.

48. Déjà en 1956, le JT avait créé le personnage de M. Lapanique (cf. H. Brusini. F. James, *in op. cit.*, p. 90). Signe des temps, en 1987, c'est le journaliste lui-même qui incarne le personnage à qui arrivent mille mésaventures, pour illustrer des sujets de société difficiles à mettre en images (Gérard Paviot, A2).

49. Cité par Thomas Ferenczi, « Les petites histoires d'Anne Hoang », *Le Monde*, 5 octobre 1986.

50. Cité par Jean-Claude Raspiengeas, *art. cit.*

51. Sophie Patois, « L'INC soigne son look », *Le Monde*, 17 janvier 1988.

52. Pour reprendre la terminologie de H. Molotch et M. Lester, « L'usage stratégique des événements : la promotion et le montage des nouvelles », *in* J. Padioleau, *L'Opinion publique*, Mouton, 1981, pp. 368-390.

Professeur et éditorialiste au *Figaro* : les conditions de légitimité d'un statut en partie double

ANNIE KRIEGEL

Qu'est-ce qu'un professeur nanterrois qui tient une plume, éditorialiste dans un quotidien, qui plus est dans un journal de droite, *Le Figaro*, qui plus est *Le Figaro* de Robert Hersant ?

Née dans une famille de la petite bourgeoisie parisienne où la lecture du journal, c'était « La prière du matin »

Je savais à peine marcher que je reçus la charge d'aller chaque matin chercher le journal, *L'Œuvre,* que mon père lisait aussitôt s'il était à la maison et que ma mère lisait en prenant son café après le déjeuner de midi. Tout en courant pour le rapporter — en ce temps-là on ne faisait attendre ni son père ni sa mère —, je parcourais vite, vite, les titres de la une. Ça coûtait 5 centimes et je sens encore au creux de ma paume convulsivement serrée la grosse pièce brune — en ce temps-là on ne se risquait pas non plus à perdre un gros sou.

A 7 ans, pour ma première rédaction à la grande école, à la question rituelle : « Que feras-tu quand tu seras grande ? », je ne répondis pas rituellement « maîtresse » — car en ce temps-là toutes les petites filles voulaient être institutrices comme elles voudront toutes, trente ans plus tard, être hôtesses (de l'air) et, trente ans plus tard encore, journalistes (à la télévision). Je témoignai de goûts et d'aspirations plus modestes mais précis : je voulais être marchande de journaux. Oh ! Pas la marchande d'aujourd'hui sertie dans son élégant kiosque de verre et d'acier, mais la marchande comme elle existait avant la Seconde Guerre mondiale ou plutôt la *marchant* qui, par les rues, d'un réverbère à l'autre, glapissait les grands titres de *Paris-Soir* dernière. Un métier grisant : la liberté dans la grand-ville,

174

et la gaieté excitante des nouvelles — pas de mauvaises nouvelles pour un enfant. En somme, j'avais instinctivement le sens de la continuité historique. Curieuse de journaux, c'était une manière de mettre mes pas dans les pas de mes ancêtres colporteurs.

Quatorze ans : l'âge alors de l'entrée sur le marché du travail. Munie de mes CAP de dactylo et sténotypie, je devins sténo de presse dans un quotidien catholique de Grenoble, *Sud-Est,* qui me semble avoir soupçonné sans le laisser paraître ma situation assez peu claire. En 1943 je fus donc l'une de ces humbles techniciennes de presse dont la voix seule est familière aux correspondants dispersés dans les communes alentour. De 5 heures du soir — quand je prenais mon service — à minuit ou 2 heures du matin (le dimanche), la veillée était longue, chaotique, avec des plages de temps morts où le téléphone demeurait obstinément muet, tandis qu'à d'autres moments se succédaient à un rythme effréné les appels. Les uns, prévus de longue date quand ils concernaient des cérémonies locales inscrites au calendrier, fêtes patronales, foires et marchés, comices agricoles, festivités pour le départ à la retraite d'un directeur d'école ou les noces d'or d'un couple « sympathiquement connu et estimé », messe d'actions de grâces pour célébrer un demi-siècle de vocation sacerdotale. Les papiers qui en traitaient étaient soigneusement rédigés et dictés d'une voix claire. D'un modèle quasi unique, ils comportaient en bonne place la liste des notabilités présentes, toujours à peu près les mêmes et dans le même ordre ; aussi finissait-on par savoir par cœur leur qualité et l'orthographe de leur patronyme. D'autres appels résultaient d'une actualité de circonstance — drames domestiques, incendies et feux de grange ou de prairie, accidents de chasse ou de montagne, chutes de pierres ou de neige, enfants ou chiens échappés à la vigilance de leur mère ou de leur maître, nominations et distinctions flatteuses échues à des personnalités du cru, arrivées ou départs de fonctionnaires d'autorité des postes, des chemins de fer, de la gendarmerie. Dans ces cas d'urgence, les correspondants bafouillaient, égarés dans leurs notes, confondant assassins et victimes, et c'était toute une affaire que de mettre debout les dix ou douze lignes consacrées à l'événement. Vers 22 heures, les typos et linos de l'imprimerie, séparée par une porte vitrée du réduit où j'étais installée, casque en tête, m'offraient un verre de café. S'il n'était que de l'eau chaude teintée, il combattait l'engourdissement des nuits d'hiver quand le rude climat dauphinois et la médiocrité des moyens de chauffage s'entendaient pour les rendre pénibles. Comme ce café-là n'était aussi qu'un ersatz dépourvu d'arôme, il ne dissipait par la forte odeur d'encre et de graisse de machine dont l'atelier et les vêtements de travail de mes compagnons, surtout leurs chandails, étaient imprégnés et qui m'écœurait un peu. J'étais aussi un peu intimidée, seule fille ou femme et très jeune, dans ce petit monde d'hommes qui me traitaient certes jovialement mais qui, carrés, costauds, avec de gros doigts dus à la manipulation des caractères de plomb, entretenaient des relations fondées sur de vénérables traditions corporatives.

Dans le même temps ou à peu près, mon autre vie, clandestine, celle-là, s'articulait pour une part sur ma vie légale. Vers 11 heures commençait en effet à circuler dans les bureaux de *Sud-Est* une feuille adressée à toutes les rédactions. Énumérant les informations qu'il était interdit de publier — le plus souvent liées aux actions de la Résistance intérieure, surtout locale, son action préventive permettait de rendre plus rapide la vérification des morasses obligatoirement soumises avant l'impression à la censure française puis à la censure allemande.

De cette feuille je faisais aussitôt une copie tapée à la machine. Quelques instants plus tard, des coups légers étaient frappés au carreau d'une porte qui ouvrait vers l'extérieur sur une impasse lépreuse. La porte prudemment entrebâillée, passait une tête bouclée aux yeux rieurs. Demain les abonnés à *Sud-Est* trouveront dans leur boîte aux lettres, avec leur quotidien censuré, le libre supplément.

Mais surtout, responsable « technique » dans le triangle de direction des JC-MOI (Jeunesses communistes juives) pour Grenoble et les Alpes, j'avais dans mes attributions le secteur de la « propagande ». C'était dans son usage courant le vocable, sans fard, dérivé du concept bolchevique d' « agit-prop. ». Pour ce faire je m'appuyais sur un « technicien » hors de pair qui avait, lui, la charge de tirer à la ronéo les textes nous arrivant du centre — de Lyon — par un courrier, au sens ancien du terme, un courrier en chair et en os, jeune fille habituée de la ligne Lyon-Grenoble et retour.

Je n'intervenais qu'à ce moment-là, m'initiant cette fois aux problèmes de la distribution, assez particuliers en l'occurrence puisqu'il s'agissait d'une distribution clandestine. Soit à Grenoble, soit plus souvent dans un fossé de campagne à proximité de Voreppe, à raison d'une fois ou deux par semaine en moyenne, j'avais rendez-vous avec Justin et sa voiture d'enfant à double fond. Arrivée la première pour vérifier que tout était calme, je le voyais venir de loin, promeneur paisible que seul un œil très exercé aurait pu soupçonner car il avait, de manière indélébile, le genre « Maxime à Vyborg ». Le transvasement était rapide. Je fourrais les paquets que sortait Justin dans un sac à dos et une valise, ce qui était lourd mais sans grand danger. Tout le monde, hiver comme été, trimbalait autour et dans Grenoble des sacs à dos ou des valises de pommes, de noix, de châtaignes. J'avais plus de précautions à prendre dès que j'arrivais en vue du local dont j'étais seule à avoir les clefs et l'usage. C'est là que je confectionnais les lots que je devais remettre avec des consignes verbales à chaque responsable « technique » des trois groupes de trois dont nous avions le contrôle et qui, à eux trois, contrôlaient à leur tour neuf groupes de trois.

En raison de coups durs et de « chutes » qui, de juin à août 1944, ont anéanti notre organisation, j'ai conservé le bilan de nos fabrication et distribution de « matériel » entre fin décembre 1943 et fin mai 1944. Ce bilan, établi mois par mois, répertorie de 1 à 44 publications, à raison d'un minimum de 4 seulement en avril mais d'un maximum de 15 le mois précédent de mars. Pour ronéoter ces 44 publications, 87 stencils ont été nécessaires, compte tenu que certaines d'entre elles avaient jusqu'à 6 pages. Au total 60 000 pages sont passées par nos mains.

J'avais vingt et un an quand, responsable des étudiants communistes du Quartier latin et, à ce titre, membre du comité de la fédération de la Seine du PCF, je fus chargée de fonder un journal « édité par les étudiants communistes de Paris », *Clarté*. Le Parti communiste a le souci de son histoire et en entretiendrait pieusement la transmission si, trop souvent, ce qu'il se soucie de transmettre c'est moins son histoire que sa légende, c'est-à-dire, par ignorance, erreur ou déformation volontaire, une histoire qui n'est pas la vraie ! C'est ainsi que *L'Humanité* du 30 août 1987 parle de *Clarté*, en tant qu'organe des étudiants communistes, comme d'une revue fondée par Henri Barbusse. C'est inexact. Il y avait bien eu, en octobre 1922 fondés par Georges Cogniot et le Dr Georges Galperine, un groupe et un journal, *Clarté universitaire*. Mais *Clarté* (tout court) a été fondé en 1947 et c'est son titre seul qui a été choisi, comme pour faire le lien d'un après-guerre à l'autre, en souvenir de la revue et du mouvement *Clarté* que Barbusse avait animés de 1919 à 1924, en reprenant lui-même le titre du deuxième livre de guerre qu'après *Le Feu* (décembre 1916) il avait fait paraître en 1919.

Directrice de la publication et Jacques Hartmann rédacteur en chef tandis que François Alamachère en était l'administrateur, nous avons, du 9 décembre 1947, date du premier numéro, à mai 1949, publié 16 numéros à raison d'un par mois et de 8 par année universitaire. A l'automne 1949 où nous cessions d'être étudiants, nous avons passé le flambeau à une nouvelle équipe dirigée par Michel Verret. André Charpentier, normalien géographe, taciturne, tendre et exact, devenait rédacteur en chef et Pierre Suzor administrateur.

C'était un vrai journal, format 42-48, de 8 pages écrites en très petits caractères. Techniquement et à cette date, il témoigne des ressources dont dispose le milieu étudiant dès qu'il est sollicité de produire des poètes, des dessinateurs, des caricaturistes, des critiques de cinéma, de théâtre, des théoriciens. L'imprimerie où nous allions au marbre et qui se trouvait du côté de Gentilly ne devait pas épargner sa peine car la mise en pages, la diversité des caractères, la multiplicité (excessive) des modes de titrage parvenaient à aérer des pages d'un texte souvent compact, bien que les articles fussent correctement intertitrés et que nous sachions déjà alterner brèves et études plus denses. Il y avait même une véritable maquette. La une, réservée à l'actualité politique avec un éditorial signé *Clarté* ; la dernière page, sous le titre général de « L'œil écoute » — curieusement emprunté à Paul Claudel dont l'ouvrage, *L'Œil écoute*, était paru chez Gallimard en 1946 —, réservée à l'actualité culturelle. La double page centrale, la plus riche d'informations prises à la source, traitait de la vie matérielle des étudiants et de leurs luttes revendicatives. Une page, parfois une double page, consacrée à la politique internationale sous le titre sans surprise (à partir de 1949) de « Pour une paix durable » et une autre, sous le titre « Mythes et réalités », destinée au combat d'idées, complétaient le sommaire.

C'était aussi un vrai journal d'étudiants. Bien des noms de dirigeants du Parti et d'intellectuels communistes apparaissent dans les colonnes de *Clarté* mais surtout à l'occasion de manifestations et de conférences où leur présence est annoncée. C'est ainsi que Tristan Tzara préside en décembre 1948 le jury d'un concours organisé par la cellule des étudiants en lettres sur le thème « La poésie d'aujourd'hui est-elle populaire ? » La quasi-totalité de la copie est donc le produit de plumes étudiantes, résultat plus ou moins cohérent de discussions dans les commissions de travail dont s'entoure le comité de rédaction.

La plupart des articles, surtout dans les premiers numéros, ne sont pas signés ou signés d'un pseudonyme, ou encore signés en nom collectif car les étudiants, qui ont le goût et le temps de la vie partagée, aiment aussi les signatures partagées. Que fut par exemple ce « groupe Barbara » qui signait des articles de philosophie ? Et pourquoi cet anonymat à triple formule ? Inclination à ne privilégier que le côté collectif, et sans interférence personnelle, de l'entreprise révolutionnaire ? Survivance ludique des récentes pratiques clandestines ? Précaution que croyaient devoir prendre, à tort ou à raison, des étudiants qui se jugeaient exposés à des retours de bâton de la part d'une société dont la tolérance n'était pas ce qu'elle est devenue depuis qu'elle n'est plus menacée de subversion interne ? D'une société aussi très timorée à l'égard de tout ce qui pouvait favoriser la rencontre entre garçons et filles. *Clarté* signale dans son numéro 6 qu'à l'École de physique et chimie la « strass » a refusé de laisser faire le « dîner de promo » à l'intérieur de l'école : « Le quartier pourrait s'émouvoir en voyant sortir des jeunes gens et des jeunes filles à une heure si tardive. » Tardive ? 11 heures du soir...

Vendu 12 francs en décembre 1947, puis 15 francs à partir d'octobre 1948, et 20 francs en novembre 1949, le journal fut-il un succès de diffusion ? Une circulaire signée de « L'administration de *Clarté* » indique que le numéro 6, sorti le 17 avril 1948, avait été tiré à 8 000 exemplaires. Deux mille d'entre eux avaient été vendus dès le lendemain lors du rassemblement de la jeunesse qui s'était tenu le dimanche 18 avril au stade Buffalo avec Maurice Thorez. Une « vente de masse » était prévue le 1er mai. Cependant, le 24 avril, il restait encore 3 000 exemplaires à la permanence de la rue des Carmes. Le numéro spécial, édité après les incidents du 11 novembre 1948, fut vendu à 4 000 exemplaires. Le numéro 20 de janvier 1950 indique que les numéros 18, 19 et 20 ont été diffusés respectivement à 1 800, 2 800 et 3 200 exemplaires.

Laissons maintenant passer deux fois sept ans. Au début des années 60, j'écris presque chaque semaine dans *France-Observateur* sous le pseudonyme de David Hellimer. Un pseudonyme qui, cette fois encore, est de protection mais d'une protection inversée. C'est qu'à cette date c'est toujours formidablement audacieux de s'attaquer au puissant et vindicatif PCF... Faut-il rappeler que dix ans plus tôt il ne s'est pas trouvé un seul intellectuel français pour comparaître en témoin à décharge au procès Kravchenko tandis qu'une interminable cohorte de prestigieux intellectuels communistes ou compagnons de route se pressaient aux portes du prétoire pour s'associer à la récusation du renégat ? En choisissant le prénom de David, ce n'est pas le camouflage d'une identité qui me fait mâle que je cherche, c'est l'aveu de ma faiblesse face au Goliath que j'affronte. Quant à Hellimer, c'est le nom du village lorrain (au vrai, sans H initial) que ma famille paternelle a quitté après la guerre de 1870 : c'est là encore avouer que le retour aux origines s'impose comme méthode pour retrouver le chemin perdu.

Le mardi en fin d'après-midi quand, en tenant par la main mon dernier fils qui marche à peine, j'apporte avant le bouclage ma copie, c'est toute une équipe de vieux « copains » — l'équivalent de « camarades » dans le langage codé d'époque — que je rencontre, déracinés comme je le fus par l'ouragan de l'année 1956 (XXe congrès du PCUS. Rapport « secret » de Khrouchtchev. Prague. Budapest). Je ne me souviens plus que du pseudonyme dont use François Furet : Delcroix ; mais il y a là aussi Denis Richet, JFR (Jacques-Francis Rolland) et bien d'autres. L'Observateur en question, ce n'est pas, faut-il le préciser, l'hebdomadaire « branché » de Jean Daniel et Claude Perdriel dont l'ancrage à gauche est plus une estampille politique globale qu'un code génétique façonnant manières d'être, de penser et de survivre, comme en témoigne le fait que le financement du groupe puisse reposer en partie sur le minitel rose. C'est — pour peu de temps — encore L'Observateur de Roger Stéphane et Gilles Martinet, hebdomadaire un peu miteux, sans grands moyens et sans assez de lecteurs mais, dans sa bavarde aridité, un hebdomadaire plein de fraîcheur tout pétri de l'ardeur et du désintéressement pour défricher une terre ingrate. Nous sommes bien avant la « révolution » des années 60-70, celle de la « modernisation » qui, en l'occurrence, sous le signe d'une course ininterrompue au statut et à l'argent, s'est affirmée par la prépondérance du frivole, de l'éclectique et de la virevolte.

AU FIGARO

Laissons encore passer deux fois sept ans — un espace de temps suffisamment long pour que s'impose un constat : si je m'adonne assez périodiquement à une activité de type journalistique, celle-ci n'est pas consubstantielle à mes besoins et exigences intellectuels.

C'est en 1976 que je commence à écrire de manière non épisodique au Figaro. La chose s'est faite, comme à peu près tout ce qui compte dans une vie, par hasard, c'est-à-dire par un concours imprévisible de circonstances. Il s'est trouvé qu'à la veille d'un congrès du PCF — le XXIIe congrès tenu en février 1976 —, Raymond Aron me téléphone pour me demander si j'accepterais d'écrire pour Le Figaro une mise en perspective de l'événement attendu. Puisque c'est mon quotidien objet d'étude et de réflexion, j'y consens volontiers sans aucun calcul à long terme. La crise que traverse *Le Figaro* l'année suivante en 1977, le départ de Raymond Aron — dont il a raconté les motifs dans ses *Mémoires,* le fait qu'il ne me décourage pas, quand je le lui demande, de rester après lui au *Figaro,* le fait, enfin, qu'en 1977 comme en 1978, l'actualité privilégie deux thèmes qui me sont proches et familiers : les rapports PC-PS dans le cadre de l'union de la gauche, l'évolution de la crise israélo-arabe au Proche-Orient avec la visite de Sadate à Jérusalem, font que je prends tout doucement l'habitude d'écrire avec régularité sur des sujets dont l'éventail va en s'élargissant.

Si on commence par hasard, ce n'est pas par hasard qu'on continue. Beaucoup d'universitaires se sont essayés à écrire dans un quotidien ou un hebdomadaire, bien peu sont parvenus à le faire durablement. Beaucoup de ceux qui aiment à s'exprimer dans la presse se contentent d'écrire de-ci de-là, semant leur bonne parole d'un jour ou d'une semaine dans des lieux où ils ne repasseront pas. C'est qu'écrire régulièrement, toujours dans le même organe, se heurte à de redoutables difficultés — la principale étant qu'un éditorial ou une chronique ne saurait être une leçon d'agrégation ni un cours magistral, encore moins une profession de foi. Car leçon, cours ou profession de foi ne saurait donner lieu, sauf à se répéter, qu'à une ou deux prestations par an. L'autre difficulté sur laquelle se brisent les débuts les plus prometteurs, c'est... l'erreur de pronostic ou de prévision à laquelle se laisse entraîner l'amateur présomptueux, insuffisamment averti que le journalisme n'est pas une école de vaticination mais qu'il est fondé sur une vertu, chrétienne par excellence : la vertu prudentielle.

Si on commence par hasard, ce n'est pas par hasard qu'on continue à écrire, non dans *un* journal mais dans *ce* journal-là. *Le Figaro,* libéral et conservateur dans son essence, ses valeurs et ses fidélités, s'est trouvé miraculeusement accordé dans ses pratiques, également libérales et conservatrices, à ma manière d'être et de travailler. Pendant ces dix ou douze ans en effet, une fois par semaine, tôt le matin, je me suis concertée avec le directeur de rédaction, Max Clos, sur le choix du thème que je souhaitais aborder et sur l'argumentaire que je comptais développer. Bénédiction d'avoir un interlocuteur fiable ! Était-ce aussi une manière indirecte de me soumettre à quelque chose qui ressemblait à une censure ? La peur panique de la « censure » est le produit naïf d'un comportement juvénile. L'exercice auquel je me soumettais était à l'évidence fondé sur une loyauté réciproque qui ne s'est, me semble-t-il, jamais démentie. Malheur au gazetier qui ne peut compter sur son chef de service ou sur son directeur de rédaction pour lui éviter le faux pas d'une publication à contretemps (24 heures suffisent pour changer le contexte et par là le sens d'un texte)! Malheur à celui qui n'intègre pas la durée dans la trame de ses calculs et de ses réflexions ! Malheur à l'arrogant teneur de plume qui croit ne pas avoir à continûment apprendre auprès des gens de métier non pas seulement les « ficelles » mais, plus fondamentalement, les règles qui préservent des embûches. La « chance » que constitue aux yeux de beaucoup le fait de disposer d'une tribune ne se justifie et ne se prolonge que par le scrupule avec lequel on use de ce privilège. Il m'est fréquemment arrivé de renoncer à écrire ce que j'étais déjà certaine de devoir un jour écrire — y renoncer non parce que cela était inopportun ou m'était interdit mais parce que ni ma pensée ni la formulation de celle-ci n'avaient atteint un suffisant degré de consistance et de cohérence pour que je sois en droit de les soumettre, telles quelles, à mes lecteurs.

LES CONDITIONS D'EXERCICE

Le statut

Je suis d'abord et avant tout un professeur. Je rectifie chaque fois qu'on me qualifie de journaliste. Non par mépris pour ce second état — encore que je partage les inquiétudes exprimées hier et aujourd'hui sur les dérives du journalisme vers la publicité et la commande, mais par respect pour le premier. Écrire régulièrement au *Figaro* me donne sans doute une notoriété qui dépasse celle d'un professeur. Mais rien ne me paraît plus ridicule que d'en tirer gloriole. Quelle est l'influence réelle d'un journaliste en particulier et sur quels critères repose l'attribution du rôle de « leader d'opinion » ? Si notoriété il y a, elle est éphémère : un journaliste est très généralement oublié sitôt qu'il cesse d'écrire à moins qu'il n'ait été aussi écrivain ou qu'il n'ait été appelé à remplir d'autres fonctions. Cette notoriété s'arrête d'ailleurs aux frontières, étroites, du territoire où circule le journal. C'est enfin une notoriété bien mélangée comme on le voit au courrier reçu. Les lecteurs qui m'écrivent appartiennent dans une proportion non négligeable à la catégorie des gens à marotte, petits inventeurs ou écrivains en manque d'éditeur, qui souhaitent me convertir à leur Dieu ou à leurs idoles ou me convaincre de mettre ma plume au service de leurs entreprises, méritoires ou non. Dans une autre proportion, également non négligeable, ils fonctionnent selon le clivage assez pauvre : d'accord/pas d'accord et leur message est de simples félicitations ou d'insultes. Cependant, et c'est là peut-être la récompense la plus précieuse d'un métier ingrat, je reçois une proportion non négligeable de lettres fort intéressantes, souvent assorties de textes ou de documents travaillés et rares, souvent aussi dus à des professionnels — militaires de haut grade, diplomates, médecins, etc. — dont la compétence et l'expérience ont été trop stérilisées quand a sonné l'heure de la retraite. Dans cette dernière catégorie de lecteurs, des amitiés se sont nouées à l'occasion d'une correspondance suivie.

Professeur et de ce fait fonctionnaire, il m'a toujours paru inconvenant d'avoir ailleurs qu'avec l'Université un contrat de travail permanent. A l'imitation de Raymond Aron qui avait l'habitude de dire avec humour qu'il était le plus mal payé des collaborateurs du *Figaro*, je suis donc et ne suis que pigiste, rémunéré à l'acte, comme un médecin libéral par son malade, comme un auteur par sa maison d'édition. Les désavantages financiers de ce statut sont fabuleux. Je n'ai pas de carte de presse, je ne peux prétendre à aucune indemnité en cas de licenciement. Je ne jouis d'aucun avantage annexe : je n'ai ni bureau ni secrétariat ni voiture ni billets d'avion ni notes de frais ! *Le Figaro* peut du jour au lendemain cesser de me publier, je peux du jour au lendemain cesser d'écrire. Sans tambour ni trompette, sans scandale. Cette indépendance réciproque me coûte très cher mais elle mérite son prix. Ce n'est pas moi qui suis indépendante, c'est ma plume.

Mon indépendance de plume, je l'ai encore garantie par le fait que j'ai poussé beaucoup plus loin le souci qu'on rappelait hier de ne pas me prêter à de la publicité financière ou commerciale. Je l'ai poussé beaucoup plus loin en m'interdisant d'appartenir à quelque organisation politique ou para-politique que ce soit, et même de hanter les palais officiels. J'attends le plus souvent qu'ils aient quitté le pouvoir pour rencontrer des hommes que j'aime bien mais dont la fréquentation me paraît dépourvue d'intérêt intellectuel quand ils sont en charge — à droite comme à gauche.

Un journaliste d'un type spécial

Je me tiens, en raison des principes exposés plus haut, à l'écart et de la profession et du journal lui-même car je ne suis qu'une collaboratrice *extérieure*. Il peut arriver que je sois consultée sur des affaires qui touchent au fonctionnement et au devenir du journal mais je ne détiens aucun pouvoir de décision et je me garde d'essayer d'en acquérir. Un journal ou un groupe de presse sont aujourd'hui de lourdes et complexes entreprises qui ne sauraient tolérer une attention et des soins intermittents. Comme tout un chacun, je connais certains chefs de service ou rédacteurs et les bruits de couloir me parviennent, assourdis, invérifiables et inutiles... comme à Nanterre.

A l'écart de la Maison proprement dite, je suis également à l'écart de ce qui fait la spécificité du journaliste : réagir à chaud. Qu'est-ce en effet qu'un journaliste véritable ? Celui pour qui n'est pas indifférent de savoir une minute à l'avance ce que tout le monde saura dans la minute suivante. Ce n'est pas mon cas. A la différence des journalistes de métier, je ne vis pas avec la radio ou la télévision constamment ouvertes. Quand je m'isole pour rédiger une communication ou préparer un cours, je peux fort bien ignorer les nouvelles jusqu'au lendemain.

Enfin, je suis dispensée de la nécessité de traiter ce qu'exige l'événement même refroidi. Si je ne connais pas la question et n'éprouve pas l'envie de faire les investissements intellectuels pour la connaître, je m'abstiens d'en traiter. Le registre des thèmes auxquels je consacre mes chroniques peut paraître étendu, il n'est pas infini, encore moins indéfini.

Ni journaliste de commentaire ni journaliste d'opinion, ni journaliste spécialisé en charge d'une rubrique relevant d'une discipline universitaire, ni expert, ni donneuse de leçons, ni Mme Soleil, alors quoi ?

Dans un rapport nécessaire à l'événement, un chroniqueur ou un éditorialiste ne saurait choisir de manière capricieuse ou arbitraire le thème dont il entend traiter. Ce n'est, à l'exclusion de la longue durée, pas même dans le temps court qu'il doit se situer, c'est en fonction de l'évaluation anticipatrice qu'il fait de la persistance de la trace que laisse un événement au moment même où il se déroule. Tel événement peut être enfoui, refoulé, submergé, effacé dans les 48 heures, tel autre, pourtant similaire mais s'inscrivant dans un autre contexte, reste au sommaire toute une semaine. A peine sa course achevée, tel événement disparaît ; y revenir sent son réchauffé. Sa course depuis longtemps achevée, tel autre demeure comme référence, date-butoir abcès de fixation, etc. et l'évoquer à nouveau n'est pas de trop. Ce qui explique qu'on peut tirer bénéfice d'un décalage, consistant à parler à retardement d'un événement sur lequel d'autres observateurs se sont déjà abondamment exprimés. Les fins de semaine, notamment, ont de la perversité : bien des événements, encore pleins de verdeur le vendredi, ont perdu tout éclat le lundi. Certains événements ne présentent quelque intérêt qu'avant qu'ils aient eu lieu. D'autres n'acquièrent de la consistance qu'après.

L'événement, le chroniqueur ou l'éditorialiste n'a pas à en faire une relation. Contrairement au journaliste d'investigation, il n'est pas un homme de terrain ni d'enquête. Il n'a pas d'informateurs privilégiés. C'est un homme de dossier qui travaille à son bureau. Cela signifie-t-il qu'il n'est chargé que d'orner, recouvrir et dissimuler sous fioritures et bavardages le corps du délit ? Non : l'événement est un trou de serrure, un conduit, un puits de forage qui permet d'observer les entrailles de la structure dont il procède. Mon rôle c'est donc de tenter, grâce à l'événement révélateur, d'examiner les entrailles du corps social ou du champ politique de manière à proposer un diagnostic différentiel. Tout événement est non seulement énigmatique, il est ambigu, ambivalent. On a ou pas les clefs qui autorisent à sérier et hiérarchiser les divers sens dont il est porteur.

Il en résulte que, si l'événement fait une cicatrice en général superficielle dans le tissu du temps, il est nécessaire, pour choisir entre ses divers sens et sa postérité éventuelle, de le replacer dans une longue chaîne d'événements qui appartiennent à la même catégorie que lui ou qui se situent dans le même champ. C'est dire qu'on ne peut se prononcer sur un événement ponctuel sans avoir constitué un dossier de longue date, pas seulement avec des documents d'archives qui fournissent historique et précédents, mais avec des ouvrages de référence où trouver données de base, hypothèses et interprétations déjà vérifiées. Il faut donc du temps, de la maturité, de l'expérience, une pratique comparatiste prolongée pour ne pas se laisser piéger par les apparences, les chausse-trappes, les conclusions hâtives, complaisantes à soi ou aux autres. Ce qui implique en somme un souci permanent d'information, d'énormes lectures préalables qui se situent en amont comme en aval de la presse proprement dite. L'extension proliférante de la « communication » dans toutes les organisations et institutions existantes donne à ce travail l'aspect d'un rocher de Sisyphe.

Enfin, l'écriture d'un éditorial est un exercice qui demande du soin. On peut évidemment jeter à la va-vite sur un coin de table de cuisine des phrases longues et creuses. Mais gare aux lecteurs qui ne goûtent pas ce genre de négligence et vous le font savoir. Dans un journal de plus en plus volumineux, il faut en outre et paradoxalement faire de plus en plus court. Il convient aussi de ne pas se complaire dans l'ambigu : la clarté est appréciée. En revanche la lourdeur est aussitôt dénoncée : j'ai eu bien des reproches avec mes phrases qui n'en finissent pas en raison du goût que j'ai pour les constructions latines. Le mieux est de s'y prendre à deux fois : écrire et réécrire. En s'assurant un lecteur attentif et tendre qui accepte d'être votre premier lecteur : je ne livre rien que mon époux n'ait lu avec sévérité et bienveillance.

J'ai dit jusqu'ici ce que le professeur se devait d'imposer au journaliste : d'abord l'exactitude et la rigueur. Mais je voudrais dire en terminant ce que le professeur doit au journaliste : un second laboratoire, celui-ci à chaud et à grand péril, tandis que le laboratoire universitaire est un laboratoire à froid où le péril est d'une autre sorte. Loin qu'il y ait rupture et chaos entre mes deux activités et statuts, il y a complémentarité, assistance réciproque, échanges de procédés et bons procédés, continuité — j'écris au petit matin pour le journal et quand commence la journée de travail du plus grand nombre, c'est l'heure des mémoires et des thèses —, tout ceci non pour déboucher sur on ne sait quel *consensus* mais, plus fondamentalement, dans un lieu qui relève de l'éthique de la vérité.

DISCUSSION

APRÈS LES INTERVENTIONS
DE Y. LAVOINNE ET A. KRIEGEL

CHRISTIAN LAZZERI (à Y. LAVOINNE). — *J'ai l'impression depuis hier qu'il flotte par moments dans cette salle une atmosphère de nostalgie de l'âge d'or. Peut-être aurait-il fallu faire des comparaisons avec le journalisme qui existait avant la Seconde Guerre mondiale. L'information, c'est quelque chose qui coûte cher, qui coûte cher à aller chercher, c'est un produit qui est accessible à un nombre de personnes de plus en plus grand, qui circule de plus en plus vite, de plus en plus loin, y compris jusqu'aux communicateurs. L'un des rôles de certains journalistes d'agence de presse n'est-il pas de pratiquer un journalisme d'investigation, un journalisme plus au contact de la réalité ?*

YVES LAVOINNE. — *Je ne dis pas qu'il y a eu un âge d'or du journalisme et que tout est perdu. Je dis simplement qu'il y a une transformation du champ journalistique, de la conception de la profession, des pratiques professionnelles, dans un environnement économique qui se modifie. Ce qui a été dit à propos de la presse automobile se généralise peut-être. Et le problème est le suivant : le journalisme dévore plusieurs avoines, il y a d'une part celle de l'entrepreneur de presse et d'autre part, très souvent, celle de telle entreprise ou collectivité locale. Cela pose tout de même un problème : comment admettre qu'on a une distance critique si, dans certaines circonstances, on fait passer ou on habille plus ou moins le message que telle ou telle entreprise ou collectivité veulent faire passer. C'est un problème. Cela dit, avant, le journaliste n'était pas*

187

un ange, chacun a entendu parler de « *l'abominable vénalité de la presse* ». *Je ne crois pas à l'âge d'or, mais cela pose des questions. Et il reste vrai notamment que les écoles de journalisme — et vous avez mis le doigt ici sur une petite plaie — continuent de considérer la collecte de l'information comme la base essentielle du métier. C'est là où nous risquons de paraître un peu nostalgiques, comme des conservatoires pas forcément libéraux — à la différence du Figaro. Quant aux agences, elles sont aussi en train de se transformer, avec les services à la carte. De plus en plus vous trouvez d'une part le journaliste sur le terrain, de Dakar ou d'ailleurs, et d'autre part le journaliste au desk qui adapte le travail de Dakar ou d'ailleurs en fonction des besoins de* La Montagne *ou des* Dernières nouvelles d'Alsace.*

Michel Despratx. — *Je me demande si le style littéraire d'Albert Londres n'est pas plus proche d'une rhétorique de la communication que d'une rhétorique de l'information ?*

Yves Lavoinne. — *Je vous remercie de mentionner ici Albert Londres. J'éprouve un certain respect pour lui et notamment pour son reportage sur les asiles. Je l'ai relu au moment où l'on parlait beaucoup d'asiles psychiatriques. Ce qu'Albert Londres rapportait en tant que journaliste-reporter faisant de l'investigation — il fallait lutter pour accéder à certains endroits — tenait encore la route. Vous parlez de rhétorique. C'est vrai que c'est très littéraire. Mais je veux souligner deux faits. Premièrement le « je » du reporter : l'emploi du grand paradigme « j'ai vu », opérateur d'objectivité encore utilisé aujourd'hui, surtout dans les situations de controverse. L'emploi de ce « je » testimonial n'est pas lié à la rhétorique de la communication. Deuxièmement, une étude sur l'évolution des écritures de presse depuis le XIXe siècle serait nécessaire, mais beaucoup de reportages au XIXe sont très littéraires. Cela ne me paraît pas directement relever de la rhétorique de la communication, dont il faudrait décrire les figures privilégiées dans la situation actuelle. Ce qui ne veut pas dire qu'au XIXe siècle il n'y avait aucune rhétorique dans le journalisme. Mais ce qui caractérise le passage à l'information, c'est l'abandon maximal de la rhétorique — au sens traditionnel du terme — qui s'est fait de façon décalée sans doute dans le journalisme et l'enseignement secondaire, abandon vers 1890 pour ce dernier, abandon progressif dans la première moitié du XIXe pour le journalisme. Le reporter a donc continué d'utiliser des formes littéraires antérieures et là se pose* tout le problème du rapport entre le journaliste et les formes littéraires : comment le journaliste reprend des formes littéraires déjà diffusées dans le public, ce qui apparaît comme une innovation. Cela faisait quelques années que Virginia Woolf était morte lorsqu'on a dit : c'est une révolution. Le problème n'est pas nouveau : il touche à la façon de travailler du journaliste.

DOMINIQUE WOLTON. — Ce que Mme Kriegel a dit m'a rappelé un propos de R. Aron qui m'avait beaucoup surpris et que je n'avais pas compris au début mais qui me paraît de plus en plus exact au fur et à mesure que je vieillis. Il m'avait dit : « Vous savez, Dominique, en fait, une des principales résistances à la liberté de la presse en dehors des problèmes économiques et des patrons de presse, c'est la pression du lectorat. » J'en ai compris la signification depuis trois ou quatre ans seulement. C'est vrai qu'il y a une pression très forte des lecteurs sur un journal. Un des principaux handicaps à la liberté de la presse, c'est tout de même les conventions, les idéologies, les points de repère, les habitudes du lectorat d'un journal et il faut parfois un certain courage pour aller contre son lectorat et ses pressions. C'est une phrase que je trouve très importante parce qu'on réfléchit aux pressions politiques, économiques, mais on ne réfléchit jamais assez aux pressions conservatrices d'une partie du lectorat.

En second lieu, vous dites que les leaders d'opinion n'existent pas, je sais que vous le contestez depuis longtemps, mais les caractéristiques que vous venez de donner de votre propre fonction, sans dire qu'elles définissent ce qu'est un leader d'opinion, désignent typiquement le rôle de quelqu'un qui n'est ni journaliste, ni strictement universitaire, mais qui, à travers un certain travail, a un regard sur la réalité qu'il s'autorise à communiquer publiquement, régulièrement, et disons que cela contribue à donner le la, à un moment donné, d'une analyse politique — ce la qui change de mois en mois, en fonction des événements ou des problèmes. Les caractéristiques que vous avez données de la fonction que vous occupez correspondent assez bien à une des fonctions occupées par ceux que l'on appelle d'un mot commode, mais qui désigne tout de même une réalité historique précise, le leader d'opinion, quelqu'un qui n'a pas vocation à donner à lui tout seul le sens d'une situation politique, mais qui, du lieu qui est le sien, dit : voilà comment moi, à un moment donné, j'interprète les événements. Cette contribution au sens d'une situation est, à mon avis, typique de cette fonction de *leader d'opinion — ce qui ne veut pas dire, encore une fois, que 20 000 personnes penseront de la même manière que vous après votre papier.*

RÉMY RIEFFEL. — *J'aurais deux questions à poser à Mme Kriegel. Premièrement, vous avez évoqué la notion de guide d'opinion qui vous semble sans fondement : pourriez-vous préciser les raisons de ce diagnostic, parce qu'en écrivant des articles relativement réguliers dans un journal lu par un public important, est-ce que vous n'exercez pas tout de même une certaine influence qu'il est difficile d'évaluer mais dont on peut cependant parler ? Deuxièmement, une question d'actualité : je brûle d'envie de vous demander ce que vous pensez d'un événement qui a fait jaser ces dernières semaines, à savoir la venue du responsable du* Nouvel Observateur *au* Figaro. *Comment l'interprétez-vous ?*

ANNIE KRIEGEL. — *L'influence des leaders d'opinion, c'est un peu le même problème que l'influence des professeurs, à un autre niveau évidemment. Un professeur se demande toujours s'il est écouté, si, ayant été écouté, il a été entendu, si, ayant été entendu, il a été compris, si, ayant été compris, ses élèves ont retenu quelque chose de ce qu'il a dit. Et quand on lit les copies ou les travaux postérieurs, on peut avoir en effet des doutes sur la quantité de déperdition intellectuelle que comporte le métier d'enseignant. Personnellement, je me comporte à l'égard du journalisme et de l'enseignement de la même manière : ce sont pour moi des bouteilles à la mer que je fabrique avec la plus grande conscience mais dont je suis totalement incapable de dire si elles ont servi jamais à quelque chose. Et je n'ai pas les moyens de mesurer et de vérifier qui éventuellement les a repêchées. Voilà tout ce que je peux dire.*

Sur la venue de F.-O. Giesbert : il me semble que plus important que F.-O. Giesbert, il faut se rendre compte qu'il y a un débat permanent et déjà ancien sur : premièrement, la place de la politique dans un journal polyvalent, généraliste comme est Le Figaro *; deuxièmement, le rapport entre le journalisme et la publicité dans ces grands supports de presse. Je n'ai pas d'informations particulières, autres que celles que vous avez lues, sur le groupe Hersant. Il est possible que la télévision soit actuellement la meilleure manière de se ruiner. Je n'en sais rien. Le journal en tant que tel est un journal d'une immense prospérité.*

R. Aron avait bien raison. Il me semble que le plus important, ce n'est pas tant des spéculations sur la situation économique ou sur l'intervention de tel ou tel personnage, c'est le respect de la logique d'une institution telle qu'est devenu Le Figaro, logique de l'institution dont sont imprégnés les lecteurs. De ce point de vue, il arrive un déluge de lettres disant : « *Je lis Le Figaro depuis — alors suivant l'âge — 45 ans, 35 ans, 25 ans, 15 ans et par conséquent, mon Figaro, vous n'allez pas plus me le changer que mon pays, ma langue, mes préoccupations.* » Cette pression du lectorat est considérable.

Lisant le numéro de ce matin, je me disais : « *Est-il vrai que Giesbert existe ?* » On me le dit mais je ne peux pas vous en dire davantage.

Histoire et journalisme.
Remarques sur une rencontre

JEAN-PIERRE RIOUX

Il y eut en France, depuis les années 60, quelques rencontres suivies entre des professionnels venus pour les uns de l'histoire universitaire, pour les autres du journalisme de stricte obédience. Et je tiens à souligner d'entrée de jeu que ce croisement de trajectoires eut quelques effets sur les milieux d'origine.

On comprendra que, par « histoire », il faut entendre ici tout autre chose que cette osmose, dont l'épopée d'ailleurs reste à écrire, qui installa dans notre paysage médiatique, quelque temps après la Libération, une poignée de journalistes-historiens rescapés de Lenôtre et de Bainville, avec ou sans titres de Résistance, qui bâtirent un empire du conte en dentelles et du traumatisme guerrier pour tous. Non pas qu'il faille négliger l'audience et l'apport en termes journalistiques de « La Tribune de l'histoire » ou d'*Historia*, du *Miroir de l'histoire* ou de tels rez-de-chaussée feuilletonesques chèrement disputés dans la presse régionale : les excellents professionnels qui animaient — et animent souvent encore aujourd'hui — cette mouvance ont su exploiter leur veine et ils peuvent tirer gloire d'avoir contribué à massifier la consommation française de l'histoire. Mais leur petit milieu est demeuré clos, cadenassé dans ses thèmes et ses modes de production, encaissant ses rentes de situation. Quel que soit le cadre physique de son expansion, presse quotidienne, magazines spécialisés, émissions ou séries de radio puis de télévision, le genre n'évolue guère et s'est préservé des bourrasques venues de la société, de l'histoire savante ou du journalisme lui-même. A cette règle on ne voit qu'une seule exception, dont l'analyse serait un beau sujet de recherche : le sourire, le talent et le cheminement personnel d'un Alain Decaux. Écartons-la à regret[1].

Notre « histoire » n'est pas davantage ce passe-temps pour ama-teurs distingués, ambassadeurs en transit ou généraux du cadre de réserve, qui donna si longtemps accès aux organes honorables et aux Académies. Quelques journalistes parlementaires, quelques direc-teurs de publications grossissent à l'occasion la cohorte, sans toutefois modifier la règle de ses jeux, assez clos eux aussi. Même s'ils produisent de l'excellente histoire : je pense, par exemple, à un Jacques Chastenet avant les décennies qui nous occupent. A dire vrai, la nouveauté qui donne du sel à « l'histoire » dont je parle ici, c'est l'entrée en journalisme d'hommes et de femmes venus de la planète universitaire et parcourant assidûment l'espace qui la séparait encore, au début des années 1960, de la galaxie de la presse. Et qui l'ont fait dans un esprit, assez inédit, qui mêle sans s'y résumer l'engagement intellectuel, l'expertise, la haute vulgarisation et les éclats de plume, de voix ou d'argent.

Dans le même temps — dans une assez troublante concordance des temps —, des journalistes ont rencontré l'histoire. En l'intégrant mieux à leurs programmes de formation. Et surtout, forts de leur expérience, en construisant une histoire à leur image et dans leurs moyens, dont l'affirmation publique fut riche en best-sellers, en reportages de belle allure rétrospective ou en taux d'audimat flatteurs. Par « journalistes » on entendra la profession entière, à tous niveaux d'autorité et de notoriété, dans son rôle d'information, de commentaire et d'interprétation, dans les compartimentages de moins en moins étanches qui la structurent, de l'échotier à l'éditoria-liste, du reporter au chroniqueur, du rédacteur au courriériste, et dans tous ses états, écrits ou audiovisuels. Car le goût pour l'histoire lui vint peut-être aussi de quelques bouleversements de l'exercice du métier, qui rendaient plus impérative l'exigence de récollection moins pressée et d'analyse mieux distanciée. Pour les journalistes qui ont entrepris de relever ce défi comme pour les historiens profession-nels qui ont pris leurs aises dans la presse, je tenterai, pour répondre quelque peu aux problématiques de ce colloque, d'orienter les remarques qui suivent vers les hommes plus que vers les œuvres, vers la courbe des trajectoires, quitte à conclure en pointillé par une brève analyse des rôles et des apports respectifs.

CÔTÉ COUR : DES JOURNALISTES

Au point de départ du cheminement qui a conduit des journalistes de l'actualité à l'histoire on trouve, bien logiquement, cette quête d'une vérité qui pousse depuis si longtemps la presse, sous toutes ses formes, à considérer que son rôle n'est pas accompli lorsqu'elle a fait savoir. Et qu'après avoir livré l'information avec rigueur et rapidité, l'article ou l'enquête, le reportage ou l'émission construite doivent tenter d'expliquer et même de juger à l'occasion. Ce serait même un trait constitutif de la presse française, si l'on suit le lamento qui accompagne si souvent la comparaison avec les pratiques de l'information dans le monde anglo-saxon, que cette propension, fâcheuse peut-être mais souvent revendiquée, de mêler l'événement et son commentaire, de suivre le plus loin possible une logique qui refuse de ne faire du journaliste qu'un spectateur ou un rapporteur. N'entrons pas ici dans le débat. Car s'il est évident qu'un journalisme installé dans le magistère moralisant de l'interprétation ne fait pas de Watergate ou s'acharne moins à lever ses sources à la fraîche, en revanche une presse de pure information brute frustre à la fois le journaliste et son lecteur ou son auditeur. Ce qu'il suffit d'admettre pour notre propos, c'est cette force qui pousse tant d'hommes de presse à faire acte d'autorité professionnelle en mêlant, et sans admettre que puisse se glisser dans l'affaire quelque confusion des genres, les rôles d'observateur, d'acteur et d'auteur.

Cette ambition, dès lors, dépossède l'historien, au moins pour l'histoire du très contemporain, de son rôle traditionnel de grand préposé à l'ordonnancement des faits dans un récit construit, lisible et significatif, au profit de cette nouvelle race de journalistes entreprenante et polymorphe qui, vers la fin des années 50, produit une histoire dite « immédiate » à coups de reportages, de livres et de séries audiovisuelles. Et à son propos il n'est pas très risqué d'avancer qu'un effet de génération a joué. Car tous ceux qui vont donner au genre ses lettres de noblesse sont nés entre 1912 et 1924, ont vu la décrépitude de certaine presse des années 30 avant d'être happés, étudiants ou déjà journalistes, par la tourmente de la guerre et les chocs de l'immédiat après-guerre. Une Histoire les a frappés de plein fouet aux heures les plus chaudes des engagements de jeunesse : sans doute ont-ils tiré de l'expérience un désir accru, sinon de revanche du moins de compréhension plus aiguë et plus profonde d'un cours du siècle qui les a bousculés ou désorientés. Deux aînés, Serge Bromberger et Jean-Raymond Tournoux, nés en 1912 et 1914, viennent, le premier de la brigade Alsace-Lorraine, le second du *Libération* de la Résistance. Leurs cadets ont eu 20 ans pendant la guerre : Pierre Viansson-Ponté et Henri Amouroux sont nés en 1920 ; Pierre Rouanet, Jean Lacouture et André Fontaine, nés en 1921, vivent Toulouse à la Libération, l'Indochine de Leclerc ou les premières batailles du *Monde* ; Jean Planchais, né en 1922, Jacques Nobécourt, son cadet d'un an, Claude Paillat, né en 1924, ont baroudé du front des Vosges à Diên-Biên-Phu. Ces hommes-là (et j'en oublie sans doute d'aussi notoires) sont, me semble-t-il, entrés en rébellion contre une conception de leur métier qui les cantonnerait dans le rôle passif d'écho de l'actualité, fût-il sonore et entendu. Je ne suis pas assuré que les générations journalistiques suivantes, celle de la guerre d'Algérie ou de Mai 68, n'aient pas été plus oublieuses que celle-ci de cette sorte d'impératif de l'histoire qui traversa ces jeunes gens prometteurs.

Ajoutons qu'au passage les transformations de l'exercice du journalisme ont à leur manière hissé nombre d'hommes de presse à un rang où l'historien entendait jadis régner seul, dans son tourment de la collation la plus systématique possible des sources disponibles, dans sa minutie à les confronter et à les critiquer. On sait quel rôle nouveau et majeur jouent désormais les services de documentation aux alentours d'une rédaction, au point que certains journaux se flattent d'être devenus des quasi-institutions historiques qui mettent à disposition des chercheurs et des curieux leurs dossiers ou éditent leurs morceaux choisis[2]. Le journaliste-enquêteur est aussi flanqué d'une équipe de terrain qui rabat sur le chef d'orchestre une masse documentaire écrite ou parlée dont il tire le « papier » ou l'émission. L'informatique documentaire — doublée de plus en plus souvent par une informatique proprement rédactionnelle — met à la disposition du journaliste les trésors internationaux des bases et des banques de données, soude la chaîne des renseignements instantanés fournis par les agences, les chaînes et les groupes, lance la spirale de l'exhaustivité à grande vitesse, quitte à trop flatter le vieux rêve d'une information bouclée sur elle-même et nourrie de sa seule substance. Ce jeu-là, dont les règles se précisent tout au long des décennies qui nous occupent, peut même enivrer quelque peu les nouveaux démiurges de la source, surtout s'ils appartiennent à la génération pionnière dont on vient de dire les premiers pas : qu'on relise à ce propos d'étranges pages enflammées d'un Jean Lacouture dans *La Nouvelle Histoire*[3]. Mais il est clair qu'il permet au journaliste de maîtriser avec une redoutable efficacité ce qui était jusqu'alors l'apanage de l'historien : le rassemblement utile des sources.

Mieux encore : dans le traitement de celles-ci, le meilleur journalisme a tenu à honneur de ne pas s'écarter des bonnes vieilles règles de la méthode historique, en version « Langlois et Seignobos » ou en teinture *Annales*. Sur ce point capital, le meilleur témoignage est celui de Paul Nizan, dans son introduction à sa *Chronique de septembre*, où le chef du service étranger de *Ce soir* analyse le drame de Munich[4]. Après avoir tour à tour examiné l'apport des nouvelles d'agences, des correspondances, des informations et des documents officiels, il conclut — et la double qualité de ses articles à chaud et de sa *Chronique* six mois plus tard donne un poids singulier à son affirmation : « Le fait " journalistique " n'obéit pas à d'autres règles que le fait proprement historique. (...) Toutes les règles classiques de la critique des témoignages valent donc ici : l'étendue du temps écoulé entre un événement et son récit ne modifie pas essentiellement le problème. L'histoire de ce matin n'est pas justifiable d'une autre méthode que celle du xie siècle ». Nizan, il est vrai, ne peut pas prendre en compte une nouvelle source qui deviendra envahissante, l'image. Mais la rectitude de son analyse est un bon exemple d'une prise de conscience méthodologique dont le journalisme des années que nous observons a su tirer profit.

Faut-il ajouter que le pain quotidien de l'historien, l'événement, prend vers la fin des années 1950 un tour nouveau que l'histoire savante, largement régentée par l'obsession sérielle d'une école des *Annales* qui récuse le « politico-événementiel » et lui préfère les charmes de la longue durée, enregistre difficilement (à quelques exceptions près, où l'on distinguerait aisément de forts visages nanterrois) ? Ce qui, une fois encore, fait jouer le mécanisme de dépossession des historiens par les journalistes. Tout a été dit sur cette mutation d'un événement qui non seulement fait retour mais prend une nouvelle dimension, au point de devenir, selon la formule de Pierre Nora, l' « événement-monstre » que la presse, mieux que l'histoire, sait affronter. Le voici en effet intensément médiatisé, lesté de mémoire et d'imaginaire, plein d'éclairs et de révélations, dénudant la « brèche » et riche en échos : polyphonique et Sphinx, ayant perdu sa sobriété de fait historique bien constitué, aisément repérable et facile à insérer dans une chaîne des causes et des effets[5]. Toutes générations confondues, les journalistes, placés au cœur de l'alchimie qui les transfigure, ont eu à cœur de répondre aussitôt à ses nouvelles provocations, de maîtriser par un écrit, un récit ou un montage cette

196

immédiateté proliférante dont l'actualité enregistre le galop et dont les médias entretiennent le bruit jusque dans les intimités. Événement énigmatique, lignes de force moins visibles, mondialisation des cultures et, bientôt, la crise : autant de nouveautés qui installent le journaliste dans un rôle flatteur d'instituteur et, par le biais de cette légitimation indispensable, d' « historien de l'instant » ; c'est le monde des trois dernières décennies qui donne son plein sens à la formule célèbre du Camus de *Combat*.

Quelques-uns, dans la profession, avaient toutefois senti à temps que seuls une solide culture générale et un sens aigu du relatif préserveraient les nouvelles générations des vertiges de cette vocation en plein renouvellement. Et c'est ainsi que le journalisme rencontre l'histoire par un autre détour, celui de la formation. Exemplaire fut à cet égard l'action d'un Philippe Viannay, fondateur du Centre de formation des journalistes de la rue du Louvre, à Paris, qui allait devenir rapidement la première école française. Donner aux jeunes un système de références, les cultiver donc, tout en développant chez eux responsabilité, précision et souci de la relativité : seule l'histoire, estima Viannay, leur offrira tout cela en bouquet, et davantage encore[6]. Les écoles américaines croyaient que seule la sociologie pouvait donner les clés de l'observation sociale aux jeunes journalistes : Viannay imposa que Denis Richet, François Furet ou Jacques Julliard, puis Jacques Ozouf et Jean Bouvier, relayés ces dernières années par Jean-Pierre Azéma et Jacques Marseille, tinssent un autre discours, qui serait historien. Ils y parvinrent en alternant cours et séminaires, enquêtes et rédactions de mémoires, sessions et confections de magazines d'histoire[7]. Et l'exemple fut contagieux : en liaison souvent avec les Universités, la France est sans doute le pays au monde où l'histoire tienne une si grande part dans les études des journalistes. D'autant qu'aussi nombre d'étudiants d'histoire bifurquent directement vers la presse ou suivent les cycles de formation à la communication et que les Instituts d'études politiques donnent de solides enseignements en histoire contemporaine. Au point que pour le seul CFJ, depuis une dizaine d'années maintenant, 60 % des élèves d'une promotion arrivent à l'école avec un très solide bagage historique, licence, maîtrise ou diplôme d'un IEP. Ajoutons, pour être complet, les petits contingents d'agrégés ou de chercheurs en histoire qui deviennent journalistes sans être passés par une école et renforcent encore la tendance. Citons quelques noms, parmi d'autres, dans la jeune génération : Daniel Lecomte (Antenne 2), François Bazin (La Croix), Jean Lebrun et Marc Riglet (France

Culture), Pierre Assouline (*Lire*), Renaud Fessaguet (France Inter) ou Laurent Joffrin (*Libération* puis *Le Nouvel Observateur*).

Il faudrait naturellement pouvoir mesurer l'effet de cette politique à la Viannay dans les réalisations concrètes, avant de conclure au pari tenu. L'exercice exigerait des enquêtes approfondies qui s'orienteraient autour d'une seule question : les dernières décennies ont-elles vu une amélioration de la qualité historique de l'information et de la création journalistiques ? Nous manquons cruellement d'éléments pour répondre, car si on étudie ardemment le traitement de l'histoire dans les médias [8], l'exercice inverse, le test d'une sorte de nouvelle probité quasi historienne dans le traitement de l'actualité, est trop peu pratiqué. Mais il n'y a pas grand risque à subodorer que ces études aboutiraient à une conclusion fort intéressante pour nous : l'écart est encore très net, qui sépare l'écrit de l'audiovisuel. Comme si donner sa pleine dimension historique à l'actualité relevait plus aisément de l'écriture, du face à face direct entre le journaliste et sa page blanche ou son écran informatique ; comme si, dans le traitement de l'image ou du son, la technique balayait avec insolence le rétrospectif et le comparatif, et si le réalisateur ou le metteur en onde imposaient au producteur ou au rédacteur une sorte de médiatisation au carré qui n'a plus loisir de faire retour sur elle-même et sur son message.

Sous réserve donc d'une meilleure analyse de ces problèmes, il faut provisoirement conclure que la meilleure rencontre entre journalisme et histoire fut écrite, et même vit son écriture démultipliée par un autre médium, l'édition. C'est dans une circulation ininterrompue entre le support de presse écrite, l'émission de radio ou de télévision, le livre et sa critique par les médias que fut, au bout du compte, installée dans notre paysage culturel cette histoire de journalistes qu'imposa la génération citée tout à l'heure. Et je ne vois pas que ce cycle de production ait été bouleversé au fil du dernier quart de siècle. Ici encore, il faudrait de longues recherches pour cerner la pleine originalité de ces livres nés des enquêtes ou des reportages, comme en produisait depuis longtemps la presse anglo-saxonne [9], mais qui dédaignent les formes d'écriture des prestigieux ancêtres nationaux, un Albert Londres, un Joseph Kessel, un Georges Simenon [10] ou même, plus lointain, un Jules Huret. Sous la IVe République, de grands journalistes parlementaires, Fauvet, Barsalou ou Rouanet, avaient rassemblé des articles plus ou moins refondus, pour dire l'histoire encore brûlante de la « mal-aimée ». D'autres, comme Tournoux, avaient lancé le genre des « secrets » mis en forme et dont l'agencement habile tissait une histoire politique de surface[11]. Mais je placerais volontiers la nouveauté à l'aube des années 1960, quand s'installent les séries d'ouvrages et que le succès s'entretient lui-même, dans une attente de plus en plus impatiente du public pour les éclaircissements et les mises en perspective comparatives et critiques d'une actualité dont on soupçonne, sous son désordre apparent, qu'elle a une épaisseur et qu'elle façonne une histoire vivante. « Critique », voilà le grand mot lâché : il scelle la rencontre avec l'histoire des anciens correspondants de guerre et des reporters de *Match*, des arpenteurs de couloirs au Palais-Bourbon et des correspondants particuliers. C'est lui que reprend Jean Lacouture, assez bon exemple personnel de cette offensive d'une histoire « immédiate » qu'il baptisa, à l'occasion de la sortie du numéro 100 de sa collection, quand il déclare avoir toujours voulu faire « des livres non mythologiques, des livres qui exercent, à partir du réel, vécu ou observé immédiatement, la fonction critique[12] ». Sans doute, en ce cas précis, y eut-il une part de hasard et d'improvisation, comme toujours en matière de presse : c'est parce que les éditions du Seuil voulaient s'attacher l'homme de l'Égypte et de l'Indochine qu'elles déroulèrent devant lui le tapis rouge d'une collection dont le nom importait peu. Mais le succès, lui, montra aussitôt la maîtrise des auteurs et l'appétit du public. Étrange conclusion, dira-t-on, qui part des journalistes pour aboutir à des livres. Mais ces volumes ne font que mettre en forme l'évidente nouveauté : une dimension moderne du journalisme ne pouvait plus se dispenser de l'inquiétude rétrospective, de la comparaison dans l'espace et le temps, de la mise en perspective par une histoire dont Fustel de Coulanges, cité par Nizan, disait qu'elle ne résout pas les questions mais qu' « elle nous apprend à les examiner[13] ».

CÔTÉ JARDIN : DES HISTORIENS

Venus de l'autre extrémité de l'horizon, des historiens universitaires ont dans le même temps rencontré le journalisme. Quelques-uns, on l'a vu, ont rompu l'amarre pour devenir journalistes tout court, en suivant les exemples valeureux d'un Georges Bidault ou d'un Pierre Brossolette avant la guerre. Mais sont plus intéressants pour notre propos ceux qui entendent conserver quoi qu'il arrive ce « statut en partie double » dont parle Annie Kriegel. Car c'est bien eux qui vivent le plus intensément ce triple mouvement qui a favorisé

199

la rencontre et où se mêlent — et parfois chez le même acteur — le réflexe, largement hérité, de l'engagement intellectuel et les nouveautés dans l'air du temps : l'une qui médiatise l'histoire savante pour mieux lui faire épouser l'ardeur au passé qui a saisi la société, l'autre qui jette l'historien dans une compétition avec les journalistes et les autres spécialistes des sciences sociales pour mieux saisir le présent.

De l'engagement il y a peu à dire, sous réserve d'une analyse des chocs événementiels, guerre d'Algérie, Mai 68 ou crise des idéologies, qui en ont infléchi les formes et les contenus. Qu'un historien, par vocation d'intellectuel parmi d'autres, intervienne dans le débat public, au nom de cette expertise d'essence fort dreyfusienne qui l'autorise à dire son fait, n'a rien de bien neuf : la race des belles âmes loquaces n'est pas éteinte et rien n'interdit aux historiens de se flatter d'en faire partie. Notons toutefois la sensible nuance qui sépare aujourd'hui les générations. Les anciens, nés de la guerre mondiale ou des guerres coloniales, sont des héritiers fidèles du moralisme dreyfusard ou de l'engagement sartrien et assez rares sont ceux qui ont changé de ton. Ils en ont tiré un sens aigu du bon usage des médias pour porter le message, un goût pour le réseau d'influence, une sorte de rectitude disciplinée et quasi mécanique qui rend parfois leurs « papiers », leurs débats publics ou leurs enquêtes à peu près interchangeables, quelle que soit la cause défendue et dans quelque camp qu'ils se rangent. Dans cette mouvance pour page 2 du *Monde*, que je raille un peu mais qui a sa noblesse, on pourrait ranger, en bel exemple, François Furet et Denis Richet (*alias* André Delcroix et Augustin Picot) au *France-Observateur* de haute époque, Jacques Julliard dans l'actuel *Nouvel Observateur*, Pierre Chaunu et Annie Kriegel au *Figaro*. Retenons toutefois que ce type d'engagement est beaucoup moins pratiqué par la génération des historiens qui aujourd'hui n'ont pas dépassé la quarantaine.

En revanche, aînés et cadets ont allégrement sauté dans le convoi de l'histoire pour tous, consommable, médiatisable, installée dans un statut flatteur de science humaine cardinale et capable de répondre aux interrogations sur le passé, l'identité et les racines qui traversent la société[14]. Cette ardeur eut sa décennie glorieuse, ces années 1975-85 qui séparent le beau doublé *Montaillou-Cheval d'orgueil* des premières interrogations sur l'avenir de la discipline elle-même, au moment précis où retombe « l'effet-patrimoine[15] ». Elle a mis en œuvre tous les genres et habilement utilisé tous les supports : comptes rendus, avec ou sans « ascenseur[16] », chroniques régulières, émissions de radio, feuilletons, séries télévisées, collections en librairie et, inévitables, passages réguliers à « Apostrophes ». Je nous dispense d'une énumération des titres et des noms qui singularisent cette passion de la communication. Une liste exhaustive révélerait qu'elle a saisi des historiens de toute école et de toute origine sociale ; qu'elle distingue l'histoire contemporaine sans négliger, loin de là, les spécialistes des périodes plus reculées ; qu'elle entretient une circulation assez vibrionnaire qui n'est pas sans dangers dès lors qu'elle replie ces médiateurs sur eux-mêmes et rend étanches les frontières entre les fiefs ; qu'elle brouille à l'occasion l'image : l'historien peut devenir un saltimbanque[17]. Ainsi a gonflé la part de l'histoire depuis quinze ans dans les productions médiatiques. Ainsi aussi la profession de l'information a-t-elle non seulement accueilli mais porté des historiens à des postes de responsabilité : Georges Duby à La Sept ou Jean-Noël Jeanneney à Radio France ont signalé avec éclat cette montée en puissance.

Celle-ci, si souvent scandée par les « coups » à faire et les contrats à signer, ne fut pas toutefois la meilleure façon d'imposer l'histoire en journalisme. Il faut, en parallèle et souvent avec des droits incontestables d'antériorité, rappeler que le grand public fut progressivement habitué à lire et à entendre les universitaires à travers ces rubriques fixes où s'établit la familiarité avec l'expertise. Chroniqueurs du *Figaro* ou du *Monde*[18], inlassables producteurs des « Lundi de l'histoire » sur France Culture[19] ont donné sans flonflons au public cultivé la recension régulière des meilleurs crus de la production savante ou « grand public ». Les plus importants quotidiens de Paris ou de province, les hebdomadaires et nombre de magazines se sont attachés les loyaux services d'un historien[20]. Les radios ont, à l'occasion, convoqué l'histoire pour une série ou un commentaire. Seule la télévision n'a pas donné dans cette régularité, à l'exception des soirées électorales d'Antenne 2 au cours desquelles René Rémond, en politologue, il est vrai, mais tout autant en historien, assure l'indispensable « effet-mémoire » qui renforce singulièrement le commentaire[21]. Ce long travail de patience, cette mise en confiance du lecteur ou de l'auditeur ont sans doute plus largement contribué — que la série prestigieuse qu'on oublie — à installer l'histoire en journalisme, sans confusion des genres et avec beaucoup d'attention réciproque.

Signalons enfin une nouveauté qui ne concerne qu'une partie de la corporation historienne mais dont on soupçonne qu'elle pourrait à l'avenir modifier quelques règles du jeu : l'affirmation d'une histoire dite « du temps présent », qui met des historiens de métier en compétition directe avec les journalistes de « l'histoire immédiate » pour la « couverture » de phénomènes très contemporains, voire d'actualité chaude[22]. Dans tous les lieux où elle s'exerce — et, autour de René Rémond, l'Université qui organise ce colloque fut un des plus féconds —, cette histoire-là vit de confrontation directe et permanente entre l'historien, l'acteur-témoin et le médiateur ; elle puise dans l'immédiateté les thèmes de recherche et de réflexion qu'elle traite ensuite à sa façon ; elle interviewe et elle visionne des images, elle saisit le document brut à la source encore chaude, comme sait le faire une rédaction. Comment ses praticiens pourraient-ils se dispenser d'aller à la rencontre, tous sens critiques en éveil, de ces journalistes entêtés d'histoire que je décrivais tout à l'heure ? Et de conclure avec eux non pas des rectifications de frontière ou des pactes de non-agression mais un accord de reconnaissance bilatéral qui ne dispense pas de rêver à une coopération économique ?

J'ai distingué pour la commodité de l'exposé un certain nombre de cas de figure. Ils sont, pour tout dire, largement artificiels. Car un des traits saillants des quinze ou vingt dernières années serait plutôt le mélange des genres et, pour parler comme Pierre Bourdieu, une tendance ostentatoire au « multipositionnement ». Sous chacune des rubriques que je viens de détailler, on mettrait aisément les mêmes cinq ou six grands noms d'historiens qui chassent d'une rive à l'autre, taillent des empires ou ratissent au large de leur spécialité. Le même auteur paisible de comptes rendus peut être chroniqueur plus nerveux dans un hebdo ou à la radio ; l'éditorialiste change de bureau et retrouve sa collection ou sa série télévisée ; l'intellectuel engagé ne dédaigne pas toujours le poste honorifique qui en fait un homme de médias. Même si, et il faut le dire assez haut, ces historiens conservant leur statut de service public ne sont à jamais et très moralement que pigistes — sauf rarissime exception dans la presse, moins rare pour l'édition et la radio.

On me permettra de prendre congé sur ce point en citant comme assez significatif de l'évolution qui vient d'être esquissée un lieu où la rencontre des historiens avec la presse fut facilitée : cette revue, L'Histoire, lancée en 1978 et qui vend désormais à 80 000 exemplaires chaque mois la prose illustrée des universitaires et des chercheurs. Elle a eu un directeur qui présidait la Fédération nationale de la presse spécialisée. Ses conseillers de direction feuilletonent au Monde ou à L'Événement du jeudi, enseignent à Sciences Po ou cherchent au CNRS. Son premier rédacteur en chef était certifié d'histoire et, à son comité de rédaction, Jean Lacouture a fraternisé avec de chers docteurs. L'exemple est sans doute trop étroitement spécialisé. Mais il signale ce phénomène plus ample qui attend lui aussi... son histoire.

Cette double rencontre entre journalisme et histoire ne risquerait-elle pas de tourner à la confusion des genres et des êtres ? Je ne le pense pas. Tout dérapage est possible, toute inflexion d'une trajectoire personnelle est justifiable et la vie quotidienne dans ce milieu à double entrée révèle, comme ailleurs, sa part de frustrations et d'appétits, ses contradictions et ses échecs. Il me semble néanmoins que le glissement des rôles n'est pas si fréquent. Du côté des journalistes, les progrès de la formation historique sont indéniables et le traitement de l'information ne dédaigne plus cette épaisseur temporelle qui la rend plus intelligible, même si l'histoire dite « immédiate » n'a plus le souffle d'il y a quinze ans [23]. S'active toujours ce reporter ou ce chroniqueur qui n'admet pas cette fatalité du métier : l'actualité est oublieuse et le médium n'a pas d'autre mémoire que sa propre suffisance. Ce journaliste-là, travaillé par le désir d'être acteur, de rendre au décuple la vie à laquelle il a participé et qu'il décrit, se fait un jour « mémorialiste de la vie », pour reprendre le beau mot de Pierre Rouanet [24]. Garder la vie en vie, mettre en œuvre toutes les techniques documentaires qui entretiennent sa respiration, opérer à chaud dans l'excitation permanente d'un bouche à bouche appliqué à l'actualité : voilà son histoire. Les historiens, eux, ont su conserver ces secrets du métier qui leur permettent, nous dit Annie Kriegel [25], d'intégrer plus aisément que le journaliste empêtré dans l'actualité « les données lourdes dans ses calculs » ; et, mieux encore, ajoute René Rémond, leur discipline seule « donne à un événement toute sa place et rien qu'elle [26] ». On se risquera même, pour finir, à dire que l'historien, fût-il peu ou prou journaliste, participe d'une très longue histoire nationale qui a fait de sa science très humaine une officine où s'élaborent les processus de légitimation d'une société et d'un peuple par les chansons de geste et les éclats de la mémoire. Ce qui le distingue du journaliste voué à l'actualité éphémère, c'est cette vocation non pas à étudier le passé, mais à dire le sens du temps.

1. L'affaire est en outre d'autant plus passionnante qu'Alain Decaux se considère d'abord comme « écrivain ». Voir son interview dans *Lire,* mars 1979, pp. 23-36.

2. En bel exemple, *L'Histoire au jour le jour (1944-1985)*, Paris, La Découverte-Le Monde, 1987, réalisé sous la direction conjointe d'un journaliste, Daniel Junqua, et d'un historien, Marc Lazar. Il faudrait analyser cette profusion de dossiers documentaires, de chronologies commentées, d'albums-souvenir, de rétrospectives que publient et parfois reprennent en ouvrages tant de journaux français, dans un esprit mêlé d'information distanciée et de célébration d'une culture d'entreprise.

3. Jean Lacouture, « L'histoire immédiate », *in* Jacques Le Goff, Roger Chartier et Jacques Revel (dir.), *La Nouvelle Histoire*, Retz, 1978, pp. 280-281.

4. Paul Nizan, *Chronique de septembre*, préface d'Olivier Todd, Gallimard, 1978, p. 13.

5. Voir le numéro pionnier de *Communication*, n° 18, 1972, consacré à l'événement ; l'article de Pierre Nora, « Le retour de l'événement », *in* Jacques Le Goff et Pierre Nora (dir.), *Faire de l'histoire*, Gallimard, 1974, pp. 210-228 ; *L'Événement*, colloque du Centre méridional d'histoire sociale, Aix, Publications de l'université de Provence, 1986.

6. Il s'en explique dans ses récents mémoires, *Du bon usage de la France*, Ramsay, 1988, pp. 296-298.

7. Voir par exemple, *1957. La France grippée*, CFJ, 1987.

8. Je pense en particulier aux travaux en cours d'Isabelle Veyrat-Masson sur l'histoire à la télévision.

9. Un exemple classique : Alexander Werth, *La France depuis la guerre (1944-1957)*, Gallimard, coll. « L'Air du temps » dirigée par Pierre Lazareff, 1957.

10. Voir Georges Simenon, *A la découverte de la France*, UGE-10-18, 1987.

11. Son premier ouvrage du genre, *Carnets secrets de la politique*, Paris, Plon, 1958, s'ouvre sur l'avertissement suivant : « L'histoire écrite par les contemporains reste de la polémique. Mais ce livre n'a pas l'ambition d'écrire toute l'histoire de certains événements ; en revanche, sans alimenter des controverses partisanes, il espère apporter, pour l'avenir, une contribution à l'aide de témoignages, de documents, de précisions. » Il serait utile d'analyser comment et pourquoi cette modestie initiale s'est transformée chez Tournoux en vision plus ample de l'histoire « secrète ». Dans le même esprit, c'est tout le travail de Robert Aron qu'il faudrait examiner, de l'*Histoire de Vichy* (1954) à sa revue-livre, *Histoire de notre temps*, dont le premier numéro sort chez Plon au printemps 1967 : « L'histoire, dit-il dans son éditorial de lancement, est pour une part la survie de l'actualité. Nous voudrions par ce recueil aider celle-ci à survivre. »

12. Interview de Jean Lacouture, *27 rue Jacob*, n° 176, avril 1974. Le premier volume de la collection, signé par Tibor Mende, sort en 1962. Il serait intéressant de comparer son catalogue avec celui des « Grandes études contemporaines » chez Fayard et la production de Plon, qui imposèrent aussi bien le genre. Et même de saisir le tour de main de chacun sur un thème : par exemple, de Gaulle chez Rouanet, Viansson-Ponté et Lacouture, l'armée chez de La Gorce, Nobécourt et Planchais, l'Algérie chez Aron et Courrière.

13. Paul Nizan, *op. cit.*, p. 18.

14. On en prend claire conscience à la fin des années 1970. Voir Jean Lebrun, « L'aménagement du territoire de l'historien », *Projet*, n° 125, mai 1978, p. 519-529, et Jean-Pierre Rioux, « L'histoire saisie par les media », *Esprit*, septembre-octobre 1979, pp. 20-24.

15. Voir Jean-Pierre Rioux, « L'émoi patrimonial », *Le temps de la réflexion*, VI, 1985, pp. 39-48 et Félix Torres, *Déjà vu*, Paris, Ramsay, 1986.

16. La pratique peut irriter tel journaliste : voir Pierre Enckell. « Ces historiens qui vous racontent des histoires », *L'Événement du jeudi*, 31 décembre 1987.

17. Voir Jean-Noël Jeanneney, « L'Historien et le " saltimbanque " », *Autrement*, n° 88, mars 1987, pp. 175-177.

18. Pour le quotidien du soir, successivement André Latreille jusqu'en 1972,

Jean-Marie Mayeur et Jean-Pierre Rioux, avec des collaborations régulières de Gillet, Pierre Sorlin, Emmanuel Le Roy Ladurie, Pierre Goubert, Ran Hal, Michel Sot, Roger Chartier, etc.

19. Jacques Le Goff, Denis Richet, Pierre Sipriot et Philippe Levillain.

20. Citons, sans être exhaustif, Pierre Chaunu et Annie Kriegel au *Figaro* (et, pour cette dernière, à *L'Arche*), François-Georges Dreyfus au *Figaro Magazine*, Alain-Gérard Slama au *Figaro* et au *Point*, Fred Kupferman et Emmanuel Le Roy Ladurie à *L'Express*, Michel Winock à *L'Événement du jeudi*, Mona Ozouf, André Burguière, François Furet et Jacques Revel au *Nouvel Observateur*, Laurent Theis au *Point*, Michelle Perrot et Arlette Farge à *Libération*.

21. René Rémond s'en explique dans sa contribution aux *Essais d'ego-histoire*, Gallimard, 1987, p. 329.

22. Voir *Histoire et temps présent*, CNRS-IHTP, 1980. En 1981-82, le séminaire de François Bédarida à l'École normale et à l'EHESS examina les rôles respectifs de l'historien, du journaliste et du mémorialiste dans cette production d'histoire du temps présent : j'y ai puisé force indications utiles (interventions de François Bédarida, Alfred Grosser et Pierre Rouanet notamment).

23. Détail amusant : au Seuil, où Jean-Claude Guillebault a pris la succession de Jean Lacouture à la tête de la collection « L'Histoire immédiate », une nouvelle collection parallèle, sous la responsabilité de Hervé Hamon et Patrick Rotman, s'intitule « L'épreuve des faits ». Revanche, regret, mutation ?

24. Au séminaire cité de François Bédarida.

25. Annie Kriegel, Introduction à *Réflexion sur les questions juives*, Hachette-Pluriel, 1984, p. 11.

26. René Rémond, *op. cit.*

Les journalistes
~ntre l'opinion publique
et les hommes politiques

DOMINIQUE WOLTON

Depuis une vingtaine d'années, un grand nombre de travaux insistent sur la dégradation de la vie politique démocratique, sous l'influence des médias, puis des sondages et du marketing politique. Le thème de la politique spectacle résume assez bien ces critiques qui insistent sur le rôle essentiel joué par les médias et les journalistes dans cette dégradation : la logique du scoop, du spectaculaire et du sensationnel dénature progressivement un jeu politique déjà complexe. C'est cette idée, largement répandue, qui est mise en cause ici. Il n'est pas question de passer d'un extrême à l'autre et de dire que la presse n'a pas de responsabilité, mais plutôt d'étudier l'ensemble des relations dans lesquelles celle-ci est engagée. L'étude de ces relations fait ressortir qu'en dépit des apparences, la situation des journalistes n'est pas si brillante qu'il y paraît. Dans un espace élargi de la communication politique, dont ils sont apparemment les grands vainqueurs, il leur est en réalité assez difficile de tenir leur place. Celle-ci est menacée par les sondages et les hommes politiques eux-mêmes. Autrement dit, c'est au moment où les médias semblent triompher que se pose non pas le problème de la visibilité et de l'autonomie des journalistes mais celui de leur capacité à maintenir leur position dans une communication politique où leur approche souvent critique risque d'être mise en cause.

En réalité, c'est l'ensemble des rapports entre les journalistes, les hommes politiques et l'opinion publique qui a changé et dans ce changement, la situation des journalistes[1] est moins triomphante qu'il n'y paraît. La communication politique entendue comme le lieu d'échange des discours politiques contradictoires tenus par les trois acteurs que sont les journalistes, les hommes politiques et l'opinion publique au travers des sondages, valorise certes les médias puisque aujourd'hui l'essentiel de la communication se fait par leur intermédiaire, mais cette valorisation ne signifie nullement le triomphe de la logique journalistique. Tout le problème pour les journalistes est de préserver leur démarche d'information, souvent critique, dans un univers où la valorisation de la communication ne signifie pas systématiquement la défense des valeurs de l'information.

La place plus grande des hommes politiques et de l'opinion publique dans cette nouvelle configuration, réduit l'autonomie et la marge de manœuvre des journalistes, en ce sens où ceux-ci n'ont plus le monopole de la communication. Hier, celle-ci était en grande partie assurée par la presse. Aujourd'hui, les politiques eux-mêmes et l'opinion publique au travers des sondages deviennent des acteurs directs de cette communication élargie dont les journalistes ne sont qu'un des partenaires.

C'est donc moins le triomphe de la politique spectacle qui est à craindre au sens où la politique serait saisie par la logique spectaculaire des médias que l'inverse, c'est-à-dire un jeu politique dans lequel les médias conserveraient un rôle mais avec une place réduite accordée aux valeurs de l'information.

LA NATURE DES RELATIONS ENTRE JOURNALISTES, HOMMES POLITIQUES ET OPINION PUBLIQUE

Journalistes-hommes politiques

Dans l'histoire de la démocratie, le couple journaliste-homme politique est inséparable tant l'affirmation lente et difficile des hommes politiques à travers leur lutte pour le suffrage universel et la démocratie s'est faite avec l'appui direct de la presse. Mais l'autonomie de la presse, et plus particulièrement celle des journalistes, à l'égard des hommes politiques, est plus récente et variable selon les supports (presse écrite, radio, télévision).

L'affirmation de l'autonomie des journalistes, notamment en France, a été un processus lent, rendant caduques les thèses du quatrième pouvoir qui confondent le rôle évidemment spectaculaire de la presse dans nos pays avec son pouvoir réel.

Autrement dit, le changement vient davantage de la visibilité plus grande des médias, avec la radio et la télévision, que de leur plus grande influence. Cette visibilité des médias, et l'écho qu'ils assurent à la politique, se traduit aussi par une capacité plus grande des hommes politiques à se servir des médias et donc à savoir résister à la pression critique des journalistes. L'écho apporté par les médias au jeu politique est finalement à double tranchant : il valorise les journalistes, surtout de télévision, mais il réduit aussi leur marge de manœuvre. D'abord parce que l'information est plus institutionnelle, compte tenu de l'échelle de masse de diffusion des messages et aussi parce que les hommes politiques, qui sont finalement les vraies vedettes, ont appris à desserrer l'étau des journalistes.

La place des médias de masse dans la politique aboutit donc à une conclusion légèrement contradictoire avec le sentiment immédiat. Si dans un premier temps, les journalistes ont été les bénéficiaires de cette mutation, il apparaît dans un second temps que l'habitude acquise par les hommes politiques d'utiliser les médias met les journalistes dans une position moins favorable. La concurrence — pour autant que le recul de moins de trente ans soit suffisant — hommes politiques-journalistes est pour le moment plus au détriment des journalistes qu'en leur faveur. Si ceux-ci ne s'en rendent pas davantage compte c'est parce qu'ils confondent les paillettes, le strass, la « starisation » de leur univers professionnel avec leur influence réelle. C'est aussi parce que les hommes politiques ne se rendent pas facilement compte de ce changement de rapport et ne souhaitent pas — quand ils en ont conscience — parler de ce changement. Il est toujours de bon ton de se plaindre de la presse et de ses pouvoirs, même si l'on en est plus le bénéficiaire que la victime !

Journalistes-opinion publique

Là aussi la complémentarité est d'autant plus naturelle que, historiquement, la presse s'est développée parallèlement à l'affirmation de l'existence de l'opinion publique. Aujourd'hui, les deux sont solidaires et ne peuvent exister l'un sans l'autre. Le public des médias, c'est l'opinion publique, finalité et destinataire de l'information et l'opinion publique ne peut se manifester et s'exprimer qu'à travers les sondages, largement commentés dans les médias. Dans cette interaction naturelle, non seulement les médias commentent les sondages, mais ils en sont de plus en plus les principaux commanditaires. La place croissante de la presse dans le système politique s'accompagne donc depuis une vingtaine d'année d'une présence de plus en plus forte de l'opinion publique à travers les sondages, surtout en période électorale. Médias et sondages sont d'ailleurs du même côté, celui de l'information, l'action étant plutôt l'apanage des hommes politiques. Les médias informent sur l'état de l'opinion publique et celle-ci devient un élément sur lequel s'appuyer dans le rapport de force permanent avec le pouvoir politique. Hier, c'était au nom du droit à l'information que les médias essayaient de conserver une indépendance par rapport au pouvoir politique ; aujourd'hui c'est également au nom de l'opinion publique qu'ils interrogent les acteurs politiques.

Hommes politiques-opinion publique

L'homme politique, en démocratie, parle à l'opinion publique, mais il est élu par le corps électoral. Tout le problème consiste dans la nature des relations entre l'opinion publique et le corps électoral. Tant qu'il n'y avait pas de mesure de l'opinion publique, le décalage pouvait être assez grand, chacun se construisant une représentation de l'opinion publique à travers les quelques témoignages recueillis dans son entourage ou apportés par la presse. La question essentielle en suspens concernait le rapport entre cette appréciation subjective de l'opinion publique et le comportement du corps électoral. Pour les élections locales et régionales, la question pouvait être résolue puisque l'acteur politique disposait, de par son implantation, du nombre d'informations, de réseaux, d'expériences, des relations... lui permettant d'apprécier réellement le rapport de force. La difficulté était toujours plus grande au plan national et les hommes politiques n'avaient souvent que la presse comme baromètre de l'opinion publique.

Les sondages ont aujourd'hui radicalement changé cette situation, rendant l'acteur politique plus autonome, notamment à l'égard de la presse. La difficulté pour lui est de savoir ce qu'il fait de cette information et comment il l'intègre dans son analyse politique. Mais, grâce aux sondages, il est dans un contexte moins aveugle et en tout cas moins dépendant vis-à-vis de la presse. Finalement, chacun des trois acteurs a vu son rôle augmenter : c'est évident pour les hommes politiques et les médias, mais tout autant pour l'opinion publique au travers des sondages. Non seulement chacun de ces acteurs joue un rôle plus important, mais il dispose également d'informations plus nombreuses, fournies par les médias ou par les sondages. Certes, l'opinion publique n'est pas, au sens strict, un acteur, mais la représentation plus fiable qu'en assurent les sondages lui confère une certaine objectivité sociographique qui intervient évidemment dans l'appréhension de la réalité faite par les citoyens et donc partiellement sur leurs opinions ou leurs votes. Les sondages ne font pas l'opinion publique mais en lui offrant une sorte de miroir, ils facilitent un processus de représentation de l'opinion publique par elle-même dont la conséquence est de conférer une plus grande « réalité » à l'opinion publique. Cette « incarnation » constitue donc un élément d'information réellement nouveau pour le citoyen dans le système de négociation permanent que constitue le mélange des opinions politiques, des faits, et de l'opinion publique. C'est donc à la fois l'identité et la visibilité de chacun des trois protagonistes de la communication politique qui s'en trouvent élargies.

LE RÔLE DES JOURNALISTES DANS LE CONTEXTE DE LA COMMUNICATION POLITIQUE

Leurs forces

L'augmentation impressionnante du nombre des journalistes[2], liée à la multiplication des médias écrits et audiovisuels renforce l'existence d'un milieu professionnel et, d'une certaine manière, son indépendance à l'égard du pouvoir politique. Certes, tous les journalistes ne sont pas en mesure de s'opposer aux hommes politiques et la hiérarchie au sein du milieu professionnel de la presse est telle que peu de journalistes sont en relation fréquente avec les acteurs, et encore moins nombreux sont ceux susceptibles de s'y opposer. Mais il existe cependant une sorte d'effet de groupe.

D'une certaine manière, l'extension de la sphère politique au-delà de la croissance de l'information politique qui en ressort appelle aussi un renforcement du contre-pouvoir que constitue la presse. C'est donc le poids plus grand aujourd'hui du pouvoir politique qui justifie auprès de l'opinion publique et des électeurs que la presse, dans sa diversité politique, continue de mêler information et contre-pouvoir. Dans le contexte de ce rapport de force élargi, les journalistes disposent de certains atouts. Le premier est directement lié à l'élargissement du débat public qui consacre naturellement le rôle de la presse. La presse, entre deux élections, est le seul endroit où il est possible de mettre en cause le pouvoir politique, de l'interroger et d'une certaine manière de relativiser le discours officiel. L'acceptation définitive de l'alternance dans tous les pays démocratiques renforce la situation de la presse qui est le contre-pouvoir naturel.

Le second atout de la presse est sa capacité à réagir à l'événement et à le traiter. La politique se caractérise avant tout par un programme d'action, même si les événements viennent régulièrement en perturber le calendrier, voire le dénaturer. Or les événements, qui obligent les acteurs à manifester leurs capacités d'adaptation, sont l'élément naturel de la presse, la matière première de son travail et la justification finale de son existence.

Le traitement de l'information politique, lié directement à l'élargissement du domaine politique s'accompagne, quasi proportionnellement, d'une augmentation du nombre d'événements inattendus.

Son troisième atout, dans un jeu politique élargi, résulte de sa capacité à sentir les évolutions et les ruptures. La presse, par nature, est curieuse et s'intéresse à ce qui bouge. Certes, cette curiosité est limitée par les effets de mode, de conformisme, et le manque de culture, mais elle est de toute façon plus large que celle du milieu politique. Gouverner rend en quelque sorte aveugle et la presse constitue souvent les principales lunettes des hommes politiques. Aussi limitée que soit l'ouverture de la presse sur la société, elle l'est souvent plus que celle des hommes politiques.

Le dernier atout concerne son rôle dans la contre-identification à l'égard des hommes politiques. La personnalisation de la politique, renforcée par la logique des médias, trouve dans l'identification aux médias, et en quelque sorte aux journalistes, une échappatoire à la logique de la politique spectacle. Cette fonction de contre-identification est beaucoup moins vraie pour les autres activités sociales, scientifiques ou culturelles. Mais en politique, le phénomène est massif et les médias constituent à la fois la voie d'accès à cette « politique spectacle » *et* le moyen de s'en maintenir à distance.

Leurs faiblesses

Les journalistes sont d'abord des « papillons de l'événement », rebondissant facilement d'un événement sur l'autre mais avec le défaut complémentaire d'aborder les sujets au gré de l'actualité, un événement chassant l'autre. Par nature, tout ce qui est nouveau attire le journaliste, plus encore si les sujets paraissent controversés (cf. l'appétit pour « les affaires », l'espionnage, les scandales politico-financiers). L'arbitraire dans le traitement de l'information est renforcé par le fait que la presse privilégie le milieu politique, même si elle ne cesse de vanter les vertus de la société civile et de la nécessité de sortir du parisianisme (65 % des journalistes français vivent à Paris...)! C'est pourtant avant tout les faits et méfaits du microcosme qui intéressent la presse, notamment parce qu'il s'agit d'un milieu qu'elle connaît bien, en tout cas mieux que de nombreux milieux sociaux, culturels, religieux...

Sa faiblesse complémentaire est la trop grande sensibilisation au court terme et à ce qui est visible. Tout ce qui n'est pas dans l'espace public est beaucoup moins facilement repéré par les médias qui en arrivent souvent à éclairer encore plus ce qui est déjà visible et à éloigner encore plus ce qui ne l'est plus. L'intérêt du court terme, qui correspond incontestablement à la mission de la presse, renforcé par la politique institutionnelle et « l'effet de microcosme », renforcent l'impression finalement à l'origine du thème de la politique spectacle : presse et politique, en dépit de leurs obligations mutuelles, marchent main dans la main.

Autrement dit, le poids de la politique institutionnelle renforcé par le fait que tout le monde aujourd'hui peut accéder aux médias, conforte ceux-ci dans le sentiment de traiter tous les problèmes importants de la société. Les médias confondent leur lumière avec la lumière du monde. Quand les médias critiquent, à juste titre, la thèse du « tout spectacle », ils oublient en général de voir leur responsabilité dans cette perception.

La dernière faiblesse concerne la compétence professionnelle des journalistes. Si ce handicap est moins visible en politique que dans les autres domaines de l'information (science, éducation, culture, médecine...), il n'en demeure pas moins réel, notamment pour ce qui concerne les relations avec tous ceux, universitaires, experts et spécialistes, qui travaillent aussi sur le domaine politique mais avec une tout autre approche. Il y a une sorte de « droit de suite » à l'information qui n'est pas assez exercée par les médias.

Les journalistes n'ont pas d'hostilité à l'égard de ces autres professions mais ils manquent souvent, dans l'ensemble, de curiosité à leur égard, prétextant le manque de temps ou le caractère trop technique de leur discours. Seuls les journalistes les plus compétents restent demandeurs d'analyse complémentaire, mais dans l'ensemble la presse, comme le pouvoir politique, a tendance à se replier sur elle-même, un peu comme si le caractère finalement hasardeux voire dangereux du monde était tel que l'envie d'en savoir le moins possible l'emportait sur celle de savoir. La presse se trouve dans une contradiction difficile : elle affirme vouloir tout dire et montrer, et

les moyens techniques aujourd'hui le permettent mais, simultanément, l'élargissement du champ de la politique ne rend pas les
hommes plus sages. La conséquence de cette double évolution risque
donc de conduire à une représentation encore plus chaotique du
monde. Cette contradiction est donc difficile à vivre et beaucoup la
résolvent en ne voulant pas trop savoir et en préférant suivre cette
logique de l'événement qui agace tant, mais qui est aussi un des
moyens de résister au sentiment désagréable d'être accoudé, impuissant, au balcon de l'histoire.

Les difficultés

Le rôle croissant de l'opinion publique au travers de la multiplication des sondages modifie le statut des journalistes : ceux-ci ne
peuvent plus être le porte-parole de l'opinion publique puisque ce
sont les sondages qui l'assurent. Ainsi cette opinion publique qui fut
si importante pour la presse joue-t-elle un rôle croissant, sans que les
journalistes en profitent : en s'affirmant par l'intermédiaire des
sondages, elle se passe d'eux. La presse est de moins en moins le
porte-parole de l'opinion publique. La « sociographisation » à
laquelle elle aboutit est plus utile aux acteurs politiques qu'aux
médias puisque la logique représentative est davantage conforme à la
logique politique qu'à la logique de l'information.

En effet, *l'information-sondage* n'est pas liée à un événement mais
à une question posée : que pense l'opinion publique à tel instant sur
tel sujet. Par contre, *l'information-événement* repose sur une logique
plus arbitraire, liée aux événements et qui, par définition, n'est jamais
représentative. Si les deux sont évidemment nécessaires à l'espace
public, elles n'ont pas le même poids.

La première, par son caractère représentatif, est finalement un
prolongement de la démarche représentative démocratique au
domaine de l'opinion publique. La seconde est toujours dérangeante
puisque, par nature, 80 % des événements à l'origine de l'information sont imprévus et perturbent le calendrier des acteurs politiques.

Le décalage entre ces deux logiques de l'information ne peut que
s'accentuer et comme la logique de l'information-événement ne peut
elle-même que se développer avec la multiplication et la concurrence
des médias comme avec les possibilités de couverture immédiate des
événements dans le monde, on risque d'arriver à une situation
désagréable. Celle où l'on se méfierait de plus en plus des informa-
tions-événements, porteuses, par nature, d'inattendu et sources de

problèmes, pour leur préférer les informations-sondages qui ont au moins l'avantage de renvoyer à l'identité de la communauté.

Le problème n'est donc pas la concurrence entre ces deux sources d'information, mais l'écart entre les deux espaces de légitimité. L'information-événement renvoie à l'idéal démocratique, mais avec tous les aléas de l'histoire, l'information-sondage donne à voir au contraire les facteurs plus profonds de l'identité sociale et culturelle d'un groupe. Même si l'on n'est pas d'accord avec un sondage, on ne le conteste pas car il s'agit de l'opinion de ceux qui, globalement, appartiennent au même espace social et culturel que soi. Les deux informations sont donc largement complémentaires sur un plan théorique, mais concurrentes dans la représentation de la réalité à laquelle elles renvoient. Dans un cas, c'est l'imprévu et le désordre, dans l'autre c'est la représentation de soi-même au travers de la communauté.

Cette difficulté est renforcée par l'accroissement de la politique institutionnelle, conséquence naturelle de l'élargissement du champ de la politique. Tout ce qui est reconnu comme politique dans une démocratie devient l'objet d'un traitement institutionnel. Cette institutionnalisation de la politique conduit à un élargissement de l'information politique institutionnelle qui est, d'une certaine façon, le moyen de réduire le décalage entre l'étendue du champ de l'information et ce qui fait l'objet réel d'un traitement politique. Le risque de fragilisation des démocraties vient de cette disproportion entre le nombre de sujets politiques et sociaux traités par les médias et ceux sur lesquels les hommes politiques et la société ont en réalité prise. L'institutionnalisation de la politique, et donc de l'information, est un moyen pour réduire ce décalage mais il a pour conséquences d'encadrer davantage le travail de la presse et d'en réduire partiellement la marge de manœuvre.

L'information institutionnalisée se rapproche davantage de l'information-sondage que de l'information-événement, risquant d'accentuer également la disproportion entre les deux sources d'information. Tout le problème pour la presse est de conserver en mémoire le fait que l'ensemble des phénomènes sociaux et politiques ne peut faire l'objet d'un traitement institutionnel et que sa tâche reste autant dans la couverture de la partie visible et officielle de la politique et de la société que dans l'élucidation de ce qui est non officiel, parfois non visible et non légitime.

LES ENJEUX

Le premier est la proportion à maintenir entre l'information représentative et non représentative. On a vu que tout, de l'extension de la sphère politique au poids croissant de l'opinion publique matérialisée dans les sondages, conduit à accroître l'information représentative, au sens où celle-ci reflète, ou en tout cas tient compte assez objectivement du rapport de force politique légitime à un moment donné. Mais chacun sait bien que la vie politique ne s'arrête jamais et les forces d'opposition — surtout les mouvements sociaux — remettent régulièrement en cause la légitimité et la représentativité de ceux qui gouvernent.

L'institutionnalisation croissante de la vie politique ne change donc pas fondamentalement ce rapport de force permanent entre légitime et illégitime, représentatif et non représentatif. Et s'il est naturel que la partie de la politique liée à la sanction démocratique par l'élection ait tendance à ne parler que de la politique institutionnelle légitime, il est également naturel que la presse demeure attentive à l'autre face de la société politique celle qui n'est ni légitime ni représentative, mais qui peut le devenir demain. La difficulté pour la presse est de maintenir une sorte de balance égale entre les deux au moment où la partie du jeu politique, liée au vote, ne cesse d'augmenter, réduisant d'autant la légitimité de ce qui lui échappe.

La représentativité croissante de la politique est une chance potentielle pour la presse parce qu'elle l'oblige à affirmer encore plus nettement sa base de légitimité qui n'est pas liée à l'élection, mais à une *valeur*, celle de l'information, indispensable au jeu politique. Mais dans les rapports de force quotidiens, une valeur vaut moins qu'une légitimité représentative ! Et c'est en cela que la part croissante prise par la logique représentative de la politique peut tout aussi bien être un piège pour la presse. La multiplication des supports d'information plus ou moins liés aux partis politiques, municipalités, régions, augmente le volume d'une information plus « sérieuse » et « responsable » que celle fournie par la presse.

Le second enjeu concerne la différence à maintenir entre information et communication. Plus la politique est institutionnalisée et plus la sphère de la communication légitime s'élargit, chacun ayant de bonnes raisons de dire quelque chose à quelqu'un. D'autant que la multiplication des techniques de communication offre des possibilités toutes trouvées et que les programmes sont moins nombreux que les supports ! Dans cet élargissement de la communication, la presse est mal à l'aise car l'ouverture de cette concurrence qui mélange communication et information ne correspond pas forcément aux critères traditionnels de la presse. A la croissance inquiétante du nombre de journalistes, s'ajoute la difficulté d'en contrôler la compétence, et le mélange des genres d'informations, municipales, politiques, régionales, commerciales, réduit également la part de l'information strictement de presse.

Dans un espace saturé d'information, l'information générale de la presse, qui traite le plus souvent des sujets graves, ne bénéficie plus de la même curiosité qu'il y a un siècle sauf quand il s'agit de scandales ! En outre, la presse doit se démarquer de ce mélange fréquent entre information et communication au moment où la communication est parée de toutes les qualités. Les journalistes, dans ce contexte, pourraient bien apparaître parfois comme des « empêcheurs de tourner en rond ».

Bien évidemment, information et communication ont de nombreux points communs ; cependant la mission principale de la presse n'est pas de faire de la communication, mais de l'information. Cette vision restrictive, au moment où tout le monde parle à tort et à travers d' « échange », « relation », « information », oblige les journalistes à une attitude plus stricte qui risque — non pas actuellement, mais dans quelques années — d'être mal comprise. La différence de nature entre information et communication est d'autant plus difficile à maintenir, même si elle est indispensable, que le journaliste est objectivement un médiateur, le rapprochant du statut de communicateur. Mais ce dont il est porteur et qui justifie son travail va bien au-delà de la simple médiation. Il est le citoyen « délégué » à connaître le plus possible d'événements et de faits pour les traduire en informations à destination du public qui en a besoin comme élément d'information pour son jugement politique.

On comprend que cette attitude restrictive — peu visible encore aujourd'hui où information et communication sont encore très liées — risque d'être difficile demain pour les journalistes parce qu'elle aboutit à maintenir une définition *stricte* de la presse. Il ne serait pas impossible que les journalistes soient alors, d'une certaine manière, absorbés dans le maelström de la communication et troquent en partie l'idéologie de l'information qui est la leur au profit de celle, moins contraignante, de la communication. Par leur travail, ils restent à mi-distance de l'opinion publique et des hommes politiques et la logique de l'information représentative comme de la communication peut conduire à les marginaliser en prétextant, au nom du modernisme qu'ils défendent, une conception « dépassée » de la presse.

En fait, et c'est le dernier enjeu, il faut maintenir le journaliste dans ce statut d'intermédiaire et de point de bascule. Il ne peut se rapprocher ni d'une logique de la communication ni d'une logique de l'opinion publique ou de la politique. Il n'est pas non plus un spécialiste comme peut l'être un fonctionnaire ou un universitaire. Autrement dit, le nombre d'acteurs qui ont progressivement grignoté le champ de l'information est grand, en apportant à chaque fois une dimension soit politique, soit technique que n'apporte pas la presse. Ces concurrences de fait présentent un aspect déstabilisant, d'autant, on l'a vu, qu'elles se sont imposées au départ en s'appuyant sur la légitimité de l'information et de la communication dont la presse était porteuse.

La difficulté pour la presse est d'admettre qu'elle est en partie dépossédée de sa légitimité mais que son rôle n'est pas pour autant remis en cause, même s'il est difficile à maintenir dans le tohu-bohu de l'information.

En réalité, la position occupée par le journaliste est centrale et l'on s'en apercevrait immédiatement si la presse ne l'occupait pas ! Par contre, elle est moins visible et d'une certaine manière moins prestigieuse qu'il y a cinquante ans. Cette conception de l'information universelle, faite par un journaliste généraliste, à destination d'un public anonyme, a quelque chose de frustrant bien qu'elle corresponde très exactement au statut de l'information dans une démocratie.

---

1. Parler « des journalistes » peut paraître contestable quand on sait les hiérarchies qui existent dans cette profession et les différences radicales entre la presse écrite, parlée et audiovisuelle. Mais il s'agit ici d'une analyse structurelle qui examine le statut et le rôle de la presse, et non l'étude du comportement strict de tel ou tel groupe de journalistes.

2. 13 635 journalistes ayant la carte en 1975 en France contre 21 740 en 1985, soit une augmentation de plus de 50 % — chiffres cités dans « 50 ans de carte professionnelle — profil de la profession — Enquête socio-professionnelle », Commission de la carte d'identité des journalistes professionnels, 1985.

DISCUSSION

APRÈS LES INTERVENTIONS
DE J.-P. RIOUX ET D. WOLTON

Yves Lavoinne. — *Lorsque D. Wolton envisage que l'une des forces du journalisme est de travailler à la logique de l'événement contre celle de la représentation, je me demande si cette logique de l'événement n'est pas elle-même travaillée par la logique de la représentation. Par exemple, tel événement peut être disqualifié parce que ses acteurs ne sont pas jugés assez représentatifs.*

Deuxième remarque, la légitimité du journaliste provient de l'information et du travail individuel, j'en suis bien d'accord, mais est-ce qu'une source de légitimité n'est pas, ou n'était pas, la capacité du journaliste à se présenter comme le représentant du public, c'est-à-dire, à avoir le regard de Candide pour dire les choses un peu naïvement ?

Marc Martin. — *A propos de cette concurrence entre journalistes et politiques qui me paraît être, en effet, un élément essentiel des problèmes de l'information et de la communication politiques à l'époque contemporaine. Assurément, il y a eu une autonomie grandissante des journalistes depuis un siècle, toutefois avec des ruptures à l'intérieur de cette évolution, elle n'est pas continue, et je me demande si nous ne sommes pas à un moment où elle s'inverse, parce que l'un des points culminants de cette évolution dans la période contemporaine a été le mouvement des sociétés de rédacteurs. Or les sociétés de rédacteurs ont connu un échec qui me paraît définitif dans le cours des années 70. Est-ce que c'est une rupture temporaire, un temps d'arrêt dans ce renforcement des journalistes ou est-ce une inversion de cette évolution ?*

218

Une deuxième remarque : cette position de concurrence varie selon la conjoncture. Une conjoncture de crise peut véritablement changer les termes du rapport. Cet avantage du politique sur le journaliste que vous avez reconnu, qui me paraît tout à fait juste en temps normal, est-ce que le politique le conserve dans une situation où surgit l'événement ? Il y a l'exemple de Mai 68 où le journaliste était avantagé par rapport au politique, et son intervention, notamment par l'intermédiaire de la radio, plaçait les hommes politiques, en particulier ceux qui détenaient le pouvoir, dans une situation difficile.

Dernière remarque sur les sondages. Est-ce que les sondages sont un tel risque pour les journalistes ? Qui lance des sondages ? Bien souvent, c'est la presse qui les finance, il y a tout de même là un filtre pour la profession, un moyen de limiter le risque.

Rémy RIEFFEL. — *A propos de la rencontre entre histoire et journalisme, y a-t-il eu marginalisation des intellectuels ? Ne faudrait-il pas distinguer deux types d'intellectuels, ceux qu'on peut grossièrement appeler les intellectuels traditionnels qui restent à l'écart des médias et les voient avec une certaine méfiance et d'autre part des intellectuels « médiatiques » de plus en plus nombreux et qui tiennent le haut du pavé ?*

Deuxième observation : je ne suis pas sûr que les journalistes pratiquent une logique de l'événement par rapport à une logique de la représentation. Tout de même, ces journalistes dont on parle véhiculent, transmettent, diffusent des images, et donc une certaine représentation des hommes politiques. Il y a au contraire, me semble-t-il, un processus de « labellisation » de plus en plus fort depuis quelques années.

Jean-Pierre RIOUX. — *Effectivement il y a eu un phénomène de compensation dès lors que sur l'événement, du fait de la médiatisation de plus en plus forte d'un présent que l'on cherchait à rendre historique, les journalistes, au moins dans les années 60 et au début des années 70, ont été en avance. Ceci parce que la discipline historique, telle qu'elle était pratiquée universitairement, n'était pas prête, à quelques exceptions près — il y en a eu de prestigieuses, ici même à Nanterre — et qu'elle refusait encore assez largement l'événement.*

A propos de la reconnaissance des pairs, je crois que c'est relativement vrai du côté des journalistes, puisqu'il y a une sorte de sas, de relais qui est le milieu de l'édition pour assurer son bon fonctionnement. Du côté des historiens, je serai beaucoup plus réservé car c'est bien plutôt le reproche inverse qui est fait à ceux qui se dispersent ou s'agitent dans les univers médiatiques.

Dominique WOLTON. — J'établis effectivement entre la logique de l'événement et la logique de la représentation une distinction théorique ; par définition dans la réalité, une bonne partie des événements sont liés à la politique officielle, donc à des événements représentatifs, et il est vrai que les journalistes légitiment ainsi des hommes politiques. D'ailleurs, l'un des défauts des journalistes, lié à un manque de compétence, vient du fait qu'ils ont toujours tendance à s'adresser aux mêmes partenaires. La semaine dernière, à un colloque à l'Unesco sur le problème des médias et du sida, tous les médecins présents reprochaient aux journalistes de ne faire toujours appel qu'aux trois, quatre mêmes professeurs, alors qu'il y a des oppositions théoriques et cliniques très fortes sur la question du sida, et des dizaines d'initiatives de prévention dont la presse ne parle jamais. Il y a donc des effets de légitimation et de relégitimation. Mais d'un point de vue théorique, tant qu'on admet l'existence d'une presse libre susceptible de rapporter ce qui se passe, la logique de l'événement l'emportera toujours.

Je suis d'accord avec ce que dit M. Martin, là où le rapport de force s'inverse, c'est en temps de crise. On cite toujours Mai 68, mais il y a eu aussi décembre 1986, le mouvement des étudiants. Les hommes politiques en temps de crise sont capables de paniquer et de perdre leur capacité d'intervention. Les journalistes sont alors, en permanence, obligés de rendre compte d'autre chose. Donc c'est un rapport de force. Ce sont deux légitimités qui s'opposent et plus vous avez des journalistes ou des patrons de rédaction compétents, plus ils sont capables d'assumer cette légitimité de l'information. Mais le risque le plus catastrophique serait que la logique de l'information devienne exclusivement une logique de la représentation.

C'est vrai que la position des journalistes dans la communication politique est différente selon que l'on est en situation normale, en situation électorale et en situation de crise. Là où les journalistes peuvent récupérer un maximum d'autonomie et valoriser au mieux leur fonction, c'est évidemment en temps de crise.

Sur le problème de l'opinion publique. On ne peut réduire l'opinion publique aux sondages. Néanmoins, leur apparition a posé un problème redoutable à la presse et aux journalistes, parce que pendant un siècle, la presse avait incarné l'opinion publique, le public. Il n'y avait pas de représentation de ce public en dehors d'elle. Nous avons aujourd'hui, grâce aux progrès des sondages, une sociographie extrêmement précise, et il faut que la presse puisse revendiquer un nouveau rapport au public. Et c'est d'autant plus difficile que cela exige de revendiquer un rapport qualitatif, autrement dit qu'elle ne soit pas une représentation sociographique, et que le lien contienne quelque chose de subjectif. A mon avis, c'est la seule chance de la presse, mais ce n'est pas gagné.

Quant à dire que les sondages politiques ne sont pas un risque pour les journalistes parce que ce sont les journaux qui les financent à plus de 60 %, eh bien non ! au contraire, ce n'est pas rassurant parce que les journaux creusent eux-mêmes la fosse dans laquelle ils sont en train de tomber.

Le problème est que les journalistes ont tendance de plus en plus à abandonner leur stricte logique, pour se caler sur la logique représentative des sondages. Le fait qu'ils soient les principaux commanditaires des sondages ne change rien. Aucun rédacteur en chef n'aurait le courage de ne pas faire des sondages sa boussole dans les deux, trois mois d'une campagne électorale. Ce serait souhaitable pour l'avenir de la presse et des sondages qu'il en soit autrement, mais pour l'instant je ne le constate pas.

Sur l'échec des sociétés de rédacteurs, je n'ai pas de réponse. La seule idée que j'ai en tête, à l'observation rapide de la presse depuis trente ans, c'est qu'autant la presse dans l'ensemble a toujours bien paré les pressions politiques, autant la faiblesse des journaux et des journalistes se situe sur le plan économique. Par exemple, les points de faiblesse pour l'avenir du Monde sont directement liés à une insuffisante prise en compte de la logique économique. Les journalistes sont imbattables sur les problèmes politiques, mais en ce qui concerne le problème économique, par quoi ont passé toujours les prises de contrôle, les disparitions de titres, etc., il y a difficulté à traiter le problème. Ce n'est pas que les informations soient compliquées à comprendre ou à obtenir, mais il y a une espèce de réticence profonde et à mon avis c'est quelque chose d'assez culturel. Je pense qu'on ne peut pas être journaliste politique, puisque dans l'ensemble ce sont eux qui tiennent les journaux, et être compétent en gestion : ils doivent à la fois penser les problèmes politiques du pays, les problèmes internationaux, comprendre les rapports de force. S'il faut en plus qu'ils intègrent dans leur propre stratégie professionnelle l'ensemble des données économiques, qui sont pourtant déterminantes pour la survie de leur journal... c'est difficile. Je crois que l'avenir pour les sociétés de rédacteurs, qu'elles prennent cette forme juridique ou une autre, serait d'avoir des capteurs d'information suffisamment compétents sur le marché boursier, de telle sorte que les stratégies de presse qui passeraient par des coups boursiers, puisqu'elles passent toujours par là, soient mieux maîtrisées. Par exemple, à propos du Monde, il y a eu récemment deux manipulations, les journalistes boursiers et financiers ont mis en garde leurs collègues, mais ils n'ont pas été crus, et là je n'ai pas d'explication, je le constate simplement.

Pour répondre à la question de Rémy Rieffel, c'est vrai qu'il y a toujours eu deux groupes d'intellectuels, les intellectuels médiatiques et les intellectuels traditionnels, et je partage sa crainte que le groupe des intellectuels médiatiques devienne trop gros, étant donné que je suis pour une cohabitation du monde académique et du monde de la communication, mais à condition que chacun des deux conserve sa légitimité spécifique. Et il est vrai qu'une des menaces qui guette le monde académique, tellement dévalorisé actuellement comme modèle culturel, est que la presse soit considérée comme un système de légitimation et de valorisation. Si M. Pivot a tant d'importance, ce n'est pas seulement qu'il réalise le principal magazine culturel, mais c'est que toute autre valorisation du monde culturel, notamment académique, s'est effondrée dans ces trente dernières années.

Quatrième partie

LE POUVOIR DES JOURNALISTES, LES JOURNALISTES ET LE POUVOIR

Le journaliste, témoin ou acteur ?

PIERRE BARRAL

Quand des hommes politiques sont désavoués par l'électorat, ils mettent volontiers en cause la malveillance des journalistes, qui rapporteraient leur action avec une hostilité systématique et qui monteraient ainsi l'opinion contre eux. Certains de ceux-ci, assurément, dans la presse de parti, se veulent des militants engagés pour la défense de leurs idées : ils considèrent que l'information sélectionnée doit servir la cause de leur camp et qu'ils n'ont pas à faire à leurs adversaires le cadeau de l'objectivité. Leur orientation tendancieuse est explicite et avouée. Mais aujourd'hui, en Occident du moins, il ne s'agit plus que d'une faible minorité. La plupart des chroniqueurs prétendent ne chercher que la vérité, toute la vérité et rien que la vérité. Ils proclament avec insistance qu'ils sont seulement des témoins, soucieux de saisir et de présenter les faits tels qu'ils sont. L'accusation de provoquer les catastrophes par leurs révélations leur paraît une dérobade commode pour un pouvoir qui n'admet pas ses erreurs et ils se donnent la mission de dévoiler les manœuvres qui se trament dans l'ombre, afin de permettre au citoyen de se prononcer en pleine liberté.

Selon cette thèse banalisée, quand le journaliste « fait son métier », comme il dit, c'est-à-dire quand il développe son investigation pour en publier aussitôt les résultats, il n'exercerait qu'une fonction d'enregistrement, sans mener une action politique. Une telle conception me semble mériter de la part de l'historien quelques réflexions critiques mais non polémiques. Sans contester la bonne foi des intéressés, nous pouvons nous demander, afin d'ouvrir un franc débat, si le témoin ne devient pas souvent en fait un acteur, peut-être à son insu ou contre ses intentions.

Tout d'abord, l'enregistrement brut d'un événement dans la conscience collective modifie par là même sa nature. Une virtualité encore indécise durcit ses contours et diffuse ses effets par résonance. Ainsi, le 15 novembre 1986, quelques amphis se mettent en grève à l'Université de Villetaneuse, un peu perdue dans la banlieue. Mais, note un observateur, « cela suffit pour alerter la presse et, deux heures plus tard, deux journalistes arrivent au milieu de l'assemblée générale des grévistes. " Notre grève, ce n'est pas du bidon, puisque *Libération* et *Le Monde* sont là ", déclare, sous les ovations, l'un des orateurs qui tient la tribune. Comme si cette seule présence conférait une réalité supplémentaire, une légitimité particulière à la grève[1] ». Il s'y est ajouté l'appui de commentaires approbatifs, mais même si le récit avait été parfaitement neutre, il aurait déjà facilité le développement du mouvement anti-Devaquet. Et, dans le billard des partenaires sociaux, les protestataires savent faire rebondir leur coup par l'écho que lui donnent les médias : ainsi en choisissant en 1962 Jean Gabin, et non un inconnu, comme cible d'une manifestation symbolique contre les cumuls fonciers.

On l'a compris quand on a réglementé la publication des sondages en matière électorale. Non seulement par l'exigence que soient indiquées les conditions techniques de l'enquête (questionnaire, date, échantillon retenu...), pour en permettre la critique, au moins de la part des initiés. Mais aussi par l'interdiction de toute information à ce sujet dans la période précédant immédiatement le scrutin. Il a paru en effet, à juste titre je crois, que certains électeurs en seraient influencés artificiellement. Car, au lieu de se prononcer selon leur intime conviction, ils seraient portés à se rallier à celui qui est donné gagnant (c'est, disons, le réflexe du tiercé). Et, dans le même sens, les partisans des candidats distancés seraient plus souvent découragés par l'échec prévu que réveillés par le défi.

Si la règle du secret existe aussi dans les affaires judiciaires, elle y est fort mal respectée, car le fait divers passionne les lecteurs et les rédactions satisfont ce penchant avec complaisance. « L'affaire Grégory » réunissait à cet égard les ingrédients les plus alléchants : mort d'un enfant, lettres anonymes, meurtre d'un suspect, rumeurs sur un autre... La présence massive des journalistes sur la Vologne a sans aucun doute beaucoup compliqué la recherche du coupable. Il en avait été de même il y a trente ans pour « l'affaire Dominici », dans les Basses-Alpes. En août dernier, une télévision empressée interviewait en Allemagne les auteurs d'une prise d'otages ; la *Saarzeitung* reconnaissait ensuite : les journalistes « en ont trop fait » et la *Stuttgarter Zeitung*, « la presse a tout gâché ». Lors des poursuites récentes contre Michel Droit, on a pu écrire que « la presse sempiternelle accusée a joué comme d'habitude son rôle d'amplificateur [2] ». Le juge d'instruction a consenti trois interviews, le procureur général à la Cour de cassation s'est exprimé à la radio, son premier président a ajouté à un communiqué écrit une déclaration au journal télévisé. Il s'agissait, il est vrai, d'un terrain explosif, de ce paysage audiovisuel qui fascine tant le microcosme parisien.

L'informateur peut se trouver entraîné plus loin qu'il ne le voudrait. Au soir du 11 mai 1968, les hommes de radio qui ont transmis en direct le dialogue téléphonique entre Alain Geismar et le recteur Chalin cherchaient seulement à livrer l'actualité toute chaude. En fait, en plaçant cette négociation à portée de millions d'auditeurs, ils l'ont empêchée d'aboutir. Puis leur annonce de la première barricade a déclenché un processus d'imitation généralisée. Sans y avoir visé consciemment, ils ont fourni le canal par lequel le mouvement étudiant s'est alors étendu sur tout le Quartier latin avec une force irrésistible.

Quelques semaines plus tard, gouvernement, patronat et confédérations ouvrières signaient les accords de Grenelle et croyaient terminer une grève d'immense ampleur. On sait comment, le lendemain, l'assemblée générale de Renault refusa la reprise du travail. Cette séance tendue a été souvent racontée mais incomplètement expliquée. Du moins Eugène Descamps, alors secrétaire général de la CFDT, note-t-il justement : « Des éléments que les leaders syndicalistes qui négociaient n'ont pas assez pris en considération, ce sont les transistors. De même que, pendant la guerre d'Algérie, ils avaient joué un rôle décisif auprès du contingent, de même j'ai été frappé, en rentrant, de constater que tout le monde était déjà au courant. Nos négociations se déroulaient bel et bien sur la place publique. Les journalistes, à l'affût de la moindre information, la renvoyaient immédiatement sur les ondes. Chez Renault, quand Séguy est venu faire son compte rendu de mandat, les grévistes savaient à peu près ce qu'il allait dire. Or, ils voulaient autre chose [3]. »

A un degré supérieur d'intervention, l'autorité doit faire face à la représentation amplifiée de l'opposition effective. Le général Noriega, le leader panaméen désavoué par Washington, a reproché « à la presse internationale d'avoir contribué à l'aggravation de la situation en diffusant des images de violence, qui ne correspondent pas à la réalité ». « Les chaînes de télévision américaines, relevait-on, sont plus particulièrement visées par cette critique, car leurs images sont diffusées au Panama par la chaîne de l'armée américaine, à l'intention des dix mille hommes stationnés dans les bases situées le long du canal [4]. » En ce cas, il est évident que cette insistance ne s'explique pas par l'ardeur du zèle professionnel, mais par une manœuvre consciente pour déconsidérer un dirigeant devenu indésirable et pour le contraindre à se retirer. La surinformation est ici employée comme une arme du combat politique.

L'interview peut également engager les médias malgré eux. Le journaliste sérieux se donne pour programme de poser à la personnalité qu'il interroge les questions que voudrait formuler le lecteur ou l'auditeur. Aux États-Unis, on sait que cela se pratique sur un ton d'agressivité indiscrète. Le président Eisenhower, gloire nationale, fut souvent importuné sur l'état de sa santé. Et il y a quelques mois le présentateur vedette Dan Rather s'est permis de harceler le vice-président d'alors George Bush sur l'affaire de l'Irangate et de le relancer après une réponse qu'il trouvait évasive. Leur dialogue crispé a plutôt profité au responsable politique, qui, par sa vigueur de riposte, a dissipé l'impression courante qu'il était « un mollasson ». Pour un aimable confrère, le chroniqueur était sorti de sa fonction : « Qui l'a nommé l'ayatollah hurlant de la vérité [5] ? »

Il en est plus encore ainsi devant un public français. Nos compatriotes attendent du questionneur une écoute courtoise, ils accordent aisément au questionné le bénéfice de la bonne foi et ils sympathisent avec lui s'il est trop vigoureusement pressé dans ses retranchements. Nos journalistes le savent bien et malgré leur complexe d'admiration envers les grands confrères d'outre-Atlantique, ils s'abstiennent de ferrailler. Par là même, ils donnent à l'homme politique l'avantage de parler sans être vraiment contredit. La complaisance peut aller très loin, jusqu'à une soumission de confident approbatif ; elle n'est pas choquante dans une émission de propagande explicite, telle que les entretiens du général de Gaulle avec Michel Droit en 1965. Mais il arrive à l'interviewer d'être piégé dans cette contrainte. Jean-Marie Le Pen exploite habilement l'exigence d'objectivité qui s'impose à ses interlocuteurs. Il appuie ainsi sa campagne sur leur collaboration forcée, alors qu'au fond d'eux-mêmes, ils lui sont presque tous farouchement hostiles.

L'enquête comporte aussi des effets plus ou moins voulus et le journalisme d'investigation tire parfois fierté de ses hauts faits. La plus belle réussite en restera longtemps la série du *Washington Post* sur le scandale du Watergate. C'est bien la curiosité de Carl Bernstein et de Bob Woodward, documentés par l'informateur *Deep throat* et soutenus par leur directeur, qui accroche l'affaire. « Attention à l'hagiographie ! », prévient toutefois André Kaspi[6]. Il faudra d'autres acteurs, les commissions parlementaires, les procureurs judiciaires et la Cour Suprême, pour contraindre à la démission le président des États-Unis. Il demeure qu'en cette circonstance la presse s'est réellement affirmée « le quatrième pouvoir ». Chez nous, *le Monde* a suivi cet exemple prestigieux dans l'affaire Greenpeace, avec un résultat plus limité : si Charles Hernu a dû rendre son portefeuille ministériel, il n'a pas perdu sa popularité.

Observons à cet égard le rôle que joue *Le Canard enchaîné*. Il n'a guère à rechercher les informations confidentielles, elles viennent d'elles-mêmes. Des fonctionnaires ou des initiés, sincèrement choqués de certains comportements ou visant à déconsidérer leurs adversaires, font parvenir des documents, dont l'authenticité ne peut généralement être mise en doute. Et leur publication par « l'hebdomadaire satirique », comme on dit, alimente le débat politique. Sans parler d'exemples plus anciens, la révélation de la feuille d'impôts de Chaban-Delmas a nui assurément aux ambitions présidentielles du maire de Bordeaux. La fronde est dirigée par priorité contre la droite, mais son anticonformisme anarchisant n'épargne pas les gouvernements de gauche. Si aucun pouvoir ne goûte ce sel amer, la pose de micros pour déceler la source des fuites a fait lamentablement fiasco. Ce canal critique jouit donc d'une impunité sacro-sainte, quoique l'opinion l'englobe dans son scepticisme global sur les arrière-pensées des médias.

Le cas des otages français au Liban confirme a contrario ces observations. Certes, on a beaucoup parlé des victimes de cette barbarie inqualifiable. Joëlle Kauffmann a lutté sans relâche pour ne pas laisser oublier son mari et Antenne 2 a rappelé chaque soir le sort des séquestrés. Cette tactique a été contestée, car l'évocation quotidienne des otages donnait plus de prix à leur capture. Mais le choix du silence, qu'ont fait les Anglais et les Allemands, n'a nullement procuré de résultats plus favorables. En revanche, il est vite apparu que les informations fournies sur les négociations engagées suscitaient confusions et surenchères. Les gouvernements successifs ont donc réclamé, et obtenu dans l'ensemble, une discrétion méritoire de la presse. Tout en montrant la joie des libérations partielles, celle-ci n'a évoqué que par de vagues allusions les conditions de la séquestration comme le déroulement des pourparlers. Sa discipline a été peut-être facilitée par la solidarité corporative, la moitié des otages étant des journalistes. Une telle autocensure, évidemment raisonnable, montre bien que, dans un processus en cours, l'acte d'informer n'est pas neutre, qu'il infléchit le comportement des partenaires. On en trouverait d'innombrables exemples dans l'histoire de la diplomatie.

Il faut enfin prendre en compte les déséquilibres de l'information transmise par les médias : certains événements sont couverts avec beaucoup plus d'ampleur que d'autres. La presse internationale a ainsi présenté longuement, au début de 1988, les manifestations des Palestiniens dans les territoires occupés par Israël, avec le harcèlement de la répétition sous des titres privilégiés. Le paroxysme en a été l'image de soldats brutalisant avec des pierres de jeunes protestataires. Des millions de spectateurs ont pu contempler cette scène de violence, grâce au téléobjectif d'un reporter américain. Celui-ci n'était sans doute mû par aucune passion partisane, seulement par l'attrait d'un scoop qui a dû être bien payé. Ce n'en était pas moins objectivement une action de propagande contre Israël et les antisionistes l'ont abondamment relayée.

Si on prend cependant un peu de recul[7], l'enregistrement de ce geste condamnable n'a été rendu possible que par le libéralisme de l'occupant envers le travail des journalistes : il les laissait circuler sur le terrain des affrontements et les restrictions introduites depuis lors restent limitées. Or, il n'y a pas de doute sérieux que les États arabes ont vécu ces dernières années des drames plus graves : la répression des Frères musulmans en Syrie, la reconquête du Kurdistan irakien ou la reprise par la force de la grande mosquée de La Mecque. Mais il n'y avait pas de caméra pour filmer ces événements sanglants. Quand la nouvelle en a filtré dans la presse, elle était tardive, partielle, incertaine. Le contraste est d'ailleurs en ce cas si flagrant que l'opinion en a vite pris conscience et que les amis d'Israël sont parvenus à atténuer l'effet négatif de cet épisode.

En est-il de même pour la guerre du Vietnam et pour la guerre d'Afghanistan ? La réponse apparaît moins nette. La première a été suivie de près par les médias américains, qui l'ont fait vivre concrètement par les foyers dans toute son extension dramatique. Après un temps de cohésion nationale, la lassitude devant cette représentation lancinante a engendré l'impopularité de l'entreprise et, avec d'autres facteurs certes, elle a poussé le gouvernement des États-Unis à décider le retrait de ses troupes. Les opérations soviétiques en Afghanistan ont été au contraire rapportées avec plus de discrétion et illustrées seulement par des images de pacification victorieuse. Cet effort pour minimiser et justifier l'intervention à Kaboul n'a pourtant pas empêché la diffusion progressive d'une information souterraine, à l'occasion notamment des obsèques des soldats tués. Et le mécontentement latent a poussé ici également à un infléchissement de la politique suivie, à la faveur du changement de la direction suprême.

Le déséquilibre dans l'information peut donc être conscient et volontaire. Ceci n'est pas le privilège des régimes qui se réclament d'une idéologie exclusive et qui lui subordonnent tous les moyens d'expression. Dans notre libéralisme occidental, il arrive que des journalistes se laissent conduire par leurs préférences personnelles. Tout d'abord en mêlant information et commentaire, en appuyant leur argumentation sur des faits opportunément sélectionnés et en orientant ainsi la lecture de ceux-ci. Parfois aussi en masquant volontairement des nouvelles gênantes. Jean Lacouture l'avoue avec loyauté, à propos des guerres de décolonisation. « A trois ou quatre reprises, j'ai gardé pour moi des nouvelles nuisibles à ce que je jugeais fondamentalement juste, et qui pouvaient servir trop puissamment les adversaires d'une politique à laquelle je m'étais en mon for intérieur associé. Sur le plan professionnel, ce sont incontestablement des manquements à une certaine déontologie professionnelle à laquelle je suis, pour l'essentiel, attaché. Sciemment, pour des raisons politiques ou idéologiques, j'ai tu certaines choses pour ne pas nuire à un certain camp. L'engagement alors, c'est le silence. C'est la mutilation du reportage, de l'information. Le reconnaître, c'est admettre une faute professionnelle. Je le fais... Quelques mensonges par omission ont fait de moi, par sympathie pour les révolutionnaires vietnamiens ou les combattants algériens, une sorte d'infra-militant à éclipses[8]. » Et plusieurs de ses confrères ont agi de même, en faveur du Vietcong comme des Khmers rouges.

De toutes ces déformations, hâtons-nous de le dire, l'historien n'est pas non plus toujours innocent. Il peut, lui aussi, taire des réalités qui lui déplaisent, souligner à l'excès d'autres plus conformes à ses préjugés, en déformer pour les modeler selon ses préférences. Prenons donc également pour notre compte les avertissements que je me suis permis de formuler. Et puisque nous avons le bénéfice du recul sur le journaliste pressé par l'actualité, imposons-nous davantage encore la rigueur de la vérification et l'exigence de l'équilibre.

1. *Le Monde Campus*, 18 décembre 1986.
2. *Le Monde*, 11 décembre 1987.
3. *Militer*, Fayard, 1971, p. 120.
4. *Le Monde*, 30 mars 1988.
5. *Le Monde*, 15 février 1988.
6. *Le Watergate*, éd. Complexe, 1983, pp. 12-16.
7. Cf. le dossier critique de *Télérama*, 16 mars 1988.
8. *Un sang d'encre*, Stock, 1974, pp. 326-327.

L'espoir perdu
des sociétés de rédacteurs
(1965-1981)

MARC MARTIN

Les sociétés de rédacteurs ou de journalistes, qui se sont constituées surtout vers la fin des années soixante, notamment dans un certain nombre de rédactions de la presse écrite, affirmaient le droit de la collectivité des rédacteurs à contrôler les grandes orientations de leur entreprise. Leur objectif était donc l'établissement d'une sorte de « pouvoir des journalistes » sur chaque organe d'information. Au détriment bien sûr des détenteurs traditionnels de l'autorité, directeurs et propriétaires.

Comment rattacher les débuts de ce mouvement, qui est une des originalités de l'histoire récente des médias et des journalistes de notre pays, au passé de la presse française, comment comprendre son échec, scellé en quelques années, après les espérances levées en Mai 1968 ?

LE MOUVEMENT DES SOCIÉTÉS DE RÉDACTEURS JUSQU'AU DÉBUT DE 1968 ET SES ANTÉCÉDENTS

Bien qu'il ait existé antérieurement des associations assez voisines à *France-Soir* et à *Sud-Ouest*, la première société de rédacteurs a été, on le sait, celle du *Monde*, créée au cours de la crise du journal en 1951 pour apporter le soutien de la rédaction à Hubert Beuve-Méry[1]. La société de rédacteurs du *Monde* ne présente donc pas seulement l'originalité d'être la première, elle a aussi celle d'avoir été fondée en harmonie avec le directeur du journal, non pour le combattre ou lui faire contrepoids, ce qui explique sans doute sa réussite exceptionnelle.

233

Dès la fin de 1951, elle était associée au capital de la SARL « Le Monde », ce qui rendait nécessaire son accord pour le choix du directeur. En mars 1968 une nouvelle modification des statuts portait ses parts à 40 % et lui donnait le même poids qu'aux membres fondateurs et cooptés[2].

Il a fallu quatorze ans avant que la rédaction du *Monde* fût imitée. Ce n'est qu'en 1965 que furent créées de nouvelles sociétés de rédacteurs, à *L'Alsace*, aux *Échos*, et surtout à *Ouest-France* et au *Figaro*[3]. Ces deux dernières comptaient plus de deux cents membres chacune et l'importance des titres donnait à ces fondations un relief particulier. Le mouvement était désormais lancé. En décembre 1967, les représentants de dix-sept sociétés créaient la Fédération française des sociétés de journalistes et élisaient à sa tête Jean Schwoebel, président de celle du *Monde* et apôtre de ces conversions[4].

Ces sociétés étaient des sociétés anonymes, mais à capital réduit, généralement ouvertes à tous les journalistes mensualisés depuis un an. Parfois le nombre d'actions auxquelles on pouvait souscrire variait selon l'ancienneté dans la rédaction, comme au *Figaro* et à *Ouest-France*. Là où elles existaient, elles regroupaient la quasi-totalité des rédacteurs.

A la veille des événéments de mai 1968, il existait une vingtaine de sociétés de journalistes. Le mouvement paraissait donc marginal au sein de la presse française, même s'il affectait surtout de grands quotidiens. Surtout implanté à Paris, il touchait presque exclusivement la presse écrite et laissait à l'écart l'essentiel de l'audiovisuel. Il n'avait pas pris pied au sud de la Loire et paraissait plus à l'aise dans des provinces de tradition catholique.

Toutefois ce bilan ne rend pas exactement compte de la pénétration de ses idées. L'attitude des plus importantes de leurs organisations syndicales permet de la mesurer dans le milieu des journalistes. Tout en affirmant que les sociétés de rédacteurs ne sauraient se substituer au syndicat, le Syndicat national des journalistes (SNJ), de loin l'organisation la plus représentative, reconnaissait depuis 1965 leur utilité, d'autant plus volontiers que beaucoup de leurs dirigeants étaient aussi de ses adhérents[5]. Aux premiers jours de Mai 1968, les journalistes CFDT réaffirmaient l'intérêt qu'ils portaient à l'existence des sociétés de rédacteurs, susceptibles d'assurer aux rédactions l'indépendance et la liberté[6]. Sans être opposé, le Syndicat des journalistes Force-Ouvrière était plus sceptique[7]. Seul le syndicat CGT était hostile, voyant en elles des structures de collaboration avec le patronat[8].

D'autre part *le Monde*, instigateur du mouvement, en diffusait les idées auprès de ses lecteurs. Avec la publication du livre de Jean Schwoebel, *La Presse, le pouvoir et l'argent*, au début de 1968, le problème a définitivement gagné le grand public. Dans la classe politique, on a commencé à le prendre en considération, particulièrement dans la majorité gaulliste. En juin 1966, le député UNR de Rennes, Le Douarec, faisait adopter un amendement favorable aux sociétés de rédacteurs[9]. Le 24 avril 1968, devant l'Assemblée nationale, Georges Pompidou regrettait que très rares fussent les journaux dont le capital s'était ouvert aux rédacteurs et à leur personnel[10].

Si les sociétés de rédacteurs se sont développées à ce moment-là, ce n'est pas seulement à cause de cette atmosphère favorable. D'une part elles recueillaient un héritage, d'autre part elles répondaient à une conjoncture. Jusqu'en 1914 l'autorité du patron de presse avait toujours été indiscutée. Dans l'entre-deux-guerres les journalistes avaient affirmé leur originalité catégorielle. Mais leurs revendications étaient restées au plan matériel : salaires, congés, retraites, indemnités de licenciement.

Les sociétés de journalistes sont une descendance tardive de la Libération. Elles reprenaient les objectifs des résistants de la presse : mettre l'information à l'abri de l'argent, un but anticapitaliste ; la mettre au service des citoyens, un but civique. Le moyen était d'obtenir une partie des actions ou des parts sociales de la société propriétaire égale au moins à 26 % du capital pour une SARL et à 34 % pour une société anonyme, de façon à avoir un droit de veto sur les grandes décisions, comme le choix d'un directeur ou l'admission de nouveaux associés, donc sur la transmission du titre. Telle était donc la revendication immédiate des sociétés de rédacteurs : obtenir ailleurs ce qu'avaient obtenu déjà les journalistes du *Monde*.

Elles entendaient ainsi compléter l'œuvre inachevée de la Libération. Elles reprenaient donc naturellement l'idée d'un statut de la presse qui avait été longuement agitée après 1944[11].

Mais leur essor fut aussi stimulé par la conjoncture. Il est lié à l'arrivée à l'âge de la relève de nombreux fondateurs de journaux de la Libération. Il fallait éviter que des hommes d'argent s'emparent des entreprises : les sociétés d'*Ouest-France* et du *Figaro*, deux sociétés phares, ont été créées, la première quand Paul Hutin quitta la tête du grand régional, la seconde à la mort de Pierre Brisson. Les journalistes s'étaient alors considérés, pour reprendre Jean Schwoebel, comme « les héritiers naturels des équipes de la Libération »[12].

Vers 1965, l'inquiétude des rédactions était d'autant plus grande que la situation économique de la presse était devenue difficile. La publicité, désormais abondante et indispensable, apparaissait comme le cheval de Troie du capitalisme. Les années soixante ont aussi vu s'accentuer la concentration : c'est entre 1957 et 1959, avec le rachat des titres dont il fit *Centre-Presse* que Robert Hersant commença son implantation dans la presse quotidienne régionale.

Les sociétés de journalistes voulaient donc une réforme moralisatrice dans la presse. La nouveauté était que les bénéficiaires devaient en être non pas un nouveau groupe de patrons de presse comme à la Libération, mais les collectivités de rédacteurs. Il s'agissait en somme de la reconnaissance d'une sorte de droit d'auteur des journalistes, qui justifiait leur position privilégiée dans l'entreprise. Sans doute faut-il voir là le prolongement inattendu d'un vieux trait du journalisme français, sa proximité avec le monde des gens de lettres, et l'explication que le mouvement ait trouvé son terrain d'élection dans le journalisme de la presse écrite parisienne qui en était le plus proche.

LES SOCIÉTÉS DE RÉDACTEURS DE 1968 A 1981

Mai 1968 marque une étape dans leur histoire, mais ses effets sont ambivalents. Le résultat immédiat est la constitution de nouvelles sociétés : en deux mois autant que dans les deux années précédentes [13]. Dans cette phase, la province se montre aussi active que Paris, la France du Midi est touchée, le mouvement atteignant Nice, Marseille, Montpellier. La presse spécialisée est affectée, bien que marginalement.

Une trentaine de sociétés sont représentées au deuxième congrès de la Fédération, où assistent des représentants de tous les grands courants politiques, gaulliste, centriste, radical, socialiste, à l'exception des communistes [14]. Le bulletin de la Fédération adopte alors un ton conquérant : « Qu'on le veuille ou non, la liberté de l'information ne sera plus longtemps encore celle des patrons de presse ou des directeurs de certains offices publics. Elle doit devenir, dans une plus large mesure, celle des journalistes eux-mêmes qui ont la responsabilité intellectuelle et morale de ce qu'ils écrivent [15]. »

Mais la vague retombe dès 1969. En dépit de deux nouvelles venues, créées au *Courrier picard* et au *Nouvel Observateur*, le troisième congrès de la Fédération a rassemblé moins de participants que le précédent, plusieurs sociétés étant tombées en léthargie [16].

C'est pourtant à ce moment-là que le mouvement semble avoir recueilli le plus de faveur dans l'opinion et qu'il a remporté un succès retentissant avec la grève de la rédaction du *Figaro*, du 11 au 25 mai 1969. Du fait de la situation créée à la Libération, *Le Figaro* dépendait de deux sociétés : une société propriétaire dont les actionnaires majoritaires étaient en 1969 Jean Prouvost et Ferdinand Béghin, et une société fermière d'édition présidée jusqu'en 1964 par Pierre Brisson, détenteur avec « son équipe » de l'autorisation de publier le titre, les deux étant liées par un accord valable jusqu'en 1969[17]. La mort de Pierre Brisson avait failli mettre à mal ce fragile équilibre. L'alerte avait entraîné la création de la société des rédacteurs, afin de « garder au *Figaro* l'autorité morale découlant de son indépendance, telle que Pierre Brisson l'avait conçue et garantie par l'existence de la société fermière[18] ». Désormais l'échéance de mai 1969 paraissait décisive.

La question posée était celle de la direction de la rédaction. Ou bien les propriétaires établissaient sur elle leur autorité exclusive, ce que désirait Jean Prouvost. Ou bien elle continuait d'être autonome. La nouveauté, dans cette dernière hypothèse, était que les journalistes demandaient une participation au capital de la société fermière, par l'intermédiaire de leur société de rédacteurs, afin d'avoir les mêmes droits que l'équipe du fondateur.

En l'absence d'accord après plus d'un an de discussions, la rédaction décidait la grève le 11 mai[19]. La nomination d'un administrateur provisoire, imposée par les circonstances (on entrait dans la campagne présidentielle), mit fin à la grève mais ne résolut rien au fond. A l'issue d'une longue procédure, la solution intervenait enfin entre mars et juin 1971. L'équipe de Pierre Brisson et les rédacteurs obtenaient le maintien d'une société de gestion distincte de la société propriétaire. Héritière de la société fermière, elle aurait à sa tête un journaliste qui serait le directeur de la rédaction. Les journalistes se voyaient reconnaître une réelle minorité de blocage dans le conseil de surveillance, et bien que le protocole ne reconnût pas la société de rédacteurs, son président pouvait écrire : « Les structures du *Figaro* sont très proches de celles du *Monde*[20]. »

Pour la première fois, à l'issue d'un conflit dans un journal, les droits des propriétaires avaient plié devant ceux de la rédaction. Un peu plus tôt, en 1970, le « Rapport Lindon », rédigé à la demande du secrétaire d'État chargé de l'Information, avait souligné l'importance des questions posées par les sociétés de journalistes[21].

Ces succès ont eu des répercussions au sein du SNJ. A son congrès de mai 1972, à Toulouse, deux orientations se sont opposées : l'une, incarnée par Denis Périer-Daville, vice-président de la Fédération des sociétés de journalistes, président de celle du *Figaro*, mettait l'accent sur la fonction intellectuelle des journalistes dans l'entreprise et sur la spécificité de leurs droits. L'autre défendait un syndicalisme « global » et privilégiait une stratégie intersyndicale d'alliances, dans la presse écrite avec le Syndicat du Livre, et dans l'audiovisuel avec les syndicats des techniciens. L'élection de Denis Périer-Daville à la présidence du SNJ marqua la victoire des tenants des sociétés de rédacteurs[22].

On pouvait alors se demander si l'on n'était pas à la veille d'une profonde mutation des entreprises d'information en France. Au contraire le déclin est arrivé très vite. Souterrainement il était déjà commencé. Deux affrontements entre rédactions et propriétaires, deux échecs des sociétés de rédacteurs le jalonnent.

D'abord à *Paris-Normandie* en 1971-1972. Après la mort en mars 1972 de Pierre-René Wolf, directeur depuis la Libération, les journalistes ne purent empêcher Robert Hersant de prendre le contrôle du journal. La grève conduite par la société de rédacteurs fut rapidement rendue intenable par l'hostilité du personnel administratif et technique, notamment de la section du livre CGT, qui redoutait la liquidation du titre[23]. Les concessions accordées par la nouvelle direction aux journalistes étaient purement formelles[24].

Trois ans plus tard, le mouvement enregistrait un revers plus retentissant encore au *Figaro*. Dès qu'en février 1975 Jean Prouvost avait annoncé son intention de vendre le journal, la société de rédacteurs avait manifesté son « opposition formelle » à une vente à Robert Hersant[25]. Mais lorsque celle-ci fut passée en juillet, la grève des journalistes dut être suspendue au bout de vingt-quatre heures. L'unanimité de 1969 ne s'était pas retrouvée, beaucoup considérant comme suffisants les engagements pris par Robert Hersant à l'égard de l'équipe de Pierre Brisson ou craignant la disparition du journal. L'application large et calculée de la clause de conscience permit d'alléger la rédaction des irréductibles, dont le président de la société de rédacteurs[26].

Le mouvement ne s'est pas relevé de cette défaite. Beaucoup de sociétés ont ensuite disparu, celle de *Nice-Matin* avait sombré bien avant, dès la fin de 1970, mais la dissolution de celle d'*Ouest-France*, société pionnière et l'une des plus nombreuses, en 1976, est l'épisode le plus significatif[27].

Au lendemain de la victoire socialiste de 1981, on a pu penser que la flamme allait se ranimer, avec l'agitation dans certaines rédactions. Mais la presse écrite fut assez peu touchée. La fermentation affecta surtout l'audiovisuel, visant surtout la tutelle de l'État sur l'information. En fait le mouvement ne s'est pas reconstitué. C'étaient les syndicats qui étaient parfois à l'origine d'une réflexion et d'une action collectives. Ou bien les assemblées générales demeuraient non structurées comme à Antenne 2 et à Radio France. A TF 1 elles débouchèrent sur la mise en place d'une « commission de concertation » éphémère [28]. A Europe 1, où les journalistes constituèrent une structure permanente, celle-ci évita de se nommer « société de rédacteurs » et prit le nom de « comité de rédaction » [29]. Tout au plus peut-on reconnaître alors au mouvement des prolongements. Même si la Fédération des sociétés de rédacteurs subsiste, il semble bien que cette étape de la revendication d'un « Pouvoir des journalistes » soit close.

POURQUOI CET ÉCHEC ?

Observons d'abord que même à ses beaux jours le mouvement est resté minoritaire. En 1969, au faîte de son audience, la Fédération des sociétés de rédacteurs regroupait 2 000 adhérents, soit 20 % des journalistes détenteurs d'une carte professionnelle [30]. Elle n'était implantée majoritairement que dans la presse quotidienne parisienne avec des sociétés au *Monde*, au *Figaro*, au *Parisien libéré*, à *France-Soir*, à *L'Aurore*, à *Combat*, aux *Échos* et à *l'Équipe*. La presse quotidienne de province ne comptait qu'une quinzaine de sociétés. La presse magazine, les news, la presse spécialisée furent à peine touchés. L'audiovisuel ne fut qu'effleuré et l'ORTF, à la pointe de la contestation en 1968, est resté complètement à l'écart. Le milieu professionnel, favorable à ses principes, n'a jamais été acquis en profondeur à l'idée d'une participation active au mouvement.

Comment comprendre cette réserve à s'engager, de plus en plus visible à partir de 1972 ? On peut observer plusieurs ensembles de facteurs : l'hostilité du patronat de presse, les effets d'une nouvelle conjoncture politique, ceux des nouvelles valeurs qui pénètrent le journalisme et enfin la transformation du métier.

L'hostilité des propriétaires et directeurs de journaux a été précoce et générale, à quelques exceptions près comme celles d'Hubert Beuve-Méry et de Pierre-René Wolf. Mais au début ils eurent une attitude plutôt défensive : en janvier 1967, les organisations patronales rejetaient les accusations des sociétés de rédacteurs qui attribuaient à leur gestion défectueuse la responsabilité de la crise de la presse. Ils devinrent offensifs à la fin de 1968 : le SNPQR dénonça alors les prétentions du mouvement comme dangereuses pour les entreprises et réclamant pour les journalistes des privilèges inadmissibles : un journal « est une œuvre collective et permanente, dans laquelle les cadres et employés (...) et les ouvriers des services techniques (...) ont une action aussi déterminante que les seuls journalistes[31] ». En juin 1971 enfin, Maurice Bujon, parlant au nom de la Fédération nationale de la Presse française, condamnait vigoureusement les prétentions des journalistes dans lesquelles il voyait « un phénomène sociologique redisant l'inquiétude d'une catégorie de travailleurs qui n'étant ni cadres responsables, ni authentiques intellectuels, ni ouvriers spécialisés, ressentent leur salariat comme des prolétaires, alors qu'ils aspirent à une profession libérale[32] ». La position du patronat de presse vers 1970 prolonge donc celle des années qui suivirent la Libération où les directeurs de journaux qui siégeaient à la commission de la presse de l'Assemblée nationale avaient contribué à l'échec des projets de statut de la presse[33].

Il existe à ce rejet des raisons indiscutablement économiques. En effet la rémunération des propriétaires, dans la presse écrite issue de la Libération, s'est effectuée par la valorisation du capital, la mise initiale ayant été faible ou nulle et les réinvestissements ayant bénéficié d'une fiscalité privilégiée. La participation des journalistes à l'actionnariat et leur présence dans les conseils d'administration auraient été une gêne à la transmission des parts ou des actions et à la libre disposition du capital.

Mais Jean Schwoebel a souligné aussi la crainte chez les directeurs que leur autorité fût affaiblie par la participation des rédacteurs à la propriété, et que la bonne marche du journal s'en trouve affectée. Selon lui, Hubert Beuve-Méry était préoccupé par ce risque en 1951[34]. Pierre-René Wolf refusait que le collectif des rédacteurs se manifestât avec trop d'éclat dans son journal, même quand il collaborait avec lui[35]. L'hostilité des patrons de presse n'a pas été pour rien dans le désengagement de nombreux journalistes.

De cette opposition l'acteur vedette a été Robert Hersant, mais l'âme en a été la presse quotidienne provinciale, plus précisément ses organismes professionnels, SQR et SNPQR, qui ont insufflé l'esprit de résistance et agi auprès du personnel politique. Directeurs et patrons de journaux ont opposé l'esprit maison, les intérêts de l'entreprise, aux intérêts particuliers et à l'esprit de corps d'un groupe professionnel assez hétérogène et ignorant des réalités économiques. Ils ont été servis dans cette action par le chômage qui s'est développé dans la profession vers 1970 et par les transformations techniques — informatisation de la composition — qui inquiètent et font passer au premier plan le problème de la sécurité de l'emploi[36]. Cette crise justifie les réserves à l'encontre des objectifs des sociétés de rédacteurs de FO, la condamnation de la CGT, et justifie l'attitude du nouveau syndicat CGC des journalistes, créé en 1972, qui admet l'autorité sans partage des directions.

Second facteur d'affaiblissement du mouvement, la nouvelle conjoncture idéologique et politique après mai 1968. Elle agit de deux manières. Au sein du milieu professionnel des journalistes, elle attise ce que l'on peut appeler un esprit de classe, notamment chez les jeunes et les syndicalistes CFDT et SNJ. Ceci explique la victoire, au congrès de 1973 du SNJ, des adversaires des sociétés de rédacteurs, accusées d'être « un élément de collusion avec l'employeur[37] ». Le nouveau Président du SNJ résumait un peu plus tard le sens de ce changement : « Nous nous sommes refusés à admettre la théorie illusoire d'une possibilité dans les entreprises de l'existence et de l'exercice d'un pouvoir journalistique[38]. » Les positions du SNJ étaient désormais proches de celles des journalistes CGT.

L'affirmation de l'antagonisme entre journalistes et patrons de presse s'accordait à l'idéologie dynamisée par mai 1968 qui valorisait la classe ouvrière, la lutte collective des salariés, le socialisme. Beaucoup de journalistes étaient dans ce contexte particulièrement sensibles à la méfiance des autres catégories de salariés de la presse, surtout des ouvriers du Livre, devant des revendications qui insistaient sur leur rôle privilégié. L'affirmation de droits spécifiques à des intellectuels se brisait contre l'ouvriérisme et le solidarisme ambiants.

Des revirements se produisent aussi au sein du milieu politique. Du côté des socialistes on s'aligne sur l'orientation syndicale désormais dominante. Du côté gaulliste, la réserve et même l'hostilité succèdent à la compréhension dès l'automne 1968. En octobre, les déclarations du secrétaire d'État chargé de l'Information, Joël Le Theule, marquent le changement : « Le problème n'est pas mûr (...) Les journalistes sont eux-mêmes divisés sur le type de responsabilité qu'ils peuvent assumer dans un journal[39]. » En novembre, devant le Syndicat de la Presse quotidienne régionale, il rejette la solution des sociétés de rédacteurs qui « laisse à l'écart la représentation des autres catégories de personnels des entreprises de presse [40] ». Ce comportement nouveau est à rapprocher de la répression qui a frappé les journalistes de l'ORTF en juillet 1968. Après les dérapages de l'information audiovisuelle en mai, il traduit l'hostilité du parti gaulliste envers les prétentions d'une profession qui n'accepte plus d'être « la voix de la France ».

Il n'y a que chez les centristes et les giscardiens que les sociétés de rédacteurs conservent quelque faveur [41]. De ce côté-ci, l'élection présidentielle clôt la saison des rêves. Cette convergence d'attitudes justifiées par des argumentations différentes, voire opposées, incite à chercher une explication autre, peut-être unique, et à se demander si ce rejet par la classe politique n'est pas en réalité la manifestation d'une lutte d'influence aiguisée entre elle et les gens des médias, pour la conduite de l'opinion, dans un système qui place les deux groupes en situation à la fois de connivence et de concurrence.

Troisième facteur qui sape le mouvement des sociétés de rédacteurs, les nouveaux comportements, les nouvelles valeurs d'après 1968. L'individualisme imprègne tout, et bien sûr une profession qui y était déjà fort sensible. Établir sur l'information le pouvoir des journalistes, un pouvoir du groupe, étayé à des règles et à un contrôle collectif, n'est plus une revendication dans l'air du temps. La férule personnalisée du patron paraît à beaucoup moins redoutable. Le président du SNJ exprime bien, en 1975, ce changement d'aspirations : « Nous nous faisons un devoir de nous battre pour obtenir (...) aux journalistes la liberté de s'exprimer [42]. » Du pouvoir *des* journalistes, l'on passe, ou l'on revient à l'exigence du pouvoir *du* journaliste, ou de sa liberté.

Ce pouvoir-là n'a plus besoin d'une institution de la société civile. Il se négocie cas par cas, avec le patron de la rédaction et avec les détenteurs de l'information. Les affaires qui agitent alors le milieu professionnel et les débats qu'elles entraînent, comme l'affaire Simonnot, mettent l'accent sur le secret des sources [43]. Derrière cette question, se cache en réalité un enjeu capital qui est de savoir s'il est admissible de dérober aux pouvoirs, pouvoirs économiques, sociaux ou politiques qui sont sources d'informations, d'autres informations qu'ils cachent et qui les mettent en cause, peut-être jusqu'à les déstabiliser. Comme l'ont montré plus tard l'affaire des diamants, levée par *le Canard enchaîné*, celle du *Rainbow Warrior*, sortie par *le Monde*, ou encore celle des Vedettes, révélée par la modeste *Presse de la Manche*, le secret des sources, condition d'un « journalisme d'investigation » à la mode entre 1975 et la fin des années 1980, permet au journal de mettre en échec les pouvoirs politiques, d'exercer un réel pouvoir, et à la presse en général de se valoriser. Mais ce secret des sources n'est pas un droit de la rédaction, un droit collectif. C'est un droit individuel du journaliste, qui l'exerce aussi à son profit particulier, avec l'accord de son directeur et de son rédacteur en chef. Leurs jugements en conscience n'ont pas besoin d'un aval de la rédaction, et le genre même récuse un contrôle trop large.

Pour finir, les transformations de la profession ont contribué aussi à disqualifier les sociétés de rédacteurs. Elle avait toujours été hétérogène et la distance avait toujours été grande, du petit reporter à la grande signature. La vedettisation, accentuée par la télévision et le journalisme multimédia, a renforcé les facteurs de différenciation du milieu professionnel. Pour ces locomotives des rédactions que sont les grands présentateurs ou interviewers, le véritable problème n'est-il pas celui des audiences plutôt que celui de la liberté ?

Les raisons sont donc multiples de l'effacement des sociétés de rédacteurs. Elles n'ont eu, en définitive, qu'un court éclat, de 1965 à 1972 : la constitution de celles d'*Ouest-France* et du *Figaro* en marque le début, l'échec des journalistes de *Paris-Normandie* en annonce la fin. La perspective de la redistribution des pouvoirs dans la presse et l'information, qu'elles semblaient annoncer, s'est évanouie. Même au *Monde*, la société de journalistes a perdu du poids et du crédit. Un faisceau de causes explique le recul puis le déclin du mouvement après 1970. L'opposition du patronat, la défiance des syndicats de journalistes et de la classe politique semblent d'abord décisifs. Puis l'exigence du libre arbitre du journaliste, la cohésion amoindrie du milieu prennent plus d'importance.

Même si l'on en observe encore des prolongements, le mouvement des sociétés de rédacteurs semble bien aujourd'hui derrière nous. La revendication d'un « pouvoir journaliste » sur l'information, quand elle se manifeste, prend aujourd'hui la forme du droit au secret des sources. Mais elle ne se manifeste plus que rarement : les grands noms, les vedettes, dont la parole couvre désormais la voix des autres, n'ont plus à réclamer une liberté qu'ils ont déjà. Un nouvel équilibre semble s'établir au sein des entreprises d'information et de communication, dont bénéficient plus que jamais les élites des rédactions et qu'ont imposé propriétaires ou directeurs. Les sans-grade resteront-ils longtemps sans voix, l'espoir d'être un jour au nombre des grands les y aidant ? Pour l'instant, de l'individualisme et de l'égalitarisme ambiants dans la France d'aujourd'hui, c'est le premier qui semble l'emporter au sein des rédactions. Du reste, une rédaction peut-elle vivre longtemps sans capitaine et sans pilotes ?

1. Jean Schwoebel, *La presse, le pouvoir et l'argent*, Paris, Seuil, 1968, 287 p., p. 123 sq. Le livre est paru avant mai.

2. Ces statuts faisaient aussi entrer dans le capital de la SARL « Le Monde », la société des cadres et celle des employés avec 5 % et 4 % des parts.

3. *Bull. des anciens du CFJ*, mars-avr. 1966, p. 1-3, et déc. 1967, p. 7-8.

4. Voici ces dix-sept sociétés : Les *Échos, L'Écho de la Mode, l'Équipe, Le Figaro, Le Monde, Le Parisien libéré,* Europe 1, pour Paris ; *L'Alsace, Le Courrier de l'Ouest, L'Est républicain, Ouest-France, Paris-Normandie, Presse-Océan, Le Télégramme de Brest, L'Union, Nord-Éclair, La Voix du Nord,* pour la province. Quelques autres avaient été présentes à titre d'observateurs : *Combat, La Nouvelle République du Centre-Ouest, La Montagne, France-Soir,* RMC, cf. *Le Journaliste,* nov.-déc. 1967-janv. 1968, p. 7.

5. Notamment Jean Schwoebel et Denis Périer-Daville.

6. *Le Monde,* 12/13 mai 1968.

7. Voir notamment *La Morasse,* 4ᵉ trimestre 1966, p. 5.

8. *Le Journal des journalistes* (SNJ-CGT), janv.-févr. 1968.

9. Il réduisait à 2 000 F le capital nécessaire à la constitution de sociétés de rédacteurs en sociétés anonymes, *L'Écho fédéral des journalistes,* oct. 1966, p. 5.

10. *Idem,* n° spécial 1970, p. 57.

11. Les sociétés de rédacteurs s'inspiraient du reste de certains projets de statut élaborés après la guerre, surtout des projets Félix (févr. 1948) et Bichet (juin 1949).

12. Jean Schwoebel, *op. cit.,* p. 20.

13. En mai, *Les Dernières Nouvelles d'Alsace, Entreprise, Connaissance des Arts* et *Réalités, L'Est-Éclair, Le Provençal, Paris-Match* ; en juin, *L'Aurore, Le Havre libre, Le Midi libre, Nice-Matin,* les éditions Perrin, *La Vie des Métiers.* Cf. *La Correspondance de la Presse,* 24 mai/25 juin 1968.

14. Ce sont : Robert-André Vivien, Joël Le Tac, Raymond Boisdé (UDR), Bernard Destremau (RI), André Diligent (Union centriste), Marcel Pellenc (Rad.), Arsène Boulay (SFIO-FGDS).

15. *La Tribune des sociétés de journalistes,* n° 2.

16. *La Correspondance de la Presse,* 16 décembre 1969, *Le Monde,* 14 et 16 décembre 1969.

17. Richard Brunois, *Le Figaro face aux problèmes de la presse quotidienne,* Paris, PUF, 1977, 222 p.

18. *Anciens du CFJ,* déc. 1977, p. 7-8. La société comptait, à la fin de 1965, 220 actionnaires, presque toute la rédaction.

19. La grève fut votée à bulletin secret par 207 journalistes, soit 83 % de la rédaction, *L'Écho fédéral des journalistes,* 3ᵉ trim. 1969, p. 27.

20. *Le Journaliste,* mai 1971, p. 14.

21. *Rapport sur les problèmes posés par les sociétés de rédacteurs,* Paris, La Documentation française, 1971, 94 p.

22. *Le Journaliste,* juillet août 1972, p. VI-VIII.

23. En janvier 1972, Simone Del Duca avait, à la suite d'une série de grèves, liquidé *Paris-Jour.*

24. L'accord reconnaissait l'existence de la société de rédacteurs, mais celle-ci n'avait aucune part dans la société propriétaire ni aucun droit de veto à l'encontre d'une décision. *Le Journaliste*, juillet-août 1972, p. 5.

25. *Le Monde*, 28 février et 22 avril 1975.

26. *Id.*, 12 juillet 1975. La clause de conscience fut appliquée à tous les départs volontaires jusqu'au 1er novembre 1975 (55 au total, plus une vingtaine de licenciements). *Le Journaliste*, nov. déc. 1975, p. 9.

27. *Id.*, sept.-oct.-nov. 1977, p. 17.

28. *Le Monde*, 30-05-1981, *Les Nouvelles littéraires*, 21/28 avril 1981.

29. *Le Monde*, 26/27-06, 2 juillet 1981.

30. *L'Écho fédéral des journalistes*, n° spécial 1970, p. 16.

31. *La Correspondance de la Presse*, 2 décembre 1968.

32. *Id.*, 10 août 1971.

33. Jean Schwoebel, *op. cit.*, p. 77-81.

34. *Id.*, p. 112.

35. Il refusa la publication en première page d'un texte signé de la rédaction, *Le Journaliste*, janvier-février 1971, p. 12.

36. En 1974, le taux de chômage approche 10 %, *id.*, octobre-décembre 1974, p. 4.

37. *Id.*, janvier-février 1971, p. 6.

38. *Id.*, mars-avril 1975, p. 5, article de Lilian Crouail.

39. *Le Journaliste*, décembre 1968.

40. *La Correspondance de la Presse*, 13 novembre 1968, p. 4.

41. En juin 1973, les Clubs Perspectives et Réalités envisageaient l'élaboration d'une loi généralisant les sociétés de rédacteurs, *idem*, 14 juin 1973, p. 5-6.

42. *Le Journaliste*, mars-avril 1975, p. 1.

43. Philippe Simonnot, journaliste au *Monde*, fut licencié en 1976 pour avoir fait des révélations sur des sociétés pétrolières à partir de documents, venus semble-t-il d'un ministère, par des moyens contraires à la déontologie du journal.

DISCUSSION

APRÈS LES COMMUNICATIONS
DE PIERRE BARRAL ET MARC MARTIN

Bernard MONTERGNOLE. — *Parmi les facteurs qui ont contribué à l'échec des sociétés de rédacteurs, ne peut-on compter le relatif isolement des journalistes à l'intérieur de l'entreprise de presse et notamment le poids du syndicat du Livre qui a freiné la construction de sociétés de rédacteurs, je pense à la presse régionale ?*

Yves GUILLAUMAT. — *Comment se fait-il que les sociétés de rédacteurs constituées à partir de modèles comme celui du* Monde, *se soient multipliées seulement à partir du milieu des années 60 et pas dix ans plus tôt ?*

Dominique WOLTON. — *Je voudrais savoir comment M. Martin interprète l'apparition de nouvelles sociétés de rédacteurs depuis 1981, dans l'audiovisuel, où certaines se sont créées il n'y a pas très longtemps.*

André-Jean TUDESQ. — *Témoins et acteurs, les journalistes sont parfois aussi porte-parole : dans le monde, dans une majorité des cas et même dans le cas français, se pose le problème du journalisme militant. Le texte de Lacouture cité par M. Barral illustre ce qu'on appelle la désinformation. Comment situez-vous ce problème dans le journalisme contemporain ?*

Pierre BARRAL. — *La question d'André Tudesq est tout à fait fondée. La presse vit aujourd'hui sous deux systèmes tout à fait*

différents. Il y a un certain nombre de systèmes politiques, probable-
ment la majorité actuellement dans le monde, où il n'y a pas de liberté
de la presse et où tous ceux qui s'expriment, par le fait même,
expriment le point de vue du pouvoir politique. Dans les pays
occidentaux de pluralisme, il y a toujours eu et il y a toujours des
journalistes qui s'expriment au nom d'une doctrine politique et vous
pouvez remarquer que je n'ai pas mis en cause les journalistes de
L'Humanité. Cette presse d'opinion, engagée, militante, affirme ses
préférences.

Je ne suis pas du tout choqué qu'un journaliste exprime ses
préférences de citoyen du moment qu'il montre bien qu'il s'agit de son
opinion. Mais, dans nos sociétés occidentales, certains journalistes
voudraient se présenter comme des témoins neutres, objectifs, parfai-
tement impartiaux et voudraient soutenir que l'affirmation de leur
position n'a pas d'effet politique. L'historien ne peut accepter
complètement cette présentation. Les journalistes ont souvent des
préférences; Lacouture l'a bien reconnu; il a peu de remords pour les
informations sur le nationalisme algérien qu'il a censurées parce
qu'elles lui paraissaient inopportunes à certains moments et qu'elles
auraient été exploitées par des adversaires de l'indépendance algé-
rienne alors qu'il savait très bien qu'elles étaient justes. Il s'agis-
sait de masquer temporairement des informations gênantes et désa-
gréables.

De même, j'ai voulu montrer que même lorsque le journaliste a été
parfaitement honnête, le simple fait de son affirmation contribue
souvent à modifier la réalité politique et que, de ce point de vue, je
comprends parfaitement le général israélien qui a dit que les
journalistes américains ne devaient plus se promener n'importe où. Il
avait des responsabilités militaires, il ne pouvait pas considérer que les
films, et les informations diffusés n'auraient aucun effet politique,
surtout s'il n'y en a pas de l'autre côté. Cela pourrait être différent si
le match était parfaitement équilibré; mais nous sommes dans un
monde où certains États n'ont pas de liberté de l'information.

Marc MARTIN. — *Pourquoi pas de naissances de sociétés de*
journalistes dans les années 50 en dehors du Monde? Quelques
éléments de réponse. L'atmosphère des années 50 est très différente
dans la presse de celle des années 60 en ce sens que c'est dans le
courant des années 60 que s'est accentuée la concentration de la presse.
Deuxièmement, la publicité prend son essor dans le milieu des années
50, ce qui détermine une nouvelle forme de financement et de gestion

des journaux. C'est en 1952 que le niveau des dépenses publicitaires françaises par rapport au PNB atteint celui d'avant-guerre, puis il s'accroît rapidement. Dans les deux cas, l'évolution pose le problème de la place de l'argent dans l'entreprise de presse. C'est à partir de ce que les journalistes considéraient comme une menace de l'argent sur les journaux que se sont constituées les sociétés de rédacteurs. Tout cela au moment où a commencé à se poser la question de la transmission de la propriété des titres issus de la Libération. Celle-ci posait donc en réalité aux journalistes la question de savoir si ce n'étaient pas des hommes d'argent qui allaient devenir les nouveaux propriétaires. C'est ce faisceau qui explique que ce soit dans les années 60 que l'on voit naître et se développer les sociétés de rédacteurs, car les journalistes ont alors le sentiment que les journaux sont menacés de perdre leur indépendance, et ils redoutent d'être eux-mêmes soumis à des pressions de plus en plus grandes pour des raisons de gestion.

Le rôle des ouvriers du Livre dans l'échec des sociétés de rédacteurs est patent. J'ai d'ailleurs cité le cas de la grève de Paris-Normandie où la société de rédacteurs a non seulement été lâchée mais combattue par le syndicat du Livre et a dû faire marche arrière. Les journalistes qui ont connu cet épisode en conservent encore aujourd'hui une grande amertume. Il y a d'autres exemples. La revendication de droits spécifiques pour les journalistes rencontrait en effet l'argument des droits d'autres personnels de l'entreprise. Au nom de la participation de tous à la fabrication du journal et de l'égalité, les personnels administratifs et les ouvriers rejetaient ce qu'ils considéraient comme les privilèges des journalistes. Le syndicat du Livre, qui se posait en adversaire de classe du pouvoir patronal, n'admettait pas que la rédaction pût animer la lutte contre ce pouvoir. Par conséquent, les conflits ont été fréquents entre le syndicat du Livre et les sociétés de rédacteurs.

A propos de l'apparition des sociétés de rédacteurs depuis quelques années, et sous réserve de l'analyse du détail de ces épisodes, voici la ligne générale de mon interprétation. Il y a dans ces créations qui intéressent l'audiovisuel — elles se situent donc dans un contexte économique et d'entreprise différent — le souci pour les journalistes de se ménager un espace de liberté. Mais j'observe des différences notables avec les objectifs des sociétés de rédacteurs des années 60. D'abord on est loin de retrouver la quasi-unanimité de la profession. Radio France a connu un combat épique entre deux sociétés de rédacteurs. On n'observe pas la même homogénéité des rédactions en face de la direction : c'est une différence majeure. D'autre part, il n'y a pas l'objectif de posséder une part du capital pour participer au contrôle de la gestion de l'entreprise. Le problème des sociétés de rédacteurs dans l'audiovisuel n'est-il pas un problème de rapport entre les différentes catégories au sein de la rédaction, plus qu'un problème de propriété ?

On retrouve ici le problème de l'hétérogénéité des journalistes, le problème du vedettariat et des rapports entre les vedettes et les journalistes du bas de l'échelle. Je ne pense pas qu'il y ait là l'annonce d'une résurgence du mouvement des sociétés de rédacteurs avec les mêmes caractères que dans les années 60.

Dominique WOLTON. — *En complément à la réponse de M. Martin, au moment de la privatisation de TF1, les journalistes ont voulu être présents dans le capital et constituer une société de rédacteurs. J'insiste sur l'audiovisuel que je connais bien car pour vous, historiens, je pense qu'il serait intéressant de voir par comparaison la manière dont réémerge aujourd'hui ce courant (car dans les trois sociétés de programmes TF1, A2, FR3 la structure existe). Mais peut-être n'aura-t-elle pas forcément beaucoup d'avenir.*

La connaissance du précédent des sociétés de la presse écrite pourrait donner quelques idées à ces acteurs car ils ont la qualité des journalistes de ne pas avoir beaucoup de mémoire. Peu d'historiens du temps présent travaillent sur les problèmes de la communication et surtout sur cette question du contre-pouvoir rédactionnel, qui a son origine beaucoup plus loin, puisque c'est l'idée d'une logique professionnelle comme contre-pouvoir. Elle prend son origine en fait dans la bonne vieille France pétainiste. Je ne dis cependant pas que les sociétés de rédacteurs sont l'équivalent du Conseil de l'ordre des médecins ou des architectes. La question de la profession comme base de repli ou base d'action dans une bataille politique ou économique dans des secteurs où les enjeux financiers sont considérables n'est pas secondaire. C'est l'idée d'une profession qui défend ses valeurs dans une bataille qui la dépasse, car ce dont sont porteurs les journalistes ce sont des valeurs qui vont bien au-delà d'eux-mêmes.

Marc MARTIN. — *La participation au capital de la société des rédacteurs des journalistes de TF1 est tout à fait différente de celle qu'envisageaient les sociétés de rédacteurs anciennes, puisqu'il ne s'agissait pas d'obtenir la part du capital nécessaire pour avoir un veto sur la prise de certaines décisions. Il s'agissait seulement d'une présence et peut-être même d'un mode de rémunération des journa-*

listes, notamment par la valorisation des parts, ce qui est le cas pour des sociétés constituées dans certaines radios privées.

Philippe VIGIER. — *Je pense de même, connaissant bien* Le Monde *et certains de ceux qui ont joué un rôle important dans la société de rédacteurs, que cette tentative a été celle d'une génération, la génération de l'après-guerre qui a cru qu'elle pouvait arriver à réaliser un certain type de presse et qui a eu l'énorme avantage d'être totalement soutenue par Hubert Beuve-Méry, et je crois qu'il est tout à fait nécessaire de souligner l'importance du patron de presse. Mais il y a eu peu d'Hubert Beuve-Méry qui, lui-même, correspond à une certaine génération. Évidemment la situation n'a pas été la même sous Fauvet et avec l'arrivée d'une génération nouvelle qui n'avait pas du tout le même héritage et qui avait le défaut — mais on a vu qu'il semblait constant dans la profession — de ne guère se préoccuper des problèmes de gestion. Et au moment de sa succession, la société de rédacteurs du* Monde *a été terriblement secouée et fissurée et finalement n'a joué qu'un rôle limité au moment de la solution salvatrice qui a abouti à l'élection d'André Fontaine. C'est toute une série de phénomènes qui a fait que ces sociétés de rédacteurs dans la presse — mais je pense que dans l'audiovisuel c'est un autre problème — avaient la volonté de jouer un rôle essentiel dans la question même du journal.*

Les relations des journalistes et du pouvoir dans la presse écrite et audiovisuelle nationale de 1960 à 1985

RÉMY RIEFFEL

Aborder un tel sujet, dans le cadre d'une brève communication, pourra paraître pour le moins présomptueux. Quitte à encourir le reproche de superficialité, nous avons pris le risque de passer outre. En effet, sans ignorer les écueils auxquels se heurte ce genre d'entreprise, il nous a semblé qu'il était devenu urgent de défricher le terrain et de soulever quelques lièvres, tant le champ d'investigation demeure pour l'instant peu arpenté. L'étude des relations entre les journalistes français entre 1960-1985 et le pouvoir — entendu restrictivement comme les détenteurs de l'autorité légitime et, dans la terminologie de Raymond Aron, la classe politique, c'est-à-dire la minorité qui exerce effectivement les fonctions politiques de gouvernement[1] — s'offre au chercheur comme un vaste territoire encore partiellement vierge ou, en tout cas, exploré de manière très circonstanciée. Deux angles d'approche peuvent être envisagés :

Une perspective historique, retraçant minutieusement les grands moments de conflits sous les différents septennats, évaluant les liens entre les deux milieux selon les secteurs d'activité (presse, radio, télévision) et pointant les changements qui se sont opérés sur la moyenne durée.

Une perspective sociologique, centrée sur des contraintes structurelles, des mécanismes d'interaction et d'influence réciproque, des réseaux de sociabilité apparents ou latents et donc des rapports de force éventuels.

Laissant à l'historien le soin de décrire l'évolution des comportements et des attitudes au cours de ces vingt-cinq dernières années, nous avons opté pour un point de vue plus synchronique sans négliger pour autant, lorsque le besoin s'en faisait sentir, les ressources de la démarche historique si tant est que « la recherche historique s'attache aux antécédents d'un fait singulier, la recherche sociologique aux causes d'un fait susceptible de se reproduire[2] » et que les deux types de causalité s'impliquent réciproquement. L'examen de la question s'en trouve facilité par une enquête que nous avons menée entre 1979 et 1981[3], et qui nous a permis, au travers d'entretiens auprès de 120 journalistes, de jeter les bases de certains problèmes à débattre. L'analyse des méthodes de travail des journalistes et la collecte de renseignements de vive voix présentent de nombreux avantages pour saisir, à leur juste mesure, les rapports entre gens de presse et classe politique. Aussi avons-nous réutilisé une partie de matériau engrangé, resté inexploité, et interrogé (ou réinterrogé selon le cas) une dizaine de journalistes, en 1988, afin de réactualiser les propos et de corriger la perspective[4]. Pour éviter toute ambiguïté, précisons également que les pistes suggérées, forcément mal balisées en raison de l'ampleur du sujet, se veulent le reflet de l'observation d'une seule catégorie d'acteurs (les journalistes) réduite à son expression la plus privilégiée (les grandes signatures), et qu'une véritable étude des relations entre les deux partenaires nécessiterait une investigation auprès de l'autre versant de la population journalistique (la base) aussi bien qu'auprès de la classe politique elle-même. Les quelques remarques qui suivent se veulent donc des coups de sonde et ne sauraient se décliner que sur le mode du provisoire et du relatif.

L'INTERVENTIONNISME DE LA CLASSE POLITIQUE ?

Le diagnostic susceptible d'être établi dépend de multiples paramètres. Sans prétendre à une quelconque exhaustivité, nous procéderons à une triple évaluation :

Quelle a été l'image des journalistes auprès de la classe politique durant cette période et comment s'est-elle modifiée au cours des années ?

Le pouvoir, dans ses méthodes de communication, s'est-il retranché derrière le paravent du secret et de la confidentialité ou, au contraire, les hommes politiques ont-ils entretenu des rapports d'échanges fructueux avec les journalistes ?

Sa conception de l'information, enfin, l'a-t-il conduit à surveiller étroitement l'information diffusée ou, à certains moments, a-t-il mis un bémol à la gamme des pressions et suggestions en tout genre ?

Sur le premier point, le constat semble relativement aisé : après une longue période d'indifférence ou de condescendance un brin amusée, les hommes politiques auraient brusquement tourné casaque et pris en considération les journalistes, les traitant comme des partenaires à part entière. Telle est du moins l'opinion couramment répandue chez les journalistes interrogés. Sans être inexacte, l'estimation demeure pourtant simpliste : les généralisations, en ce domaine, sont pour le moins périlleuses dans la mesure où tout est affaire de personnalités et de circonstances. En dépit de cette restriction, force est de reconnaître que les vents n'ont guère paru favorables aux gens de presse. Souvent tenus en piètre estime par la classe politique, à la fois pour des raisons culturelles (le journalisme a été conçu dès le départ comme un pis-aller et non comme une carrière) et politiques (la vénalité de certains journalistes dans l'entre-deux-guerres n'est pas étrangère au phénomène), les dirigeants de l'information ont été perçus dans un premier temps comme des subordonnés davantage que comme des égaux, plus particulièrement à la télévision et à la radio. Les avis, en ce domaine, convergent : le journaliste a longtemps été réduit au rôle de faire-valoir ou de porte-voix du pouvoir dont la conception de l'information, en matière audiovisuelle, fut particulièrement rigide, au moins jusqu'en 1968. On n'en finirait pas d'accumuler les illustrations. F. Giroud : « Les hommes de gouvernement placent, là où ils le peuvent, des gens à eux ou s'emploient à séduire, ou au moins à neutraliser, les journalistes en situation de les servir[5]. » François-Henri de Virieu : « Au début, sous de Gaulle, les relations hommes politiques-journalistes étaient voisines des relations de proviseur à élèves. Maintenant, avec la banalisation de l'information, on abandonne l'idée d'un commandement militaire. » Dominique Jamet : « Avant 1958, les hommes politiques étaient à genoux devant les journalistes ; après 1958, ça a été l'inverse. Il y a eu une sorte de révérence devant les hommes politiques sous le pouvoir de De Gaulle », etc. Soulignons que, s'il reste trace de cet état d'esprit de nos jours chez certains hommes politiques, l'image des journalistes s'est considérablement améliorée sous la pression conjuguée des secousses produites par les événements de Mai 68 et de la médiatisation télévisuelle induite par la nouvelle communication politique. Pour s'en convaincre, il suffit de saisir l'évolution de la teneur des débats politiques à la télévision, excellent miroir de l'état des relations entre les deux parties. De la révérence à l'impertinence, le chemin est long et escarpé : toutefois, de simple introducteur et médiateur des débats, le journaliste est indéniablement passé au statut d'interlocuteur, voire de partenaire[6]. Les contraintes du système médiatique ont transformé les règles du jeu : les hommes politiques, davantage tournés vers le positionnement d'image, davantage sensibles au baromètre de la cote de popularité, ont sans nul doute un besoin plus grand des journalistes pour les projeter sur le devant de la scène. Impression que confirme Jean-Michel Helvig : « A la télé, dans une situation de débat, le journaliste est devenu un interlocuteur idéologique au lieu d'un simple questionneur. On entre dans un match ; le système est un peu dangereux, on ne pense pas toujours aux bonnes questions. Les questions de courtisan ne passent plus ; les hommes politiques ont besoin de *sparring-partners*. Ils préfèrent de vraies questions, car ça met en valeur leurs réponses. » Qu'elle paraît lointaine l'époque où Michel Droit s'entretenait de manière compassée avec le général de Gaulle, lorsqu'on la compare à celle d'aujourd'hui et à la formule branchée instaurée par Yves Mourousi interrogeant François Mitterrand ! Reste à savoir si le jugement des hommes politiques à l'égard des « médiateurs » a vraiment changé ou si les lois de la communication politique ont simplement déteint sur les apparences...

Sur le second point — le problème du silence ou de la confidence — l'appréciation découle des déclarations des intéressés eux-mêmes. Le pouvoir, par définition, pratique la rétention d'informations et ne distille qu'au compte-gouttes les renseignements propres à éclairer la lanterne des journalistes. Malgré la technique du *black-out* utilisée à des intensités variables selon les époques (la guerre d'Algérie, les affaires de corruption ou de malversations dans lesquelles des hommes politiques ont trempé), l'information circule néanmoins, non pas à l'image d'un long fleuve tranquille, mais plutôt d'un mince filet d'eau provoqué par une fuite quelconque. Si tout le monde s'accorde à reconnaître qu'il faut se donner beaucoup de peine pour glaner de l'information au plus haut niveau lors de l'examen des dossiers délicats ou des périodes de troubles, l'unanimité est également de mise pour affirmer que les bouches s'entrouvrent toujours ou presque. Il ne s'agit donc pas tant d'une question de contrôle officiel de l'information que de la qualité du contrat de confiance instauré entre l'homme politique et le journaliste : à la limite, le problème se résout par le cas d'espèce. Au journaliste d'apprécier les dangers d'intoxication. S'il dispose d'un support reconnu et d'un statut hiérarchique élevé, il réussit assez fréquemment à frapper aux bonnes portes : non seulement celles des ministres, mais aussi et surtout celles des cabinets, des partis, de l'Assemblée, etc., et ce, quel que soit le moment. Pour mieux nous faire comprendre, prenons deux exemples. Selon André Fontaine, « l'entourage de De Gaulle parlait. Certains collaborateurs à l'Élysée ou à Matignon se livraient ; nous avons eu pas mal de scoops. Il fallait jouer dans l'esprit de compétition. Ils aidaient ceux qui s'aidaient eux-mêmes. Je crois que Pompidou, lui, était le plus proche de la presse écrite de tous les présidents que nous avons eus. C'est lui qui prenait le plus de soin à expliquer sa politique, il respectait la presse écrite, recevait beaucoup de journalistes à déjeuner. " Le plus difficile, me disait-il, pour un président, c'est d'être informé ". Il aimait qu'on lui parle librement, c'est lui qui supportait le mieux la contradiction. C'est comme ça que j'ai su, deux ans à l'avance, qu'il fallait faire entrer la Grande-Bretagne dans le Marché commun ». Georges Suffert, quant à lui, va encore plus loin : « Tout dépend si l'homme politique vous a à la bonne ou pas. J'ai toujours eu ce que je voulais. Les députés, dans les années 60, parlaient beaucoup avec mes collaboratrices, on ramenait beaucoup de choses du Parlement. Ensuite, quand vous avez un entretien avec le Président, toutes les hypothèses négatives tombent. Finalement, c'est un monde de bavards. Tenez, par exemple, X (nom d'un ministre de Georges Pompidou), un jour, m'a fait consulter un dossier confidentiel pendant 7 à 8 minutes, alors qu'il s'absentait pour consulter un de ses collaborateurs. Il ne m'a rien dit : il a laissé ouvertement son dossier sur son bureau devant moi. Vous pensez bien que j'en ai profité. Ça prouve qu'il peut y avoir complicité. » Cas extrême, sans doute, mais néanmoins symptomatique : sous le discours officiel des hauts responsables visant à surveiller l'information ou à intervenir brutalement lorsque la situation l'exige, perce parfois une sorte de discours parallèle ou, du moins, se fait jour une attitude qui dément partiellement les propos publics. La règle du jeu est implicite : elle repose sur un code de bonne conduite, une déontologie souterraine où chaque partenaire sait quelles sont les limites à ne pas dépasser s'il ne veut pas brûler ses vaisseaux. Problème de confiance, de crédibilité, de respect : les mêmes mots reviennent constamment dans la bouche des journalistes à ce sujet. « Ils savent, explique Claude Imbert, que nous pouvons être très déterminés, opposés à leur politique, mais que nous ne nous servirons pas de leurs propos libres ou privés contre eux. Sinon, nous ne les verrions plus, ce serait contre les principes. Il faut un minimum d'ordre et d'éthique, il faut que cela agisse dans les deux sens. » A quoi Dominique Jamet répond : « On a d'autant plus d'informations qu'on en fait moins état. Ou je fais correctement mon métier et alors il y aura méfiance ; ou je ne répète pas ce qu'on m'a dit et alors... L'ouverture d'un homme politique ne va pas au-delà de ses intérêts : il n'y a pas d'exception à la règle. C'est un problème de déontologie et de morale, on devrait pouvoir tout dire. Si on ne dit pas, on peut donner le sentiment d'être à la solde ; si on dit, c'est terminé pour les infos de première main. Et qui sait si certains ne disent pas " ne le dites pas " avec l'espoir que vous le direz tout de même ! » Les cas de figure sont, on le voit, complexes et nombreux et nul ne saurait exactement définir les frontières où s'arrête l'influence et où commence la complaisance voire la manipulation.

D'où, dernier point, le problème particulièrement épineux des pressions. Là encore, il conviendrait de distinguer selon les secteurs d'activités et les individus eux-mêmes. Autant l'avouer d'emblée : le traitement d'un tel sujet dépasse le cadre de ce travail puisqu'il faudrait affiner l'analyse et procéder à une étude cas par cas. Bornons-nous à quelques généralités et à rapporter les propos tenus par des témoins ou acteurs, respectivement de la télévision, de la radio et de la presse écrite. La littérature, concernant les relations entre les hommes politiques et la télévision française, apparaît relativement abondante[7] : nous n'y reviendrons pas. En raison de l'audience du médium lui-même, on conçoit aisément la surveillance tatillonne dont il a été l'objet de la part du pouvoir. L'interventionnisme a, pendant longtemps, été érigé en principe de gouvernement en la matière. Globalement, le jugement sur la séquence 1958-68 est sans équivoque : la télévision a été « cadenassée », « muselée », verrouillée ». Ainsi que le constate Pierre Dumayet, « s'il n'y avait pas eu de censure, on aurait fait l'autocensure nous-mêmes », confirmant, s'il en était besoin, ce qu'écrit Alain Peyrefitte dans *Le Mal français* : « Je dus faire ce dont je m'étais promis de m'abstenir : plus d'un après-midi, je bâtis le journal télévisé du soir[8]. » Presque tous conviennent que l'expérience du journal télévisé sous la houlette de Pierre Desgraupes en 1969-72 constitue, rétrospectivement, un moment d'autonomisation des journalistes à l'égard du pouvoir. A l'exception d'un seul que nous nous permettons de citer tant son opinion va à l'encontre de celle de ses collègues. Cet ancien collaborateur de l'équipe Desgraupes estime, en effet, qu' « il y a beaucoup de littérature là-dessus. Desgraupes n'était pas un écran protecteur comme on l'a trop souvent dit. On avait de l'indépendance, c'est vrai, mais très peu par rapport au cabinet du Premier ministre. On ne pouvait pas refuser quelque chose à notre parrain.

Mais le fait que Desgraupes ait eu cette image était important car cela influait sur les décisions prises ». La loi de 1974 semble également une date clef en la matière : si les pressions ont été moins vives sur les journalistes, elles n'en ont été que plus subtiles. C'est l'avis de Noël Copin : « L'époque giscardienne ne correspond pas à la caricature de la télévision à l'extérieur. Ce n'était pas simple. En fait, le pouvoir disait : " Nous avons nommé des responsables avec l'exercice libre de leurs responsabilités ". Tout le problème, c'est qu'il n'y avait pas besoin de pressions quand on savait dans quel sens ils allaient exercer leurs responsabilités. La période a été très tendue en 1978 et surtout 1981. » Émancipation lente face à la tutelle du pouvoir et relations conflictuelles avec les hommes politiques caractérisent, sans nul doute, le paysage télévisuel français depuis l'aube des années 60.

Le cas de la radio est un peu différent bien que les analogies soient nombreuses. « En France, écrit Ruth Thomas, les informations à la radio, bien que rarement radicales ou libres de toutes pressions... ont généralement été reconnues plus libres et plus impartiales que les informations télévisées[9]. » L'histoire de la radio n'est pas exempte, loin s'en faut, depuis 1960, d'affrontements et de limogeages retentissants. Un exposé détaillé de la situation exigerait une distinction entre les postes périphériques (et de leurs liens avec la Sofirad ou la CLT jusqu'à une date récente) et la radio publique (et de sa dépendance vis-à-vis de l'État). Un témoignage suffira à cerner le problème : « Les relations entre les pouvoirs politiques et la presse, souligne Philippe Alexandre, procèdent de l'affrontement permanent. Il y a donc pression dans les deux sens. J'en ai subi — mais on peut toujours résister à des pressions, d'où qu'elles viennent, surtout si on ne dépend pas, professionnellement, de l'État, comme à RTL, protégée par son statut très particulier. » Les gouvernements successifs ont imprimé leur marque sur le choix des hommes avec plus ou moins de bonheur selon les époques car les résistances furent souvent vives. Ils ont essayé d'obtenir le soutien et l'obéissance des radios et ont ainsi entaché le message diffusé d'une marque de partialité : « Il n'y a, sur ce point, de palme à décerner à personne en particulier » (Ph. Alexandre).

Quant à la presse écrite et à ses liens avec le pouvoir, l'étude reste à mener selon une double classification : la périodicité (journaux ou périodiques), l'identité du propriétaire ou des actionnaires. Le problème essentiel réside ici dans la plus ou moins grande indépendance financière du journal, et dans l'attitude politique du propriétaire. Ce que relève avec force Dominique Jamet : « Un journal est libre quand il fait des bénéfices. Le but de la presse c'est de vivre d'abord, pas d'informer. Les journaux ne sont pas assez puissants pour être tout à fait indépendants. J'ai donc fait mon métier comme j'ai pu, pas comme j'ai voulu. » La latitude d'action et de réaction du journaliste en sort souvent réduite au point que l'autocensure fonctionne presque inconsciemment : « Il y a une idéologie maison implicite, avoue un rédacteur en chef adjoint de quotidien, qui fait qu'on écrit pour le sérail. Le phénomène d'autocensure est presque automatique. » En outre, le rapport journaliste-homme politique change selon le support de presse : deux illustrations vaudront mieux qu'une longue démonstration. Selon Jean-Michel Helvig, à *Libération*, les liens avec la classe politique se sont mis au beau fixe au début des années 80 en raison du poids et de l'impact du journal : sa montée en puissance a correspondu, estime-t-il, à la crise de la gauche vers 1982-83, surtout dans sa pensée économique : « Depuis, on jouit d'un statut d'indépendance complet, on est d'abord et avant tout un journal d'infos. Donc, la droite comme la gauche s'en servent pour faire passer des messages. Plus on essaie de comprendre, moins on est suspect de partialité. C'est là la crédibilité qu'on tire face à nos sources. Et donc notre indépendance face à l'homme politique. » Même son de cloche chez Claude Imbert au *Point* : « Je suis dans une situation de ne redouter personne depuis la création du journal. Ma devise : un maximum de connaissances et de distance. Mon capital financier et surtout celui des lecteurs me protègent des ingérences extérieures. Être libre face au pouvoir politique, ça se mérite par un effort et une patience constants. Je n'ai aucun sentiment de dépendance à leur égard : ils en auraient même plutôt vis-à-vis de moi. » Fanfaronnade ou sincérité ? Difficile de trancher.

Dans ce contexte, la création de la Haute Autorité et de la CNCL a, semble-t-il, contribué à apaiser un tant soit peu le débat sans que l'interventionnisme du pouvoir disparaisse pour autant. En dépit des accrocs et des fausses notes, l'ensemble des journalistes questionnés sur le sujet admet que leur rôle (davantage celui de la Haute Autorité d'ailleurs) fut plutôt positif, bien qu'insuffisant. « Agent modérateur », « édredon », « bouclier », « recours juridique et moral » : tels sont les qualificatifs attribués à ces deux organismes. Mais l'existence d'institutions de ce genre ne saurait faire oublier que l'autonomie du journaliste tient peut-être, au premier chef, à sa compétence : les pressions sont « normales » quand on éprouve la capacité d'y résister en arguant de sa propre valeur professionnelle.

LE CONFORMISME DES JOURNALISTES ?

Dans le lacis embrouillé des influences directes ou feutrées, il importe également d'apprécier le comportement des journalistes eux-mêmes : les responsabilités, sur ce plan, sont souvent partagées. Il serait, en vérité, injuste d'incriminer uniquement la classe politique ou le pouvoir comme si l'attitude des « médiateurs » était imprégnée d'une blancheur immaculée et celle des hommes politiques teintée d'une noirceur absolue : le manichéisme, en la matière, n'est pas de mise. Deux faits retiendront notre attention : la tendance à pratiquer ce que l'on nommera « un journalisme institutionnel » et la ferme-ture relative des réseaux de sociabilité.

Le journalisme institutionnel est probablement une caractéristique de notre pays et relève d'un long héritage. Rappelons-en la teneur exacte en quelques mots. La présence d'un État tout-puissant, régentant en quelque sorte le « consensus français » depuis la capitale, pèse indéniablement sur la liberté d'action des journalistes. La quasi-totalité ou presque des institutions politiques étant concen-trée à Paris, le petit monde des médias se voit obligé de graviter sans cesse autour du pôle décisionnel : le recul par rapport à cette centralisation des sources d'information s'avère malaisé. Ce contexte particulier, aggravé pendant longtemps par la prédominance du modèle du monopole public de radiodiffusion et de télévision, favorise insensiblement la confection d'une information formaliste ou redondante. En outre, ainsi que les historiens l'ont montré, la couverture des événements politiques s'est inscrite, en France, dans un cadre souvent partisan où les polémiques véhémentes le dispu-taient aux partis pris idéologiques en tout genre : autant de travers qui n'encourageaient guère un journalisme factuel et confortaient la propension typiquement hexagonale au commentaire. D'où la fai-blesse structurelle de la pratique journalistique assimilée à un manque de professionnalisme. Et de fait, le journalisme dans notre pays est une profession aux contours mal définis, à la déontologie peu contraignante, à la reconnaissance sociale limitée [10]. Le centra-lisme parisien et la faible professionnalisation sont exacerbés enfin, si l'on en croit certains journalistes eux-mêmes, par deux autres carences, sensibles surtout à la télévision : une formation lacunaire et une conception de l'information stéréotypée. Tel est du moins le sentiment de François-Henri de Virieu qui fulmine contre l'incom-pétence de certains journalistes de télévision recrutés sans formation particulière : « Quand on suit un parti politique car, pour obtenir de l'information, il faut bien être avec eux, on noue des liens et on ne sait pas toujours où ça s'arrête. C'est toujours le cirque ambulant. Et c'est pire chez les journalistes sans formation qui ne savent pas prendre du recul. Et puis tout ce qui touche à la politique, en France, est survalorisé. C'est une conception archaïque de l'information alors qu'il faudrait penser planétairement. » Pierre Dumayet, de son côté, condamne l'étroitesse de vue des responsables de l'information à la télévision : « Du temps gaulliste, l'opposition n'existait pas ; on en parlait, mais on ne lui donnait pas la parole. Sous Giscard, c'est le tissu du journal qui donnait la parole à tout le monde, mais le commentaire devait rétablir l'équilibre. Ce n'est pas de l'autocensure. C'est le fond de sauce qui est toujours gouvernemental. Rien n'a changé aujourd'hui : il y a toujours une sauce qui domine. Il faudrait changer la mentalité des journalistes. Quand un Président est en voyage, il est presque toujours mentionné en premier. Pourquoi ? On est en plein inconscient ; ça ne peut pas s'enseigner, on est dans le domaine de l'intime conviction. C'est un tic. Il faudrait rester deux-trois jours sans donner de nouvelles du Président ou du Premier ministre. » Comment s'étonner, dès lors, du manque de crédibilité des journalistes auprès de l'opinion qui les soupçonne, à tort ou à raison, de faire preuve d'allégeance à l'égard du pouvoir ? Deux sondages, publiés à dix ans d'intervalle (1975 : SOFRES-*Nouvel Observateur;* 1985 : CFPJ-*Télérama*)[11], révèlent en effet que les Français les considèrent comme sérieux, courageux, honnêtes ; seule leur indépendance ne trouve pas grâce à leurs yeux puisque, en 1975, 43 % d'entre eux répondaient par l'affirmative à la question : « Croyez-vous qu'ils sont indépendants, c'est-à-dire qu'ils résistent aux pressions des partis, du pouvoir ou de l'argent ? », et qu'en 1985, ils ne sont plus que 28 %. Cette réputation de courtisans (usurpée ou non, là n'est pas le problème) prouve que, dans l'imaginaire collectif, les journalistes sont perçus davantage comme des esprits entravés que libres face au pouvoir. En toute logique, certains observateurs en déduisent que les gens de presse se montrent timorés devant le journalisme d'investigation : que n'a-t-on glosé sur l'exemple du Watergate aux États-Unis et sur l'incapacité constitutive des journalistes français à mener des enquêtes de ce genre ! Une fois de plus, il convient de brosser un tableau nuancé du phénomène : certes, le conformisme de la presse dans notre pays semble un travers singulier, mais il n'en forme pas pour autant la règle générale. Souvenons-nous d'abord que le journalisme d'investigation a été pratiqué bien avant les années 60 et que « les affaires », selon l'expression à la mode, dévoilées par les journalistes (de presse écrite surtout), n'ont pas manqué sous la Vᵉ République. Il est vrai que le bilan ne penche guère en leur faveur à certaines époques : mais différents scandales ont émaillé la vie politique française et quelques-uns d'entre eux ont été plus ou moins révélés par les journalistes. Une analyse plus précise montrerait probablement qu'une nouvelle génération de professionnels des médias, moins soumise au moule de la révérence, davantage influencée par le bain idéologique des années 1968-72 et passée par la mouvance gauchiste, apporte du sang neuf sur ce point. Claude Imbert avoue que « les plus jeunes, ceux qui ont moins de quarante ans, ne se laissent plus marcher sur les pieds comme ceux de ma génération qui pratiquaient des rodomontades de bistrot suivies par des courbettes de bureau. C'est un problème culturel qui fait partie des progrès de l'opinion française ». A la suite d'une certaine désacralisation de la fonction politique dont les causes sont multiples, l'homme politique est tombé de son piédestal, du moins en certaines occasions. Autrement dit, le journalisme institutionnel, solidement ancré dans les mœurs, s'est quelque peu lézardé puisque le mur du silence a parfois été brisé.

Reste à évaluer les relations hommes politiques-journalistes sous un dernier angle, et non le moindre : le fonctionnement des réseaux de sociabilité qui se tissent insensiblement et dont l'écheveau est particulièrement embrouillé. Le système en lui-même n'a rien d'original par rapport à certaines époques antérieures, mais ses ramifications multiples permettent de saisir la fluidité des interactions, la labilité des configurations éventuelles. Selon Philippe Alexandre, « il n'y a pas de réseaux d'informateurs. Il y a des relations que l'on tisse patiemment, avec des personnes plus ou moins bien placées ». Nous avons examiné ailleurs [12] les mécanismes de constitution du carnet d'adresses et le rôle que joue ce dernier dans le processus de légitimation des journalistes : esquissons simplement ici le contexte général de l'analyse. Les facilités de fréquentation de la classe politique, dont nous avons parlé plus haut, procèdent de multiples facteurs qui interviennent, à des doses variables, dans les rapports entre les deux milieux. Énumérons-les rapidement :

— Une camaraderie d'enfance ou, plus fréquemment, d'études (en particulier à travers Sciences-Po dont l'empreinte est forte aussi bien chez les journalistes que chez les hommes politiques).

— Une amitié forgée au fil des ans à l'aide d'un « suivi » régulier d'un homme politique tout au long de sa carrière : « Avec mon expérience de vingt ans, affirme ce journaliste, on finit par avoir des entrées partout, à tous les niveaux, surtout quand on a connu tel ministre au début de sa carrière. »

— Une bonne image de marque du support de presse qui emploie le journaliste. Il n'est, en effet, pas indifférent d'émarger au *Figaro* ou à *L'Express* plutôt qu'au *Télégramme de Brest* ou au *Courrier picard*.

— Une fréquentation constante des conférences de presse, des émissions de radio ou de télévision et surtout une participation assidue aux déplacements des hommes politiques eux-mêmes. « C'est dans les avions et dans les trains qu'on ramasse beaucoup », commente Georges Suffert ; « comment voulez-vous qu'ils fassent autrement quand ils emmènent avec eux deux ou trois journalistes ? L'avantage c'est que, quand ils tombent, ils causent encore un peu plus : c'est très précieux. » Aussi le renouvellement du personnel politique de l'État, en cas de changement de majorité, ne pose-t-il guère de problèmes aux dirigeants de l'information, rapidement à même de réorganiser leur réseau de contacts.

— Un mode de vie passablement identique à celui de la classe politique au travers des pratiques culturelles. Pierre Viansson-Ponté, aujourd'hui disparu, avait très lucidement touché du doigt ce problème : l'homme politique et le journaliste, écrivait-il, « mènent à peu près la même vie qui n'est pas, par ses horaires, ses haltes et ses accès de fièvre, celle de tout le monde. Tous deux parlent le même langage convenu, fait de clins d'œil et d'allusions, où la litote, l'euphémisme, l'hyperbole et la prétérition tiennent une grande place. Tous deux fréquentent souvent les mêmes lieux aux mêmes heures — cérémonies, manifestations, studios de radio et de télévision, palais officiels ou bistrots, peu importe —, ont les mêmes interlocuteurs, lisent les mêmes journaux et les mêmes livres, sont invités volontiers ensemble par les mêmes hôtes, font les mêmes voyages [13] ».

Cette homogénéité sociale et culturelle entre le monde politique et la microsociété journalistique des privilégiés favorise les « secrets d'initiés », pour reprendre l'expression d'Erving Goffman, et les relations vécues selon un mode horizontal puisque l'interpénétration des réseaux de sociabilité ne dépasse pas une certaine zone de recouvrement, étroitement limitée à la sphère de la classe dirigeante. Le système de rapports fonctionne selon un modèle très codé où le simple rédacteur de base ne fraie guère avec un homme politique éminent et où l'éditorialiste connu ne condescendra que rarement à interroger un obscur député de province. En tant que tel, le système d'équivalence fonctionnelle n'a rien de singulier, mais il recèle des effets pervers que la coutume des petits déjeuners et déjeuners vient raffermir, comme le faisait remarquer un ancien haut responsable de la télévision : « Les déjeuners asservissent les journalistes. » Le risque est grand, il est vrai, d'une véritable symbiose entre les deux milieux, propice à la connivence ou, du moins, à un certain conformisme de pensée. Cette intimité « finit par considérablement limiter la marge de liberté de l'informateur », diagnostique Thierry Pfister [14], et celle du journaliste, pourrions-nous ajouter. Entendons-nous bien : il serait pour le moins caricatural et excessif d'en inférer une dépendance complète des gens de presse vis-à-vis du pouvoir. Il convient toutefois de mettre l'accent sur les dangers potentiels d'une telle situation d'interdépendance. La complicité existe, nul n'en disconvient, mais elle ne s'institue pas en loi générale de fonctionnement du système journalistico-politique : elle en constitue un ressort parmi d'autres ou, si l'on préfère, une loi tendancielle. La proximité géographique (inévitable), fonctionnelle (discutable) et socioculturelle (critiquable) alimente une sociabilité en vase clos souvent impropre à la distanciation. « Le journaliste est comme un pseudopode de l'organisme au rythme duquel il vit », selon la belle formule de Thierry Pfister [15]. Cette complicité d'appartenance et de référence qui éloigne, en quelque sorte, les deux milieux de la réalité quotidienne du simple citoyen, certains journalistes en ont bien conscience et tentent de s'y soustraire. Ainsi Noël Copin : « Je suis inquiet de l'évolution des relations entre la presse et les hommes politiques. On commence à se tutoyer beaucoup plus qu'avant. Je crains une trop grande familiarité. Le journaliste devrait comprendre qu'il est d'abord journaliste, ami ensuite. C'est la responsabilité de beaucoup de journalistes et l'évolution est sensible depuis dix, douze ans. La grande cause, c'est l'amour-propre de fréquenter les grands de ce monde et de croire qu'on en fait partie. » Faut-il dès lors, au risque de surprendre, établir un lien entre ce mécanisme d'influence réciproque et le silence quasi absolu dont font preuve les journalistes à l'égard de la vie privée des hommes politiques ? La question mérite d'être posée quand on connaît l'acharnement des médias américains, par exemple, à fouiller les moindres faits et gestes des candidats à la présidence, quitte à tomber dans l'ornière des rumeurs et ragots de bas étage. Le sociologue n'a pas à se transformer en voyeur : mais l'objectivité scientifique l'oblige à signaler que les connivences entre les hommes politiques et les journalistes dépassent le simple cadre des relations amicales, et ce au plus haut niveau : moins fréquemment qu'on ne le dit, mais plus souvent qu'on ne le pense. On aura compris que la communauté de pratiques et de pensée engendre une dépendance relative, peut-être d'autant plus redoutable que moins visible (et, en tout cas, soustraite au débat public).

Nous nous garderons bien de conclure de manière définitive aux deux questions posées au cours de cette étude. Assurément, l'interventionnisme des hommes politiques a longtemps été en vigueur et il aura été davantage prononcé dans l'audiovisuel que dans la presse écrite. Mais il a été contrebalancé par les fluctuations de la conjoncture et l'abondance des cas de figure. Indéniablement, les journalistes ont manifesté une certaine propension au conformisme intellectuel et culturel. Mais ils ont disposé d'atouts non négligeables pour retourner la situation en leur faveur. Aussi le tableau que l'on est en droit d'ébaucher sera-t-il composé sur le mode du « tremblé » plutôt que de « l'ordonné » puisque la perspective d'ensemble apparaît somme toute assez indistincte. L'intrication des intérêts et des stratégies semble toutefois donner raison à ceux qui pencheraient pour une analyse en termes de rapports de force entre la classe politique et les journalistes. Cette dernière se devrait donc d'évaluer le rôle des journalistes par le biais de la notion de « quatrième pouvoir » dont on a usé et abusé. Y gagnera-t-on cependant en netteté à désigner un vainqueur et un vaincu ? Ce serait probablement amplifier à l'excès les lignes de force et négliger les demi-teintes qui projettent leur ombre (ou leur lumière, c'est selon) contrastée sur l'horizon politico-journalistique.

1. Raymond Aron, « Classe sociale, classe politique, classe dirigeante » (1960), republié in *Études sociologiques*, PUF, 1988, pp. 143-165.
2. Raymond Aron, *Introduction à la philosophie de l'histoire, essai sur les limites de l'objectivité historique*, Gallimard, 1re édition 1948, coll. « Tel », 1981, p. 285.
3. Rémy Rieffel, *L'Élite des journalistes*, PUF, 1984.
4. Liste des journalistes interrogés : Philippe Alexandre, Noël Copin, Pierre Dumayet, Albert du Roy, André Fontaine, Jean-Michel Helvig, Claude Imbert, Dominique Jamet, Georges Suffert, François-Henri de Virieu. Alors que nous citons nommément ces derniers, nous respecterons la clause de confidentialité pour les propos des autres journalistes interrogés il y a huit ou neuf ans, conformément à l'engagement qui avait été pris avec eux, à l'époque.
5. Françoise Giroud, *Si je mens*, Livre de poche, 1974, p. 185.

6. Pour de plus amples détails, on se reportera à l'étude de Noël Nel, *A fleurets mouchetés, 25 ans de débats télévisés*, INA/Documentation Française, 1988, qui date l'émancipation véritable du débat politique de 1977.

7. Nous renvoyons plus particulièrement à la première partie du livre de Jean-Louis Missika et Dominique Wolton, *La Folle du logis, la télévision dans les sociétés démocratiques*, Gallimard, 1983 ; à celui fort bien documenté de Ruth Thomas, *Broadcasting and Democracy in France*, Londres, Bradford University Press, 1976, à *Mai 68 à l'ORTF*, Comité d'histoire de la télévision/Fondation nationale de Sciences politiques, INA/Documentation Française, 1987, et à Jérôme Bourdon, *Histoire de la télévision sous de Gaulle*, Anthropos/INA, 1990.

8. Alain Peyrefitte, *Le Mal français*, Livre de poche, 1re éd., 1976, p. 154.

9. Ruth Thomas, *op. cit.*, p. 126.

10. Voir sur ce point Jean-Gustave Padioleau, *Le Monde et le Washington Post*, PUF, 1985, et François Balle, *Et si la presse n'existait pas...*, J.-C. Lattès, 1987.

11. SOFRES/*Nouvel Observateur* (10 et 11 février 1975) ; CFPJ/*Télérama* (9 janvier 1985, n° 1826).

12. Rémy Rieffel, *op. cit.*, IIe et IIIe parties.

13. Cité par Daniel Schneidermann, *Tout va très bien, monsieur le ministre*, Belfond, 1987, p. 336.

14. Thierry Pfister, « Le charme discret du journalisme politique », *Médias-pouvoirs*, n° 9, 1983, p. 136.

15. Thierry Pfister, « La communication et le pouvoir », *Revue politique et parlementaire*, n° 929, juin 1987, p. 6.

Les mutations de l'information télévisée en 1969

ISABELLE VEYRAT-MASSON

Parmi les mythes des débuts de la télévision, celui de l'expérience Desgraupes n'est pas un des moindres. Cette libéralisation de l'information télévisée ne fut qu'une expérience qui ne dura que de juin 1969 à juillet 1972 mais qui restera dans les mémoires pour les raisons que nous allons examiner. Bizarrement, alors que la droite est toute-puissante dans le pays, les idées de Mai 68 semblent, en cet automne 1969, resurgir. Personne ne pouvait s'y attendre, en particulier à l'ORTF, à l'information télévisée, où la répression avait été foudroyante.

Pierre Desgraupes, constante référence des professionnels, doit sans doute à cette expérience à qui il a laissé son nom son retour à la direction d'Antenne 2 en 1981 : il était en effet le symbole d'une nouvelle libéralisation de la télévision. L'histoire de cette expérience a montré d'une part que le rôle des individus était essentiel — ici en effet il s'est agi de deux hommes (J. Chaban-Delmas et P. Desgraupes) à très forte personnalité — mais, d'autre part, que cela ne pouvait pas suffire. A chaque changement politique on a pu vérifier au choix des hommes le véritable dessein des hommes politiques.

UNE TRÊVE TENDUE

A la veille des événements qui nous intéressent, la France est dans une curieuse situation : de Gaulle a perdu au jeu du référendum dont il avait lui-même fixé les règles mais le gaullisme triomphe. Le raz de marée « réactionnaire » des élections législatives d'après Mai 68

266

domine le Parlement et l'ancien Premier ministre du général lui succède.

Mais cette stabilité politique ne dissimule pas vraiment l'effervescence de cette société post-soixante-huitarde : les enfants de la bourgeoisie abandonnent Normale Sup pour aller travailler en usine et la police de Marcellin les traque. Le malaise dans cette société prospère est partout. La droite commande l'État et la gauche commande les esprits, c'est ce que les professeurs de Sciences Po appellent le « sinistrisme de la société française ». Cette curieuse dualité qui semble s'être inversée dans les années 80 explique plusieurs des difficultés que rencontreront Chaban et Desgraupes. En effet, la droite comprend d'autant moins les tentatives de libéralisation de la nouvelle équipe qu'elle ne s'est jamais sentie aussi puissante.

La France se scinde entre ceux qui approuvent les valeurs nées de la « révolution » et ceux qui les rejettent. Or, curieusement, cette majorité qui tient sa victoire de la crainte fait appel à un homme qui ne déteste pas Mai 68.

Il s'entoure donc de gens favorables au changement : Jacques Delors ou Simon Nora par exemple. Et il fait appel, sur les conseils de Pierre Lazareff (ami commun de lui-même et de Pompidou), à un ancien gréviste de Mai 68 pour diriger librement l'information sur la 1re chaîne ! Lors de sa campagne présidentielle, G. Pompidou s'était engagé devant J. Duhamel à ouvrir la télévision à toutes les tendances politiques [1].

Dès le discours du 26 juin puis dans celui du 16 septembre 1969 à l'Assemblée nationale, Chaban-Delmas expose son projet de « nouvelle société » dont la libéralisation de l'ORTF est une pièce essentielle ; ses adversaires se rassemblent, dans les rangs mêmes de la majorité. François Mitterrand ce jour-là déclare avec prescience à l'impétueux Premier ministre : « Quand je vous regarde, je ne doute pas de votre sincérité, mais quand je regarde votre majorité, je doute de votre politique. »

Si Chaban-Delmas décide de commencer par « libérer la télévision du carcan gouvernemental », c'est à la fois pour une question de « principe » et d'efficacité [2]. Or cette information à l'ORTF qu'il entend rendre à la liberté est bien meurtrie. En 1968, la grève des journalistes de l'ORTF a été sanctionnée brutalement : 72 journalistes ont été licenciés dont 38 à la télévision. La plupart des syndicats et des partis politiques, à l'exception de l'UDR, réclament la réintégration des exclus de 1968.

En 1969, la télévision est régie par le statut de 1964, modifié le 20 août 1968 : le conseil d'administration et le directeur général sont nommés en Conseil des ministres. Le gouvernement y place de hauts fonctionnaires qu'il change d'ailleurs souvent puisque, entre 1959 et 1969, 7 directeurs se sont succédé. « Le directeur général nomme à tous les emplois, y compris à ceux de directeur », dit le statut de 1964. Lorsque Chaban-Delmas désignera le directeur de l'information de la 1re chaîne, il enfreindra donc la loi. En 1969 pèse enfin la menace de la privatisation de l'Office malgré l'ancienne alliance objective entre communistes et gaullistes sur une certaine conception d'un État fort, qui a maintenu jusqu'alors l'ORTF dans le giron de l'État. Or, les salariés de l'ORTF tiennent à leur appartenance au service public et ces menaces les incitent (encore un peu plus) à la réserve.

DES RAPPORTS NOUVEAUX

Dès son discours du 26 juin puis dans celui du 16 septembre, J. Chaban-Delmas pose les trois lignes de force de sa réforme de l'ORTF : « Son autonomie doit être assurée, une compétition véritable doit être assurée en son sein et il doit être ouvert à tous. » La suppression du ministère de l'Information, décidée par le nouveau gouvernement, symbolise la coupure du cordon ombilical, mais place le Premier ministre en première ligne face aux attaques. « En ce qui me concerne, j'ai souhaité qu'on commence par l'information qui, à l'évidence a fait l'objet de si nombreux commentaires durant ces dernières années[3] », déclare Chaban-Delmas. Il expose sa méthode : « Création de deux unités autonomes d'information dirigées par deux professionnels de qualité qui soient libres de leurs faits et gestes. »

Parmi ces deux professionnels, l'un rassure, c'est Jacqueline Baudrier qui a maintenu l'ORTF seule, ou presque, face aux grévistes, l'autre inquiète : c'est Pierre Desgraupes. Les deux unités autonomes d'information correspondent aux deux chaînes existantes ; Pierre Desgraupes aura la 1re chaîne, de loin la plus regardée, et Jacqueline Baudrier la 2e qui fait l'expérience de la couleur.

L'autonomie leur est garantie par différentes mesures qui sont toutes extrêmement nouvelles : la suppression du ministère de l'Information mais aussi de la dépendance financière à l'égard du ministère des Finances. Leur nomination par le Premier ministre les rend indépendants du directeur général : J.-J. de Bresson. Enfin, les deux directeurs choisissent librement leur équipe. Ils sont nommés pour deux ans puis, au bout de ces deux ans, pour un an seulement et révocables pour faute professionnelle grave. Une compétition théorique peut naître de cette organisation. Théorique en effet, car non seulement 20 % des Français ne reçoivent pas la 2ᵉ chaîne mais les habitudes d'écoute sont telles que la 1ʳᵉ chaîne garde une avance considérable : « Les boutons sont rouillés », explique P. Desgraupes[4]. C'est pourquoi, lorsque les premières difficultés concernant la nomination de P. Desgraupes surgissent, on essaiera de le faire passer sur la 2ᵉ chaîne... Ce qu'il refusera.

Le troisième point important — l'ouverture des antennes à « toutes les formations politiques et les organisations socio-professionnelles nationales » — est assuré d'abord par les points précédents mais aussi par des temps d'antenne spécifiques.

Ce qui est une petite révolution dans le monde audiovisuel commence par une révolution de palais. G. Pompidou revient sur la nomination de Desgraupes. Ses conseillers, et en particulier Pierre Juillet, mènent une guerre ouverte contre les actions du Premier ministre, en particulier contre la libéralisation de l'ORTF : « Vous avez livré la télévision à nos pires adversaires » lui déclare un jour P. Juillet[5].

Mais Pompidou ne parvient pas à faire revenir Chaban-Delmas sur la parole donnée. Dans les rangs de l'UDR, « l'affaire » provoqua un tourbillon d'interventions et de protestations auprès de l'Élysée. Le mécontentement est tel que 40 députés gaullistes menacent de ne pas voter le budget. C'est dans ce climat on ne peut plus tendu que P. Desgraupes, décrit par les communistes comme un homme qui « n'est pas un homme lige de la majorité sans être d'ailleurs particulièrement attaché à l'opposition[6] », amorce les mutations d'une information télévisée moderne.

INFORMATION PREMIÈRE

Pierre Desgraupes est d'abord un professionnel de l'information ; le professionnalisme sera pour lui la clef de voûte des changements. C'est cette analyse que fait François de Closets : « En 1968 il y avait une rédaction beaucoup moins résistante parce que beaucoup moins existante professionnellement[7]. » D'après lui, les journalistes de télévision n'étaient pas reconnus par leurs confrères et c'est pourquoi P. Desgraupes a fait appel à des journalistes de presse écrite reconnus afin de renforcer sa rédaction face à d'éventuelles pressions ou menaces.

Outre ces journalistes de presse écrite comme F.-H. de Virieu qui vient du *Monde*, Olivier Todd, du *Nouvel Observateur*, François Gault de *L'Express* et de *Témoignage chrétien*, P. Desgraupes, en charge dorénavant de près de 30 % des programmes de la 1re chaîne, fait appel à des journalistes de radios périphériques : Georges Walter et Philippe Gildas de RTL, ou Étienne Mougeotte d'Europe n° 1. Il fait également revenir des exclus[8] : Joseph Pasteur qui devient rédacteur en chef de ce journal télévisé nouvelle manière, Jacques Legris ou François de Closets.

J.-L. Guillaud, l'ancien directeur de l'actualité télévisée qui avait lutté pendant les événements « pour le maintien du service public », part avec pour mission de préparer la 3e chaîne de télévision. Dix autres journalistes sont affectés dans différents services de l'ORTF, bureaux en province ou à l'étranger. Ces mesures entraînent la colère de la majorité.

Pourtant, de nombreux journalistes de l'ancienne rédaction sont gardés par les nouveaux directeurs de l'information : Francis Mercury, Danielle Breem, Jacques Abouchard, J.-P. Delannoy, Jean Lanzi, Christian Bernadac, André Blanchet, Bernard Volker et Maurice Werther restent à « Information première », nom que prend le journal de P. Desgraupes. Pour celui-ci, le seul critère pour choisir un journaliste c'est « qu'il soit capable de connaître et d'interpréter les nouvelles[9] ».

42 journalistes et 21 cameramen en tout pour traiter l'ensemble de l'information : 4 éditions quotidiennes du journal télévisé, 7 éditions magazines ; 15 heures de programmes par semaine réalisées par une dizaine d'équipes rédactionnelles autonomes et d'inégales dimensions, ayant à leur tête un rédacteur en chef adjoint ou un producteur délégué directement responsable devant P. Desgraupes. Cela constitue un volume annuel de 700 heures dont 480 pour le journal télévisé. Cette rédaction s'étoffera progressivement au cours des divers remaniements.

C'est le 20 novembre que débute véritablement « l'expérience Desgraupes » avec un « Télé-soir » qui commence à 19 h 45. Comme pour bien affirmer qu'il est le seul responsable de son journal, P. Desgraupes le présente lui-même. Il « signe son premier journal[10] ». Joseph Pasteur lui succédera. Le grand changement que veut apporter P. Desgraupes, ce sera la place plus importante accordée à la vie politique et sociale intérieure française. Il le prouve dès le premier soir : par exemple, le problème paysan est évoqué et sont montrées les conditions de vie dans les campagnes [11]. Le conflit à l'EDF devait être expliqué par un face à face entre les protagonistes ; mais le président d'EDF Marcel Boiteux refuse de venir ; on donnera tout de même la parole aux grévistes [12]. Comme le note Claude Durieux : « Il est singulier qu'ont ait à mentionner comme un exploit ce simple retour à la normale, cette réhabilitation des règles fondamentales de l'information [13]. »

Les adversaires de la libéralisation ont l'occasion de s'exprimer quelques jours plus tard à l'Assemblée nationale où Chaban-Delmas vient s'expliquer sur l'ORTF afin de convaincre les quelques députés de la majorité récalcitrants de voter le budget de l'Office. Quant aux communistes, ils ne croiront à la libéralisation de l'Office que si l'on réintègre les exclus de 1968. Interrogé quelques jours plus tard par *L'Express,* P. Desgraupes n'est pas découragé par la violence des attaques : « On ne changera pas sans grincements les habitudes prises dans les rapports entre la télévision et la politique. On ne peut pas tout transformer d'un seul coup de baguette magique [14]. »

Que veut-il changer ? Et comment ? Quels sont les paris de Pierre Desgraupes ? Dix ans après P. Desgraupes explique : « Ce qui m'intéressait dans cette opération, c'était de changer la relation des journalistes avec le pouvoir, bien entendu, mais la conscience même qu'ils avaient de leur propre métier. Je pensais que les journalistes de télévision, à l'époque, avaient fini par ne plus être des journalistes [15]. »

Toute la presse salue la qualité de cette rédaction et la notoriété toujours actuelle des journalistes qui la composent parle d'elle-même... A moins que leur participation à cette expérience soit pour partie à l'origine de leur carrière ultérieure ?

P. Desgraupes ne propose pas de solution pour résoudre l'épineuse (impossible ?) question de l'objectivité. Il commence même par récuser la notion même de l'objectivité : il parlera d' « honnêteté ». « L'honnêteté ne se mesure pas tandis que l'objectivité se mesure et, en général, on la mesure en temps d'antenne. [...] L'objectivité comme cela, je n'en veux pas [16]. » Sa conception évolue puisqu'à un journaliste du journal *Combat* il explique un an après qu'il fait un journal « honnête et objectif ». « Je commence à me faire engueuler de partout. Je pense que lorsque tout le monde m'engueulera, ce sera le signe que je suis objectif. Car les gens dans ce pays voudraient à la fois exposer leurs problèmes et les camoufler [17]. »

Mais le combat, qui n'est pas sans ambiguïté on le verra, que mène

271

P. Desgraupes, c'est d'abord celui de la crédibilité. Passer de la non-crédibilité à la crédibilité, « c'est tout ce que j'ai voulu faire », explique-t-il au *Nouvel Observateur*[18]. Il juge avoir accompli « des progrès très substantiels » dans ce domaine. Parce que la rédaction n'a jamais caché ou tu quelque nouvelle que ce soit et que « aucun membre du gouvernement, d'un cabinet ministériel ou de la direction générale n'est venu visionner une seule séquence avant son passage à l'antenne[19] ». La télévision doit pouvoir parler de tout sans crainte et ainsi elle sera « une source de nouvelles » ; il « fallait changer la mauvaise habitude de quitter la télévision pour aller chercher des nouvelles ailleurs » ; le but de Desgraupes c'est de prendre de l'audience à la radio. Un an après le début de son expérience il pense avoir réussi.

Malgré l'impression que dégage le journal de la 1re chaîne, de sérieux, d'austérité même, si on le compare au journal de Jacqueline Baudrier, les journalistes aiment renouer avec le sensationnalisme qui était une caractéristique de « Cinq colonnes ». On ne dédaigne pas le scoop, la recherche des « coups » journalistiques. Gérard Nicoud, chef de file des petits commerçants, recherché par la police, Mikis Théodorakis évadé de Grèce, Régis Debray dans sa prison d'Amérique latine, Jean-Paul Sartre, tous sont interviewés en exclusivité pour « Information première ». A voir cette liste (tous des opposants), il n'est pas difficile d'imaginer le mécontentement des hommes politiques de la majorité.

LES ÉVOLUTIONS

Pendant ces deux ans et demi, l'équipe d' « Information première » explore de nouvelles voies, modifie son organisation, accueille de nouveaux journalistes, privilégie une édition après l'autre, tandis qu'elle est attaquée par des forces centrifuges.

A partir du 5 janvier 1970, un ensemble de réformes de structures est mis en place[20]. Chaque chaîne aura dorénavant un directeur : Pierre Sabbagh pour la 1re, Maurice Cazeneuve pour la 2e ; Xavier Larère est chargé de la coordination entre les deux chaînes. La première mesure importante est l'indépendance financière. Les directeurs des unités d'information de chacune des chaînes sont responsables de leur budget, c'est eux qui élaborent leurs programmes en fonction des moyens dont ils disposent.

P. Desgraupes organise deux unités d'information, l'une chargée du journal de la mi-journée, l'autre du journal du soir. En novembre 1970, la rédaction d' « Information première » est de nouveau réorganisée : le but de cette réforme est d'améliorer la rapidité de l'information et d'augmenter la participation de tous les journalistes. Le service de politique intérieure, le service étranger et celui des informations générales disparaissent et le « pool des enquêtes et reportages » leur succède. Ce pool est chargé de fournir en images et en reportages les quatre éditions quotidiennes du journal télévisé. A la fin de 1970, P. Desgraupes engage une dizaine de journalistes.

Mais la grande idée, celle qui est toujours d'actualité et qui est dorénavant attribuée à P. Desgraupes, c'est celle du présentateur unique. La dernière année, en effet, Joseph Pasteur a remplacé les autres présentateurs. Plusieurs raisons à cela. Le 15 novembre 1971, P. Desgraupes explique : « Le présentateur travaille sans filet, c'est difficile, il a peur de se faire engueuler. [...] C'est pourquoi on laisse l'antenne au " patron " qui est plus détendu. » Le rapport d'activité de l'ORTF donne une autre explication : le fait d'être unique « donne au présentateur une meilleure connaissance d'un jour à l'autre de l'évolution des affaires en cours[21] ». Dix ans après, P. Desgraupes critique le système du présentateur unique qu'il a institué : « Ça bouffe un type, la présentation tous les soirs... J. Pasteur voulait s'amuser et se montrer à l'image. Alors on a essayé effectivement cette formule Conkrite. » Déjà et encore le modèle américain !

LES CONTRADICTIONS D' « INFORMATION PREMIÈRE »

La liberté est-elle possible et durable lorsqu'elle est le fait du prince ? En septembre 1969, le nouveau Premier ministre avait désigné lui-même les directeurs de l'information. Puis il a joué le jeu de la libéralisation. « Jamais le directeur de l'époque n'est intervenu dans les affaires du journal. Jamais. Il a été parfaitement loyal », nous a déclaré P. Desgraupes. Mais ce faisant, ne rapproche-t-il pas la télévision du pouvoir ? C'est dorénavant l'hôtel Matignon qui est le ministère de tutelle. Roger Vaurs et Pierre Hunt, du cabinet du Premier ministre, Léo Hamon porte-parole du gouvernement sont les interlocuteurs de Pierre Desgraupes. De leur bonne volonté dépend sa liberté. Et de sa propre personnalité. Les membres des cabinets ministériels peuvent essayer de faire des pressions, P. Desgraupes peut leur imposer un refus dans la mesure où il est protégé par le deuxième personnage de l'État. Et c'est ce qu'il fait. Les ministres avaient comme consigne, s'ils avaient quelque chose à communiquer à la télévision, de passer par le cabinet du Premier ministre.

Mais Chaban-Delmas n'a pas renforcé la situation du directeur de l'information par un texte de loi, un statut. La commission Paye a bien été mise en place pour préparer quelque chose de semblable mais ses conclusions, publiées en juillet 1970, et qui reposent sur « quatre piliers : indépendance, pluralité, relations clairement définies avec l'État et droit de réponse[22] », ne seront suivies d'aucune réforme. Le statut élaboré, après l'expérience, en 1972 dans des conditions totalement différentes est rédigé dans un esprit presque opposé à celui qui a guidé la commission Paye. Dans son rapport la commission Paye mettait l'accent sur un point que nous soulevions plus haut : « La suppression du ministère de l'Information ne règle pas le problème (celui de la dépendance de l'ORTF à l'égard du gouvernement) car elle ne fait pas disparaître la responsabilité de l'État. » L'expérience Desgraupes ne sera pas l'occasion de modifier cela, mais elle mettra en lumière cette question.

Desgraupes est donc guetté de partout : à l'Élysée par Pierre Juillet et Marie-France Garaud qui accueillent d'une oreille favorable les plaintes des hommes politiques de la majorité. L'opposition ne soutient pas non plus l'équipe d' « Information première » : René Andrieu, par exemple, explique dans *L'Humanité*, « que ce contrôle ait évolué dans sa forme, qu'il soit devenu plus souple, plus feutré ne change rien au fait qu'il demeure[23] ». Cette opposition de gauche se bat pour qu'il existe des règles démocratiques. Laurent Salini résume ainsi le nœud qui entoure « Information première » : « … Si l'opposition a quelquefois la parole, nous sommes toujours dans le domaine du bon vouloir du prince. Et c'est avec cela qui se mue instinctivement en arbitraire qu'il convient de rompre[24]. » Et le journaliste de *L'Humanité* de faire la liste des reportages qui auraient été cachés, et de dresser un « dossier noir » de l'ORTF.

Or, la valeur de la protection du prince dépend elle-même de sa puissance. Sous la Ve République gaulliste, ce prince, le Premier ministre, malgré sa puissance, est un homme assez isolé, il n'est jamais le chef d'un parti et il dépend d'une double légitimité, celle du président de la République qui l'a nommé et celle de l'Assemblée nationale qui peut le renverser. En l'occurrence Chaban-Delmas n'est sûr d'aucun côté.

L'indépendance des informations télévisées repose donc sur la puissance fragile d'un homme attaqué par ses propres amis politiques.

Comment se conduisent des journalistes « libres » dans une telle situation ? P. Desgraupes raconte, longtemps après : « Je voyais les gens de Matignon une fois par semaine ; cela faisait partie de mon métier. » Puis, il ajoute une petite phrase qui laisse imaginer le devoir de loyauté inhérent au « fait du prince » quand il parle de Chaban-Delmas : « C'est lui qui m'avait fait nommer là quand même[25]. » Michel Jobert raconte également que, au moment de son installation à l'hôtel Matignon et de celle du nouveau directeur de l'Information, Chaban-Delmas avait été particulièrement « gâté » par les médias audiovisuels. Comment pouvait-il en être autrement ? A tel point que l'Élysée en aurait déjà pris de l'ombrage.

P. Desgraupes, en 1970, ne se voile pas la face devant cette situation : « Vous m'avez demandé si tout ce bel effort et ce bel effet ne reposent pas actuellement et uniquement sur la bonne volonté du Premier ministre... Eh bien oui ! C'est évident[26]. » Mais le nouveau directeur de l'information est persuadé que ces « béquilles » ne sont pas éternelles et qu'il pourra un jour s'en passer. Philippe Gildas, en 1973, de retour sur RTL, est « bien obligé de constater » : « A RTL j'ai retrouvé une liberté dont j'avais perdu l'habitude à la télé. » Il admet ce que P. Desgraupes, lui, récuse, même avec du recul[27] : « C'est vrai qu'en un sens nous faisions du " chabanisme ", dans la mesure où J. Chaban-Delmas nous apparaissait comme le garant de notre autonomie[28]. »

Que faire alors lorsque l'information que l'on donne contribue à déstabiliser le socle sur lequel on repose ? Cas d'école de journalisme : comment réagir aux attaques du *Canard enchaîné* qui mettent en cause, à propos de ses impôts, celui qui est votre « protecteur » ? D'après François-Henri de Virieu, chef de service à « Information première » : « Pas question, bien sûr, d'escamoter " l'affaire ". Il fallait informer, enquêter, demander des explications au Premier ministre... » Mais sur une question comme celle-ci, Desgraupes avait-il toujours cette crédibilité à laquelle il tenait tant ? Ce qui est certain c'est qu'il contribuait ainsi, « au nom d'une certaine conception de son métier, à déstabiliser un peu plus » J. Chaban-Delmas attaqué en partie à cause de son libéralisme à l'égard de la télévision[29].

Pas plus que par un sentiment de loyauté intéressé, Desgraupes n'était lié par un principe que personne dans ces années-là ne contestait : la responsabilité. *Presse-Actualité* de février 1973 pose une question qui résume bien le problème : « Une surestimation des " pouvoirs de la télévision " n'a-t-elle pas trop souvent conduit à en faire la " télévision du pouvoir " ? » La plupart des journalistes font leur ce point de vue de Dominique Laury : « Effectivement, nous ne sommes pas des journalistes comme les autres en raison de nos responsabilités [30]. » C'est dire que les responsabilités dérivent du pouvoir supposé de la télévision sur les esprits (« la responsabilité des journalistes est proportionnelle à leur impact, à leur influence [31] ») et derrière l'idée de responsabilité se profile presque obligatoirement l'autocensure. Pour Philippe Gildas qui a suivi toute l'aventure d' « Information première » : « On se laisse obséder par la responsabilité face au pouvoir et face au public, que confère le monopole et l'on en arrive à l'autocensure permanente [32]. » Et comme le signale *Le Livre blanc des journalistes :* avec les « appels constants à la " responsabilité " des journalistes... on n'est pas très loin de " la voix de la France " chère à M. Pompidou [33] », théorie énoncée par celui-ci le 22 septembre 1972 en pleine période de normalisation de l'ORTF et qui « ouvre la porte à toutes les autocensures [34] ».

Il nous semble que les cas de censure cités par *L'Humanité* et *Témoignage chrétien* sont plutôt de ce ressort. De même le départ d'Olivier Todd après le refus du conseil d'administration d'autoriser la diffusion dans l'émission « Panorama » d'un extrait du film *La Bataille d'Alger*, refus accepté par P. Desgraupes, s'explique par le fait que les deux hommes n'avaient pas le même sens de la « responsabilité ». L'un se sentait responsable de sa « liberté journalistique » personnelle et l'autre de cet espace de liberté très relatif dont il jouissait pour faire un journal « honnête ».

Pendant mille jours, « Information première » doit donc résister au climat de méfiance générale à l'intérieur comme à l'extérieur. Mais ce sont sans doute les problèmes extérieurs à sa vie propre qui vont décider de la fin de l'expérience.

LA FIN D' « INFORMATION PREMIÈRE »

« L'autonomie des informateurs de télévision est toujours inversement proportionnelle à la proximité d'une échéance électorale », note E. Mougeotte [35]. L'année 1972, c'est à la fois le référendum sur l'Europe et la préparation des élections législatives de 1973. En ce qui concerne le référendum, Desgraupes refuse de suivre les consignes du Centre d'information civique qui appelle au vote, parce que ce serait intervenir dans la campagne étant donné que les socialistes appellent à « l'abstention motivée ».

Alors qu' « Information première » subit de plein fouet, comme nous l'avons dit, les coups qui sont portés contre Chaban-Delmas, une sombre affaire de publicité clandestine survient. Elle ne touche pas les actualités mais sera le prétexte pour remettre en question les structures de la télévision et en particulier l'autonomie des directeurs de l'information. Philippe Malaud, qui se situe à la droite de la majorité d'alors, secrétaire d'État à la Fonction publique, est chargé d'élaborer des propositions pour réformer les structures de l'ORTF. Il doit remettre ses conclusions directement au président de la République. J. Chaban-Delmas est donc tenu à l'écart. Il est lui-même personnellement et politiquement affaibli.

Cette « mini-réforme », votée le 15 juin 1972 « sans illusion », après « un débat sans passion », n'a rien pour rassurer les tenants de la liberté de l'ORTF. Elle concentre tous les pouvoirs dans les mains d'un seul homme, le P-DG, désigné par le président de la République. Le poste de directeur de l'information est supprimé. Le choix d'Arthur Conte, député UDR, comme nouveau P-DG, lui qui avait fulminé contre la libéralisation effectuée par Chaban-Delmas à l'ORTF, est bien le signe d'un véritable retour en arrière.

P. Desgraupes tombe exactement en même temps que Chaban-Delmas tellement il était clair que leur sort était lié. L'équipe d' « Information première » ou plutôt ce qu'il en reste, puisque plusieurs journalistes de leur plein gré ou non ont suivi leur patron, passe sur la 2e chaîne.

André Brincourt dans *Le Figaro* s'étonne : « Étrange réforme qui change les responsabilités dans le secteur où l'on a constaté une amélioration certaine (l'information) et ne modifie rien dans le secteur où tout va mal (les programmes)[36]. »

UNE EXPÉRIENCE PRÉMATURÉE ?

P. Desgraupes nous expliquait lors de son interview qu'il avait été protégé par son statut et qu'il était parti à la fin de son contrat. Or, le cas d'Arthur Conte prouve *a contrario* que, dans les années que nous étudions, même protégé par un texte de loi, même puissant politiquement, un responsable de l'ORTF est considéré comme un fonctionnaire ordinaire que l'on déplace quand on n'est pas satisfait de ses services. Nommé par le pouvoir politique pour lui obéir,

Arthur Conte ne pouvait pas se prévaloir d'une quelconque légitimité autre que cette nomination. P. Desgraupes, nommé, lui, pour être un contrepoids à l'exécutif, aurait peut-être pu se battre s'il avait été protégé par un statut plus démocratique que celui de 1964 et celui de 1972. Parions qu'il n'était pas encore temps.

Le problème semble être une question de maturité démocratique. Aucune mobilisation n'a suivi les départs-sanctions. La dialectique née des Lumières et héritière de la Révolution française entre la légitimité de l'État et celle des droits de l'homme (en l'occurrence l'article 11 sur la liberté de la presse) est parfaitement mise en lumière sous la Ve République à propos de l'ORTF. L'État détient, depuis sa création, le monopole sur la radiotélévision. Dans cette France gaulliste, centralisatrice et jacobine, l'équation monopole = service public = État = gouvernement n'est pas véritablement rejetée. La légitimité de l'État justifie que ce qui est considéré comme « la voix de la France » soit au-dessus de la liberté d'expression et de la liberté de la presse.

L'expérience de P. Desgraupes en 1969, qui ne se bat pas d'ailleurs au nom de ces principes mais plutôt au nom d'un professionnalisme idéal, est la première étape vers un désengagement de l'État dans le premier outil d'information français. Son immense mérite, c'est bien sûr d'avoir été le premier historiquement et, s'il ne pouvait pas réussir, c'est-à-dire durer et rendre cette mutation irréversible, l'avenir a montré que c'était parce que les mentalités des politiques, des professionnels et du public n'étaient pas prêtes. Le sont-elles aujourd'hui vingt ans après, même si, sans aucun doute, des progrès considérables ont été faits vers plus de liberté et d'indépendance ?

1. Entretien sur Europe n° 1 le 22 mai 1969.
2. J. Chaban-Delmas, *L'Ardeur*, Stock, 1975, p. 253.
3. Discours devant les journalistes parlementaires, 23 septembre 1969.
4. *Combat*, 8 décembre 1970.
5. J. Chaban-Delmas, *op. cit.*, p. 372.
6. *France nouvelle*, 24 septembre 1969.
7. Interview réalisée par l'auteur.
8. 12 journalistes exclus à la suite de la grève de Mai 68 seront réintégrés.
9. *Combat*, 8 décembre 1969.
10. F.-H. de Virieu *in Le Matin, art. cit.*
11. Reportage réalisé au château de Néac, domaine du père d'Olivier Guichard, où l'on voit son père pris à partie par les agriculteurs. Le ministre de l'Éducation nationale protestera contre ce choix au Conseil des ministres suivant.

12. Il acceptera en revanche d'intervenir sur la 2e chaîne de Jacqueline Baudrier.
13. *Le Monde*, 12 décembre 1969.
14. *L'Express*, 1er décembre 1969.
15. *Le Matin*, 1er-2 décembre 1979.
16. *Le Monde*, 7 octobre 1969.
17. *Combat*, 8 décembre 1970.
18. *Le Nouvel Observateur*, 22 juin 1970.
19. *Le Monde*, 8 décembre 1970.
20. Deux missions, Riou et Paye, avaient été mises en place fin 1969, l'une par le directeur général de l'ORTF pour étudier des réformes internes, l'autre par le Premier ministre pour modifier le statut de l'ORTF.
21. Rapport d'activité de l'ORTF, 1970.
22. *Le Figaro*, 25 juillet 1970.
23. *L'Humanité*, 17 novembre 1970.
24. *L'Humanité*, 22 décembre 1971.
25. *Le Matin*, *art. cit.*
26. *L'Express*, 6 juillet 1970.
27. Interview de P. Desgraupes par l'auteur.
28. *Presse-Actualité*, interview déjà citée.
29. *Le Matin*, *art. cit.*
30. *Presse-Actualité*, interview déjà citée.
31. Michel Péricard *in Presse-Actualité*, février 1973.
32 Interviews *in Presse-Actualité*, février 1973.
33. *Le Livre blanc des journalistes*, p. 63.
34. *Ibid.*
35. Interview *in Presse-Actualité*, février 1973.
36. *Le Matin*, *art. cit.*

DISCUSSION

APRÈS LES COMMUNICATIONS
DE R. RIEFFEL ET I. VEYRAT-MASSON

Jean RABAUT. — *Je voudrais apporter au débat mes observations d'ancien professionnel. M. Rieffel a parlé de révérence des journalistes à l'égard des hommes politiques. Quand j'exerçais, du moins la révérence était formelle. Il était entendu qu'on ne posait pas aux hommes politiques des questions de nature à les embarrasser. Ça ne voulait pas dire du tout qu'on éprouvait un quelconque respect. Cela aurait plutôt tenu de la nargue et à l'occasion même du mépris. Cela dit, on faisait des interviews insipides parce qu'il fallait qu'elles le fussent. Par ailleurs, il y a un mot que je n'ai pas entendu et qui mieux que tout autre définissait l'atmosphère des salles de rédaction dans les débuts de la Ve République, c'est le mot « autocensure ». C'est non pas directement sur le journaliste de base ou même sur le rédacteur en chef que s'exerçaient les pressions, mais par l'intermédiaire du directeur. A plusieurs reprises et notamment à propos d'une émission sur Jaurès, en 1959, il m'est arrivé de me trouver aux prises avec le directeur des programmes qui était pourtant à l'époque un homme de talent et un grand professionnel, Jean d'Arcy. A mon avis c'étaient moins les rapports et les interventions personnelles qui comptaient qu'une certaine atmosphère. Ce n'était pas tant l'homme politique qui était à redouter d'ailleurs. C'était l'attaché de cabinet, suspicieux, insinuant. L'homme politique n'intervenait généralement pas lui-même et trouvait parfois le résultat excessif.*

André-Jean TUDESQ. — *R. Rieffel a parlé de modifications dans les relations des journalistes avec le pouvoir. Il y a eu aussi une évolution*

280

dans la répartition des responsabilités politiques et peut-être une certaine dévalorisation du député par rapport à d'autres responsables qui ne sont pas des élus, que ce soient les conseillers de l'Élysée ou des responsables de grandes entreprises ou de grands services publics qui ont pu jouer un rôle déterminant dans certains domaines, par exemple les responsables de l'EDF dans la politique nucléaire, ou les dirigeants de la DGT. D'ailleurs on retrouve certains hauts technocrates, que ce soit avant ou après 1981, à de hauts postes ministériels. Est-ce que les journalistes ont perçu ces décalages dans la répartition des pouvoirs ? Si oui, comment ont-ils procédé à l'égard de ce nouveau type de responsables ?

Denise DEVÈZE-BERTHET. — Ce qui a été dit sur la connivence entre les hommes politiques et les journalistes se retrouve dans d'autres domaines. Je pense en particulier au journalisme scientifique que je connais mieux. Si les journalistes veulent avoir des informations, ils ont besoin parfois, dans des domaines un peu chauds de la recherche (dans des domaines qui posent par exemple des problèmes d'éthique), de garder le silence sur un certain nombre d'informations s'ils veulent garder le contact avec certains centres de recherche, jusqu'au moment où ils jugent opportun de lâcher l'information.

J'aurais préféré que vous liiez les changements d'attitude des journalistes, de télévision en particulier (je m'adresse aussi à Mme Veyrat-Masson), avec les statuts dont ils dépendent. Je crois que c'est directement lié.

Nathalie CARRÉ de MALBERG. — Ma question s'adresse à R. Rieffel ; elle porte sur les chemins d'influence du pouvoir politique, pas seulement sur les pressions. Y a-t-il des pressions sur les annonceurs ? Est-ce que les hommes politiques, les conseillers, les hauts fonctionnaires peuvent faire pression sur les annonceurs et indirectement sur le contenu de l'information ? D'autre part, pour le cas du Monde, y a-t-il des pressions politiques par le biais de la société des lecteurs ?

Hélène ECK. — Lorsqu'on se demande comment l'institution de l'audiovisuel gère ce problème de la liberté des journalistes, il y aurait peut-être intérêt à faire une étude historique des « placards », indépendamment des grandes charrettes qui sont la façon la plus violente de régler une crise ouverte (mais les crises sont souvent latentes). Est-ce un phénomène propre à la Ve République ? Quels sont le volume et la durée des placards ? A travers cette étude peut-être pourrait-on déceler les tensions qui ne sont souvent perceptibles que de l'intérieur, le regard extérieur ne voyant guère que les grandes charrettes. Évidemment, il y aurait un problème de définition. Mais les institutions et les pairs savent qui est au placard. Donc, c'est bien pour l'institution un moyen de gérer les rapports des journalistes avec les différents niveaux de pouvoir : le pouvoir politique, la direction, la direction de l'information, et même le pouvoir des pairs. Cette pratique est sans doute une forme de régulation de l'institution.

Marc MARTIN. — *Je me demande, à partir des exemples présentés, notamment de l'expérience P. Desgraupes, s'il est possible de faire une étude sur les pressions politiques ou économiques sur les journalistes, indépendamment d'une étude de l'organigramme de la rédaction du journal parlé ou télévisé, c'est-à-dire de la manière dont s'organise et s'exerce l'autorité au sein de l'entreprise ?*

Hélène ECK. — *Est-il possible de faire une histoire des pressions ? Précisément, elles ne laissent pas de traces, elles se font par téléphone, dans les conversations de couloirs, tout ceci n'est pas perceptible. C'est pourquoi je parlais des placards parce que c'est le phénomène le plus visible. Quant au processus qui y conduit, je ne suis pas sûre qu'on puisse en rétablir les étapes.*

Isabelle VEYRAT-MASSON. — *Je pense que le statut et la liberté n'ont pas grand-chose à voir. Il y a des statuts que les garants sont les premiers à violer : Jacques Chaban-Delmas, en arrivant en 1969, fait nommer lui-même Pierre Desgraupes alors que ce n'est pas dans le statut. Les journalistes de l'audiovisuel sont régis par des textes qui ne sont pas respectés. De plus, un statut pour quelqu'un qui ne se sent pas libre ou qui ne se veut pas libre est inutile. Pierre Desgraupes n'a pas été aidé par un statut contrairement à ce qu'il déclare. En réalité le statut correspondant à sa fonction n'a pas été modifié par l'arrivée de J. Chaban-Delmas puisque la commission Paye, qui a travaillé à ce moment-là, proposait un certain nombre de modifications qui auraient protégé les gens de l'ORTF, et qu'elles n'ont pas été adoptées.*

Rémy RIEFFEL. — *Il semble bien y avoir une dévalorisation de l'image des députés car les journalistes ont, dans leur ensemble, une image très dépréciée des élus de l'Assemblée nationale plutôt entre*

1960 et 1975 qu'après. En tout cas, beaucoup d'entre eux reconnaissent nettement que ce n'étaient pas les élus qui apportaient des informations intéressantes. Ont-ils eu à ce moment conscience de ce phénomène de dépossession ? Globalement non. Mais les journalistes travaillant dans la presse économique ou réalisant des émissions de télévision de vulgarisation économique, eux, en ont bien conscience. Je suis très affirmatif sur l'existence de pressions des annonceurs sur les rédactions. Je prends l'exemple assez connu d'un cas à L'Expansion. Jean Boissonnat a subi à plusieurs reprises des pressions très fortes, notamment d'un industriel de l'aéronautique. Il a résisté mais cela lui a coûté très cher, il a perdu un certain nombre de millions de francs à cette époque, puisque cet industriel a ensuite refusé toute publicité. Je ne dispose d'aucun élément pour apprécier l'existence de pressions indirectes. On ne m'en a pas parlé, cela ne veut pas dire que ça n'existe pas, mais c'est peu tangible.

Enfin, à propos de la question de M. Martin, je crois qu'il est très difficile d'étudier le processus d'une pression car, comme l'exposait M. Rabaut, c'est de l'autocensure, des conseils et des suggestions que l'on n'arrive pas à cerner. Je ne crois pas que l'on puisse lier la question de l'organigramme et des pressions. C'est plus subtil car l'organigramme, très souvent, ne correspond pas à la réalité des choses. Il y a des organigramme officiels et les responsabilités des journalistes sont tout autres. Je ne pense pas que l'organigramme soit un instrument fiable.

Isabelle VEYRAT-MASSON. — L'organigramme qui importe en ce qui concerne la période de 1969 est celui de l'information, car il y a une dichotomie très nette entre la direction de l'information et la direction de la chaîne. La correspondance entre l'organigramme et l'expérience Desgraupes est très claire : ce sont les mêmes qui sont au début et à la fin et ce sont des gens venus de l'extérieur à part Francis Mercury, le seul à avoir une direction de service et qui soit de l'ancienne rédaction. Ça ne dit pas tout mais ça donne assez d'informations, à savoir qui décide et fait quoi.

Bernard LEBRUN. — A propos des pressions que peuvent exercer les lecteurs, notamment par le biais de la nouvelle structure de la société des lecteurs qui existe au Monde tout comme à L'Événement du jeudi, à l'assemblée des lecteurs du Monde, qui s'est tenue récemment au Cirque d'hiver, les gens ont parlé et ont été très critiques notamment contre l'orientation du Monde vers un journalisme *d'investigation, et ont affirmé qu'ils ne voulaient pas voir* Le Monde *sortir des « affaires » et devenir* Le Canard enchaîné.

Denise DEVÈZE-BERTHET. — *Est-ce tellement surprenant ? Les actionnaires et les lecteurs qui étaient là l'étaient pour conserver, ils ne veulent pas voir modifier. La part du rituel est très importante dans la lecture d'un journal.*

Philippe VIGIER. — *On ne peut non plus considérer que le groupe des actionnaires soit représentatif de l'ensemble des lecteurs du* Monde, *car il faut investir un certain capital et en outre être très attaché au journal, peut-être d'ailleurs surtout à l'ancienne formule du journal.*

Table ronde

Présidée par Jean-Noël Jeanneney, professeur des Universités à l'Institut d'études politiques de Paris. Ancien Président-directeur général de Radio France et de Radio France-Internationale.

avec la participation de :

Hervé Brusini, chef du service Enquêtes à Antenne 2.
Jean-Pierre Farkas, directeur des radios locales à Radio France.
Jean-Francis Held, directeur de la rédaction à *L'Événement du jeudi*.
Bernard Lauzanne, ancien directeur de la rédaction du *Monde*.
Antoine-Pierre Mariano, rédacteur en chef au *Figaro*. Membre du comité éditorial.
Bernard Voyenne, journaliste honoraire, ancien professeur au Centre de formation des journalistes.

J.-N. JEANNENEY. — *J'ai grand plaisir à me retrouver dans ces murs. Je sais gré aux organisateurs de ce débat d'avoir pensé à moi pour accueillir des représentants aussi éminents de la profession de journaliste, pour qu'ils nous disent comment ils ont vécu et compris les changements de leur métier depuis trente ans, avec notamment la place prise par la télévision qui n'a d'ailleurs pas entraîné tous les bouleversements que l'on prévoyait à ses débuts. Pas plus que la radio, la télévision n'a porté à la presse écrite les coups mortels que certains avaient d'avance dessinés.*

Mais il est vrai que la télévision, et sa place désormais centrale dans l'information, ont contribué à modifier le contenu des produits offerts comme les conditions d'exercice du métier. De même que la radio, peut-être à un moindre degré, la télévision a apporté une sorte d'instantanéité de l'information : cette double influence porte donc d'abord sur le rythme. Du même coup a été modifiée la responsabilité des journaux et peut-être aussi l'équilibre des différents types de journaux dans la presse écrite, je pense en particulier à un certain recul de la presse populaire.

La télévision a introduit aussi d'autres données, vérifiant les relations entre l'intellectuel et l'affectif dans le traité et la réception de l'information. Il faut aussi s'intéresser à la sociologie du milieu des journalistes. Il faut réfléchir à l'évolution de la notoriété des différents journalistes, celle qui vient de la presse écrite, de la presse parlée ou de la presse télévisée, avec les conséquences que cela peut avoir sur les modes de vie, sur la hiérarchisation de la profession, sur les différentes gratifications matérielles ou sociales.

Les publics ont probablement changé aussi. L'attente de ceux qui consomment l'information s'est modifiée, pas seulement à cause de la nature des médias, mais aussi des changements mêmes du monde, de l'évolution du système démocratique dans un pays comme le nôtre.

Il y a un autre aspect des choses qui paraît intéressant à évoquer. C'est celui du recrutement et de la formation : quel type de journalistes sont recrutés, comment sont-ils formés ? Et puis, comme toujours en histoire et en sociologie, on passe vite du fait à l'image du fait : y a-t-il eu ou non une évolution de la mythologie du milieu, selon un phénomène de génération de l'idée que le public se fait du métier, de l'idée que les gens du métier se font d'eux-mêmes ; il me semble qu'il y a eu là des mutations importantes. L'image mythique de Rouletabille ou d'Albert Londres a-t-elle laissé la place à d'autres images ? Mais j'ai choisi de n'être qu'interrogatif.

(Jean-Noël Jeanneney donne la parole à Antoine-Pierre Mariano.)

Antoine-Pierre MARIANO. — *Je suis entré très jeune au* Figaro *en 1962. J'ai donc vécu une petite trentaine d'années de journalisme écrit. J'ai dirigé le service économique du* Figaro *jusqu'en 1984. J'ai gardé une petite passion pour l'économie, et bien qu'étant rédacteur en chef du journal depuis cette date, je pratique toujours cette spécialité dans le journal, mais seulement au plan éditorial.*

Trois impressions m'ont marqué au cours de ma carrière : l'éclatement du volume de l'information — particulièrement dans le domaine de l'information économique que je connais mieux —, une révolution technique extraordinaire et l'âpreté de la concurrence entre les médias, aussi bien à l'intérieur de la presse écrite qu'avec l'audiovisuel.

Le volume de l'information

Quand je suis entré au Figaro en 1962, l'information économique y tenait une demi-page, à droite, elle-même à demi occupée par un tableau de bourse. Il y avait en outre un petit billet boursier, un peu de réclame et les informations économiques se réduisaient à trois ou quatre petites nouvelles, le tout tenant dans un quart de page. Cette information a grossi je crois, à la faveur des différents événements économiques qu'a connus la France : le plan de stabilisation de 1963, le choc pétrolier de 1973 et ce qui en a découlé. J'ai le souvenir d'avoir, dans ces années 1963-64, peu à peu grignoté la page de gauche, puis avoir eu accès à la une du journal. Maintenant vous voyez ce qu'est devenue l'information économique dans Le Figaro : 12 pages quotidiennes, séparées du cahier général, et le lundi, c'est un énorme supplément.

Il y a eu éclatement du volume de l'information économique en fonction de la conjoncture économique, mais également en fonction de l'évolution de toutes les sources d'information qui se sont mises à parler d'elle. Un souvenir précis : en 1963-64, dans Le Figaro, nous ne citions pas un nom d'entreprise. Pour parler de Rhône-Poulenc nous disions « une grande entreprise chimique française ». La plupart des entreprises, à commencer par les banques, n'avaient pas de service de presse. Je me souviens de 1967 où le Crédit Lyonnais cherchait à recruter un attaché de presse. Le service de communication du Crédit Lyonnais doit être aujourd'hui d'une vingtaine de personnes. Je pourrais aussi évoquer de multiples autres sociétés comme Peugeot, etc.

Vers 1963-64, comme source d'information pour nos analyses économiques, nous n'avions pratiquement rien. J'ai encore le souvenir du temps où la note de conjoncture de la Chambre de Commerce de Paris était l'unique source intéressante. Maintenant, toutes les banques établissent régulièrement une note de conjoncture, plusieurs instituts privés produisent des analyses. De la même manière, les pouvoirs publics ont eux-mêmes mis en place des services d'information. Au début des années 60, lorsque le ministre des Finances donnait sa conférence de presse annuelle pour nous présenter le projet de loi de finances, il n'y avait aucun document accompagnateur. Nous étions obligés de prendre des notes. Maintenant on nous donne un dossier de 200 ou 300 pages avec des tableaux. On pourrait pratiquement envoyer tout cela tel quel à l'imprimerie.

La révolution technique à l'intérieur des journaux

Dans les années 60, on faisait des journaux, maintenant on fabrique des produits. Maintenant, au lieu d'avoir des typographes avec des doigts tout sales, on a des gens en blouse blanche. A la place des grosses linotypes, on a de petits écrans d'ordinateur.

La concurrence entre les médias

On a vu au cours des trente dernières années un certain nombre de titres fleurir ou prospérer mais malheureusement on en a vu beaucoup plus mourir. L'ancien Libération, Paris-Jour, Combat, L'Aurore, Paris-Presse... Lorsqu'un journal meurt, les autres journaux ne récupèrent jamais les lecteurs qui sont perdus. Et le nombre de journaux vendus quotidiennement en France régresse. Voilà les trois constats que je peux faire.

Pierre ALBERT. — Il est étonnant de constater que les journaux anglais et allemands avaient, bien avant les journaux français, des rubriques économiques fort importantes.

Antoine-Pierre MARIANO. — Nous avons toujours eu, en matière d'information économique, un retard considérable par rapport aux Anglo-Saxons. Ce retard est en partie comblé maintenant. Je crois que beaucoup de choses changeront encore dans un pays où il y aura peut-être d'ici quelques années plus de citoyens actionnaires que de citoyens syndiqués, sans compter qu'on peut être actionnaire et syndiqué.

Bernard LAUZANNE. — A l'époque à laquelle vous vous référez, Le Figaro était lui-même un peu en retard dans la presse française à cet égard. D'autres journaux parisiens ou régionaux avaient déjà une rubrique économique beaucoup plus développée. Dans les années 60, vous avez bénéficié du fait que Le Figaro, ressentant ce décalage par rapport au Monde, a essayé d'être plus compétitif dans ce domaine.

Antoine-Pierre MARIANO. — C'est vrai mais ça n'enlève absolument rien à tout ce que je disais en matière de sources d'information.

Souvenez-vous, jusqu'en 1970, dans un groupe de pression qui est assez considérable en France, le CNPF, il y avait une seule personne pour assurer toute la communication.

Jean-Pierre FARKAS. — Être porté à passer du métier de témoin à celui d'acteur, c'est un des grands risques du métier de journaliste. On l'a vu en Mai 68 : vous racontez un événement et votre narration intervient sur le cours de l'événement. D'où ma question : avec le développement de la presse économique et financière, comment faites-vous pour maîtriser l'information économique et financière jusqu'au moment où elle peut intervenir sur les mécanismes économiques ? Moi qui ne suis pas du tout spécialiste, je suis frappé par la fragilité, la nervosité du monde financier. L'information que vous donnez intervient probablement dans les mécanismes financiers et économiques.

Antoine-Pierre MARIANO. — Toute information économique peut effectivement influencer les cours, c'est fatal. A partir du moment où l'on touche à l'information économique, on a à certains égards un « bâton de dynamite » dans notre stylo, encore que la formule soit excessive. Regardez ce qui se dit dans la presse économique anglo-saxonne avant que soient publiées les statistiques du commerce extérieur américain : suivant le déficit annoncé, ce sera bon ou très mauvais pour la Bourse, les taux d'intérêt ou le dollar remonteront. Ces choses se disent régulièrement dans toute la presse anglo-saxonne, dans la presse française également car nous les répercutons. Évidemment cela peut avoir des influences sur la Bourse. De la même manière, lorsque vous avez un entretien avec un syndicaliste de chez Peugeot par exemple, qu'il vous dit : « On va se mettre en grève la semaine prochaine », et que vous le publiez, l'actionnaire de Peugeot peut se dire que chez Peugeot ça ne va pas et vendre. A partir du moment où l'on participe à l'information sur les entreprises, on a fatalement de grosses responsabilités. A ma connaissance, je ne crois pas que nous ayons nous-mêmes provoqué des incidents, mais cela peut effectivement arriver.

J.-N. JEANNENEY. — Nous autres historiens, nous savons depuis longtemps (c'est, je crois, Raymond Aron qui l'avait dit), qu' « une idée fausse devient un faux vrai ». Ce n'est pas seulement le cas dans le domaine du journalisme économique et financier, mais il est vrai qu'il y a là une promptitude dans l'effet d'une éventuelle rumeur mensongère qui y rend votre responsabilité plus grande encore.

(Jean-Noël Jeanneney donne la parole à Jean-Francis Held.)

Jean-Francis HELD. — *Il y a environ trente-cinq ans que je pratique ce métier. L'angle que je voudrais prendre dans cette courte intervention — il faut toujours un angle pour attaquer un sujet dans le journalisme —, c'est un plaidoyer pour le risque, la véhémence et la démesure dans la presse. Dans mes trente-cinq années de journalisme, je me suis aperçu qu'il y avait beaucoup de journaux et de journalistes prudents : « Non on ne peut pas faire ça, ça ne va pas marcher. » Je les ai vus souvent avoir des difficultés et disparaître. Je crois que bien des problèmes de la presse viennent d'un manque d'inventivité, de remise en question.*

L'audiovisuel a bouleversé l'information mais a laissé un champ plus spécifique à la presse écrite. La concurrence accentuée confère une espèce de prime à l'audace. La science du marketing, les enquêtes de marché ne peuvent suffire pour trouver les bonnes formules de nos journaux. En effet, je crois qu'en matière de presse encore plus qu'ailleurs, les gens ne savent pas ce qu'ils veulent, ou du moins, ils ne savent pas l'exprimer. Quand on fait à L'Événement du jeudi des réunions avec nos actionnaires, qui sont motivés et impliqués dans cette affaire de presse, ils disent des choses étonnantes comme : « Vous devriez faire un article sur le Limousin, ça intéresserait les gens... » Ce n'est peut-être pas exactement ce qu'il faut faire.

Dans ce métier plus qu'ailleurs, il faut beaucoup d'intuition. Je suis resté longtemps dans les journaux où j'ai travaillé. J'ai passé seize ans au Nouvel Observateur. *C'était un produit qui innovait énormément. En matière de traitement des idées, pour les débats intellectuels, et en matière de problèmes de société, domaine où nous avons beaucoup inventé. La première fois que je suis arrivé avec un article pour expliquer quel était le cheminement interne et les motivations cachées d'un acheteur de Triumph TR4, au début, ils se sont dit : « Il y a quelque chose qui ne va pas. » En définitive je crois qu'ils ont eu l'intelligence de me laisser faire, et que cela a été très utile pour le journal. Quand mon amie Katia D. Kaupp écrivait un article de deux pages qui a fait sensation, « Heureuse à Mykonos », on n'était pas habitué à cela dans la presse hebdomadaire. Il y a eu quelques hoquets. Mais cela a contribué au succès du journal. Ces nouveautés devinrent ensuite obsolètes. A L'Événement du jeudi je ne peux plus faire ou faire faire cette sorte de journalisme. On a ouvert une porte* au Nouvel Observateur *dans les années 60. Ensuite, cela a été repris par les magazines, par la presse féminine. Aujourd'hui c'est usé, il faut aller plus loin.*

Libération est *un exemple, je crois, de coup d'audace, de démesure qui a réussi.* Actuel *en est un autre.* Le Monde, *dans la façon dont il a évolué sans se renier, a aussi eu le courage de ne pas suivre les indications trop précises d'études de marché. Je crois que le dernier-né n'est pas le pire.* L'Événement du jeudi, « *lancé sans un rond* » *selon la formule de Jean-François Kahn, est une relative réussite commerciale. Je crois que c'est dû à cette audace irraisonnable. Le journalisme doit aller et va à la rencontre d'une demande, mais d'une demande qu'on imagine, qu'on ressent par empathie et qu'il ne faut pas négliger par prudence. A mon avis, le manque d'audace est un mépris du lecteur. On pense que les gens ne sont pas capables d'accepter d'être surpris, d'aimer être surpris, et je ne pense pas seulement à la forme. Ce besoin d'innovation est plus grand que jamais. L'audiovisuel, loin d'occuper le champ qu'on lui prête, laisse place à une presse ambitieuse et, dans cette presse, je reste plein de confiance.*

Jean-Noël JEANNENEY. — *Votre problématique s'applique peut-être plus fortement encore à l'audiovisuel. Il me semble qu'il ne faut pas se contenter de fournir une réponse à la demande du public. On peut créer des désirs nouveaux en produisant des produits que, par définition, le public n'attend pas puisqu'il ne les connaît pas encore. Si ce genre de menace s'applique à la presse écrite, le péril est plus grand dans l'audiovisuel à cause du poids de la publicité et des publicitaires. Évidemment, si la télévision est exclusivement mue par le ressort commercial, alors le risque est très lourd que l'on rabougrisse les produits offerts pour se rabattre sur plus petit commun dénominateur des goûts instantanés et actuels du public sans tenir compte du fait qu'on pourrait en créer d'autres. D'où la nécessité d'un secteur public de l'audiovisuel.*

Jean-Francis HELD. — *Je suis d'accord avec ce que vous dites sauf quand vous dites que l'audiovisuel est mû par des préoccupations commerciales. Je disais à un confrère de A 2 récemment : « Vous faites n'importe quoi pour remplir vos carnets de commandes de publicité, c'est le règne du " prime-time ", le " nivellement par le bas ". » Pas du tout, leurs carnets de commandes de publicité sont pleins, ils en ont pour six mois, peut-être même un an, ils sont à la limite de leurs quotas. Je lui ai demandé alors pourquoi ils ne prenaient pas plus de* risques : « *Parce qu'on n'ose pas, on a peur que les autres nous dépassent.* » *Ça n'est même pas une question d'argent !* C'est une question de frilosité et de conformisme.

(Jean-Noël Jeanneney donne la parole à Bernard Lauzanne.)

Bernard LAUZANNE. — *Je suis entré au journal* Le Monde *et à la radiodiffusion française en 1945. Je suis resté au journal parlé jusque après mai 1958 et j'ai quitté* Le Monde *à la fin de 1982 où j'étais directeur de la rédaction. Je ne suis plus engagé dans la production de l'information, j'ai donc un peu plus de recul.*

Une observation liminaire sur l'importance prise par l'information économique et boursière. A chaque bulletin radio, on nous donne la Bourse de Tokyo, celle de Paris, de New York. Cette information prend une place presque trop importante car elle manipule l'opinion en lui faisant croire que tout dépend des cours de Bourse. L'an dernier, on a vu que cela pouvait entraîner des conséquences fâcheuses. Je constate même qu'un journal qui représentait l'esprit d'après Mai 68 a ouvert ses pages aux études financières approfondies et aux cours de Bourse.

J'en viens à la concurrence entre audiovisuel et presse écrite. Quand j'ai commencé ma carrière au Monde, on faisait des dernières minutes, des éditions spéciales pour annoncer les rebondissements de l'actualité. On faisait même une édition spéciale pour donner quelques lignes sur l'étape du Tour de France. La radio et la télévision ont fait disparaître les éditions spéciales, notamment avec les bulletins horaires de la radio. Pendant longtemps j'ai constaté que les journalistes de la presse écrite étaient extrêmement réticents à l'égard de la radio puis de la télévision. Il a fallu l'arrivée de plusieurs chaînes de télévision pour que dans la presse écrite, on accepte le phénomène, et que non seulement on fournisse les programmes, mais qu'on donne les comptes rendus et pour finir les suppléments radiotélévision que vous connaissez maintenant. Dans les années 60, des journalistes importants de la presse écrite disaient encore : « Pourquoi donne-t-on les programmes de radio ? C'est notre concurrence, on ne va pas donner à nos lecteurs le goût d'écouter une radio au lieu de lire un journal. » C'est un changement considérable.

Aujourd'hui, il y a une sorte de banalisation de la télévision et de la radio. Les radios qui pullulent donnent le même genre de programmes et d'informations. La presse écrite peut fournir au public des informations plus complètes, plus originales, moins prudentes et devenir ainsi le complément indispensable de l'audiovisuel.

Autre constatation, c'est qu'il y a seulement vingt ou trente ans, dans un journal, on trouvait des documents, des textes, des discours presque complets, des comptes rendus du Parlement, des traités, qui permettaient aux gens de se faire une opinion et de voir si cette opinion correspondait avec le commentaire qui suivait le document présenté. De plus en plus, nous observons maintenant une sorte de saucissonnage des documents que l'on accompagne d'un traitement rédactionnel souvent orienté. Le lecteur est capable, dans beaucoup de cas, de juger sur un document s'il est aidé par le commentaire. Mais il est très gênant et même dangereux de ne trouver dans la presse écrite que les mêmes phrases qui ont été présentées en une minute par l'audiovisuel. Il m'est arrivé de chercher ce qu'avait dit tel chef de parti politique et dans quel contexte. Or, nous ne le savons plus. Seule la presse écrite peut se permettre de donner des documents étendus. L'audiovisuel le faisait jadis à l'occasion des interventions ou des conférences de presse du président de la République qui duraient trente minutes. Il ne le fait plus. Est-ce en raison de l'audimat ? La presse écrite ne joue pas non plus à cet égard le rôle qu'elle devrait jouer.

Je constate aussi qu'il y a de moins en moins d'envoyés spéciaux et de correspondants permanents, soit à l'étranger soit même en province. Les agences jouent un rôle dominateur et elles sont fort peu nombreuses. On travaille de plus en plus sur dépêches d'agence, de moins en moins avec les correspondants. Prenons l'exemple du Japon : il a ici près de 40 correspondants de presse qui travaillent dans tous les domaines — culturel, politique, économique. La France est représentée à Tokyo par 3 ou 4 journalistes : l'AFP, Le Monde... Le correspondant de Libération est à Hong Kong et couvre l'ensemble de l'Asie.

On a parlé des problèmes de société, je pense qu'en effet il y a eu un changement très important avec la création de cette grande rubrique société, avec le travail d'investigation qui y est fait. Je crois que jadis, on suivait aussi beaucoup ces problèmes sous la rubrique « informations générales ». Le reportage d'Albert Londres sur le bagne, qui a abouti à sa suppression, était un reportage de « société ». En 1950, on a publié dans Le Monde une série de 4 ou 5 articles sur les prostituées. C'était un sujet difficile à aborder. En 1959, après les événements de 1958, nous avons publié avec le premier Libération une enquête sur la contraception, problème qui était tabou. Je voudrais aussi signaler qu'aujourd'hui on est plus prudent et moins polémique que jadis. J'ai le souvenir d'un quotidien qui titrait : « L'assassin Foch est mort » pour annoncer la mort du maréchal Foch ; et celui des éditoriaux de Léon Daudet dans L'Action française, *qui parlait du « maquereau Aristide Briand ».*

En ce qui concerne la profession, j'ai été très frappé au début de ma carrière par le fait que le recrutement s'effectuait sans aucune organisation. Pendant longtemps, j'ai entendu les vieux journalistes dire : « Il n'y a aucune école possible, ça s'apprend sur le tas. » Ils continuent de le dire peut-être mais ce qui a changé c'est la qualité des jeunes journalistes qui sont formés par l'Université et par les écoles sérieuses de journalisme, notamment par le CFJ. Je crois qu'un débutant ne peut plus maintenant entrer directement dans un journal, à moins que le journal veuille le prendre pour le former, mais l'expérience prouve que les journalistes ont rarement le temps de s'en occuper.

Jean-Noël JEANNENEY. — *Vous montrez à nouveau le péril qu'il y a à jeter un regard trop statique et non dynamique sur ces choses, en particulier à propos de la concurrence entre la presse écrite et l'audiovisuel. L'idée qu'il y aurait un nombre fixe de lecteurs à conquérir est une idée fallacieuse. La crainte qu'ont eue les journaux écrits par rapport à la radio et à la télévision s'est manifestée une fois encore en 1983 lorsque des quotidiens régionaux se refusaient à publier les programmes des radios locales publiques. Pourtant, l'arrivée de ces radios a enrichi d'un seul coup, non seulement l'information mais le besoin d'information (en particulier dans les régions pauvres en information : Creuse, Périgord). On a alors vu les journaux régionaux, bien loin de perdre des lecteurs, augmenter leurs tirages.*

(Jean-Noël Jeanneney donne la parole à Bernard Voyenne.)

Bernard VOYENNE. — *Permettez-moi d'intervenir sur un point qui vous paraîtra sans doute plus particulier, mais qui a aussi une valeur générale. Je parlerai de la transformation et de la « décadence », permettez-moi le mot, de la fonction de secrétaire de rédaction. Le secrétaire de rédaction est le plus ancien personnage de la presse, en France et partout. C'est l'homme qui a fait à lui seul le journal jusqu'au moins à la première moitié du XIXᵉ siècle et dans beaucoup de cas, son rôle s'est prolongé après. Les anciens journaux étaient faits essentiellement de collaborations extérieures, de pièces et de morceaux qui venaient de toutes les directions, et qui étaient le plus souvent d'ailleurs élaborés par des gens qui n'étaient pas des journalistes au* sens où nous l'entendons aujourd'hui, mais par des gens de lettres. Un homme unique était chargé de faire un ensemble équilibré avec ces éléments disparates. Ce secrétaire de rédaction était à l'origine de la collecte de tous ces éléments, puis il relisait, corrigeait, revoyait, harmonisait tout. Il faisait les titres, surveillait l'élaboration du journal jusqu'à sa phase finale.

Cette fonction, en se diversifiant, a duré jusqu'à ma jeunesse. J'ai connu encore ces grands secrétaires de rédaction de l'ancienne école : Raymond Manevy de Paris-Soir, puis France-Soir, Pascal Pia à Combat, qui avait le titre de directeur mais qui était en fait le secrétaire de rédaction du journal, Chênebenoit du Monde. Ces gens étaient très différents mais ils avaient des traits communs. Une grande culture : ils connaissaient la collection du journal et celles des concurrents par cœur. Ils étaient souvent les hommes les plus cultivés du journal, avaient une formation universitaire solide, une grande connaissance de la langue, un grand discernement, tous les domaines de l'information leur étaient familiers. En contrepartie c'étaient souvent des gens ombrageux, maniaques, voire un peu pédants.

La fonction a évolué avec l'apparition de la mise en pages moderne. A partir du moment où la présentation graphique est devenue prédominante, où la confection du titre est une vraie technique, une division du travail, peut-être inévitable, s'est instaurée entre ceux qui revoyaient la copie et qui ont eu tendance à n'être que de simples réviseurs et dont la compétence s'est dégradée, et les maquettistes qui s'occupaient plus spécialement de la fabrication. Aujourd'hui le terme de secrétaire de rédaction n'a plus du tout son acception globale. Il désigne plutôt des « metteurs en pages », une catégorie supérieure de maquettistes. Par le biais de cette évolution interne du métier, on saisit que plus le journal devient un produit, au sens matériel du terme, plus reculent l'idée et par conséquent l'homme. Nous avons affaire à des entreprises de plus en plus techniques, de plus en plus complexes, de plus en plus productives et efficientes, mais où il manque de plus en plus l'âme ou l'esprit.

Jean-Noël JEANNENEY. — Comment expliquez-vous le passage d'une formation « sur le tas » à une formation d'école ?

Bernard VOYENNE. — Auparavant le secrétaire de rédaction était aussi le professeur de journalisme. Les journalistes étaient formés sur le tas mais quand ils avaient affaire à un bon secrétaire de rédaction et qu'ils souffraient sous la férule de cet adjudant de quartier, ils sortaient au bout de quelques années de ce travail en étant vraiment formés. Aujourd'hui « être formé sur le tas » signifie ne pas avoir reçu de formation. Déjà dans l'entre-deux-guerres, on n'avait plus le temps de former les jeunes. C'est à ce moment qu'est née en France une formation systématique des journalistes. Le journalisme étant conçu auparavant comme une espèce d'art, de fantaisie, l'idée de former des journalistes paraissait aux vieux confrères aussi folle que celle d'une école de poètes. Cette formation d'école est donc née de la nécessité de suppléer à la formation interne qui avait existé de façon empirique et qui n'existait plus. La première école de journalisme est née à Lille, de préoccupations très spécifiques dans l'entre-deux-guerres, au sein des facultés catholiques de Lille. Les militants de l'action catholique pensaient que les médias leur échappaient. L'école de Lille est donc née de l'idée de former des militants catholiques connaissant les techniques de presse. Par la suite, elle a beaucoup évolué. En ce qui concerne le CFJ, il est sorti des besoins nés après-guerre et de la reconstruction de la presse nouvelle en 1944. Aux États-Unis, les écoles de journalisme étaient apparues dans le Middle West au XIXᵉ siècle pour former les journalistes qui s'installeraient dans les villes nouvelles. Il y fallait tout construire. Les premières universités du Middle West étaient très techniques et formaient à tous les métiers des villes pionnières.

(Jean-Noël Jeanneney donne la parole à Jean-Pierre Farkas.)

Jean-Pierre FARKAS. — *Jean-Francis Held a très bien fait de parler de ce qui reste de passionnel encore dans ce métier, c'est-à-dire d'irrespect, de lyrisme, d'amour du risque. Ce qui n'a pas changé c'est que nous avons la chance de faire un métier de passionnés. Je n'ai pas de statistiques mais je pense qu'il y a plus de journalistes heureux que de gynécologues, de professeurs ou de charcutiers heureux. Pour moi, j'ai eu envie de devenir journaliste en découvrant les journalistes. J'ai eu envie de faire de la radio en cherchant « Londres » pour ma grand-mère pendant la guerre, d'écrire dans des journaux en lisant les journaux de la Libération. C'est un métier qui garde donc une charge émotionnelle qu'il faut que vous compreniez. C'est une profession qui n'a jamais le temps de réfléchir sur elle-même, c'est vrai, mais qui s'interroge sans arrêt. Dernière chose qui n'a pas changé dans ma vie de journaliste, c'est la capacité d'émerveillement. Tous les jours la même question revient : « Quoi de neuf ? » Je suis surpris à peu près tous les jours.*

Ce qui n'a pas changé non plus hélas c'est la relation que nous avons avec le pouvoir, notamment le pouvoir politique. C'est une relation d'incompréhension. Un homme politique n'aime une télévision, une radio, un journal que s'il peut s'y exprimer. Il n'est heureux que s'il entend ce qu'il a envie d'entendre. Je pense que nous manquons beaucoup de combativité à l'égard des hommes politiques. Il faudrait faire nôtre la maxime affichée pendant la guerre des Malouines par le directeur de la BBC : « Une veuve argentine vaut une veuve à Portsmouth. » En France, nous sommes trop polis avec les politiques. Un exemple : Marchais était interrogé par Duhamel à la télévision. Duhamel est quelqu'un de très courtois. Il pose une question à Marchais qui répond complètement à côté. Duhamel, timidement, dit : « Mais ça n'était pas ma question. » Réponse de Marchais : « C'était ma réponse. » Ce que nous nous reprochons, c'est d'accepter cette langue de bois. Nous sommes là un peu pour essayer de briser cette muraille qui est dressée entre le public et les gens qui décident (les politiques, les économistes). Je me demande si le journalisme sous la IVe République n'était pas un peu plus insolent. J'ai vu comment aux États-Unis nos confrères pratiquent dans les conférences de presse : un journaliste qui succède à un confrère qui n'a pas obtenu de réponse repose toujours la même question.

Ce qui a changé de mon point de vue c'est d'abord l'environnement économique de notre profession. J'ai fait ce métier parce que je ne voulais pas en faire d'autre. Je me disais : « Je cesserai de le faire lorsque je n'y prendrai plus de plaisir. » J'ai eu ce bonheur pendant quinze ans de ma vie ; maintenant ce n'est plus possible car il n'y a plus de marché. Ce que j'aimais dans ce métier c'est que j'étais un homme libre. C'est un peu moins vrai. Il est difficile de quitter une radio, une chaîne, pour aller dans une autre. Ce qui commence à me gêner aussi c'est quand le commerce prime sur l'information. Je me fâche lorsque je vois qu'à la télévision un événement est passé sous silence parce que c'est la chaîne concurrente qui a les images.

Dans le monde actuel, une information est d'autant plus importante qu'on a les moyens de la diffuser et de la faire couvrir. Dans l'appréciation d'un événement, à partir du moment où une affaire est traitée et grossie notamment par les médias américains, on donne à cette information beaucoup plus de poids. Un exemple particulièrement significatif : une prise d'otages dans un palais de justice à Nantes est devenue cent fois plus intéressante parce qu'il y avait la chaîne américaine CBS par hasard dans la région, qui a demandé une liaison satellite. C'est devenu ainsi un grand fait divers.

En ce qui concerne la technique, à la radio on est passé du nagra à la VHF, qui évitait de passer par un centre de répéteur, on pouvait passer à l'antenne en direct. Maintenant, on a des moyens extraordinairement souples et légers pour l'information à la radio. A la télévision, on est passé du film à la vidéo, à la Bétacam. On fait du direct au point que les chaînes de radio ont changé de stratégie à cause de la concurrence de la télévision. Le public a subi aussi une mutation. Il est passé du poste familial au transistor et au walkman. Il est aujourd'hui fractionné en individus autonomes. La concurrence est beaucoup plus difficile, d'autant plus que nous avons désormais face à nous des gens qui sont gavés. Devant ce bombardement d'informations, c'est l'indifférence. La bataille de la concurrence, de la complémentarité entre médias est finie. Le vrai problème, lié à l'avance technologique, c'est que nous devons faire face à un public qui est vacciné, indifférent, et qu'il faut réveiller.

J'ai une seconde observation à faire, surprenante si l'on considère justement l'avancée technologique. La radio est devenue extraordinairement mobile et souple et on n'entend plus de sons. C'est un miracle quand passe un petit reportage avec des bruits qui évoquent quelque chose. Quant à la télévision — à l'exception des magazines — le paradoxe est que nous disposons de moyens techniques pour faire des images sublimes sur l'actualité mais nous n'avons plus d'images au journal. Je me réjouis car c'est la presse écrite qui bénéficie de ces déficiences et sera la grande gagnante des décennies à venir. Le journalisme d'investigation qui est pratiqué quelquefois à la télévision, le journalisme de passion, de colère, c'est maintenant le grand succès de la presse écrite. Dans la presse de province, il y a des enquêtes fort bien faites, voyez La Presse de la Manche. La donne a donc été redistribuée.

(Jean-Noël Jeanneney donne la parole à Hervé Brusini.)

Hervé Brusini. — Je suis le représentant d'un instrument qui est frileux, qui a peur du pouvoir, qui ne respecte plus les documents — lorsque le président de la République parle, nous ne retransmettons plus son allocution. Nous sommes avalés par la publicité et ses basses préoccupations. On se demande comment on peut rester dans un métier pareil.

Tout ceci est peut-être un peu excessif. Pour prendre un exemple, il n'y a pas très longtemps, vous avez pu voir le Premier ministre parler du référendum sur la Nouvelle-Calédonie en direct, et le lendemain, toutes les autres formations politiques qui ont pu s'exprimer comme elles l'ont voulu. Inutile de vous dire que pendant ce temps-là, nous avons perdu à peu près 10 % de notre auditoire. *Il faut qu'un bon journaliste prenne un angle. Le mien sera le reportage. Lorsqu'il est bien fait, il est un « instrument de vérité ». Le reportage c'est un constat, c'est le témoignage, ce qui ne plaît pas toujours au pouvoir. Toute atteinte au reportage est une question politique. Toute atteinte, quelle qu'elle soit, même de nature économique. Le service public n'a pas vraiment les moyens actuellement de faire ce reportage comme il faudrait le faire.*

Le reportage a subi d'importantes mutations et il faut pour le comprendre faire intervenir le compte du visible et de l'invisible. Le témoignage de notre confrère du Figaro *est à ce sujet intéressant. Il est reporter du sujet économique, c'est-à-dire d'une chose qui n'est pas visible. Et peu à peu, il a vu son domaine s'amplifier, les documents s'accumuler, et il est bien obligé d'en rendre compte. Car la société dans laquelle il fit prend de plus en plus en considération ce facteur économique. Tout naturellement, le journaliste a promu l'économie, comme il a promu des tas d'autres savoirs. Regardez l'évolution des soirées électorales. Elles ont considérablement changé. Des spécialistes viennent vous parler des différentes interprétations possibles. Peu à peu, en matière politique, en matière économique ou médicale, les spécialistes deviennent les « messieurs qui savent » et occupent le premier rang. Ils sont censés nous donner des explications au-delà de l'image. Comme si le son et l'image devaient être bien vite dépassés. Cela veut dire que le reporter type « Cinq colonnes à la une » est le représentant d'un ancien art de faire l'information. Le reportage de Jack London est mort. C'est un constat terrible pour un journaliste.*

Parallèlement, les services de presse se sont eux aussi considérablement développés. Il y a donc une prédigestion de l'information « tous azimuts » qui fait que le journaliste velléitaire qui voudrait quand même aller sur le terrain pour se renseigner est de moins en moins incité à le faire. Dans les studios ou dans les salles de rédaction, il devient un sédentaire. Il a de moins en moins de correspondants locaux, de correspondants internationaux. En matière de service public, c'est cruellement vrai. Nous avons à A 2 quatre à cinq bureaux de moins que TF 1. La plupart des images du journal télévisé proviennent d'EVN, qui est une sorte de bourse internationale d'images ; A A 2, notre journal contient un à deux tiers d'images EVN. TF 1 fait son journal presque entièrement avec des images originales. Pour nous c'est une humiliation.

Il y a donc une évolution profonde. Les reporters du visible sont devenus les reporters de l'invisible. C'est une mutation intellectuelle profonde, c'est la mutation d'une société. L'intérêt pour l'acheteur de R 16, dont parlait Jean-Francis Held, s'explique parce qu'à côté il y avait Roland Barthes qui réfléchissait sur la DS. On parle du fait de société parce qu'on cherche cet au-delà du fait qui produit un autre journalisme et qui remet en cause le reportage, qui le redéfinit. Sans porter de jugement de valeur, cette redéfinition est à prendre en compte.

Les choses changent aussi sur d'autres plans. Notre prudence proverbiale à l'égard du pouvoir politique est, je l'espère, un mauvais souvenir. Nous disons aujourd'hui des choses que nous n'aurions jamais dites, il y a dix ou quinze ans. Mais, paradoxalement, les moyens techniques formidables dont nous disposons ne sont pas utilisés aujourd'hui dans cet esprit. Il faudrait réhabiliter l'image et le son, dans les séquences d'actualité. Quant au recrutement, il se fait de manière totalement anarchique. On va dans une chaîne de télévision par d'innombrables voies. On peut entrer par des stages, par télé-matin, par des piges, etc. C'est vrai en revanche que le niveau s'est amélioré et qu'il y a de plus en plus de gens ayant une formation universitaire.

Jean-Francis HELD. — Il faut insister sur un fait. Je suis tout à fait d'accord que la télévision s'est beaucoup émancipée. Il est vrai que le coup de fil du ministre, qui s'est fait énormément, se fait beaucoup moins. En revanche, la dictature directe du politique est remplacée par un ogre encore plus implacable : l'audimat. Une censure, on peut se battre contre elle. L'audimat, on ne peut pas, c'est un rouleau compresseur. Il y a des grilles qui sont électroniquement déterminées. Il n'y a pas moyen de faire exception, même pour le document sur le général de Gaulle qui est passé dernièrement à 11 heures du soir. On pourrait prendre le risque de passer des choses plus intéressantes et on ne le fait pas. C'est vrai pour toutes les chaînes — sauf Canal Plus qui est un peu différente. Les journaux télévisés se ressemblent tous. Les jeux sont à la même heure, les films sont à la même heure. L'imagination qui pourrait permettre de changer, d'attirer, est employée tout entière à « encager » l'imagination de l'autre. Loin de penser qu'il y ait trop d'État dans l'audiovisuel, je commence à souhaiter qu'il y en ait davantage. Entendons-nous, pas pour brider l'information mais pour déterminer les règles d'un nouveau jeu plus sain, d'une plus grande indépendance. Qu'on arrête de se calquer, pour faire un jeu libre et ouvert. La France ne peut garder une telle télévision qui est idiote *jusqu'à 22 h 30 et de temps en temps intellectuelle de 23 heures à minuit. La culture passe par la télévision.*

Jean-Noël JEANNENEY. — *Vous avez raison de dire qu'il faut plus d'État à cet égard, mais un autre État que celui qui emprisonne l'information. Du côté de la télévision commerciale, on ne pourra jamais échapper au résultat que vous dites. Il n'y a qu'une solution, c'est qu'un autre secteur vive, avec d'autres rythmes, des financements sûrs et des garanties de durée et de dignité. C'est là qu'on revient à la nécessité de l'indépendance par rapport aux pouvoirs publics. Ayons le courage de redonner plus d'État si une organisation autre de son fonctionnement dans ce domaine (avec notamment un « sas » du type de la Haute Autorité qui soit efficace) permet de garantir cette indépendance.*

Antoine-Pierre MARIANO. — *Ce que Jean-Pierre Farkas a dit est vrai : le journalisme est une passion.*
Par ailleurs, on nous a parlé des journalistes japonais en France et des journalistes français au Japon. Je crois que la disproportion correspond à peu près à la différence de poids entre l'économie japonaise et l'économie française, ainsi qu'à la vigueur plus grande de la presse japonaise. En ce qui concerne les correspondants en province, s'il est vrai qu'il y en a moins aujourd'hui, c'est que le monde a changé. Pourquoi avoir un correspondant à Nice et à Bordeaux alors que nous pouvons être prévenus par un seul coup de téléphone ou une dépêche, et qu'il y a, je crois, 27 avions qui vont de Paris à Nice tous les jours. Il est facile d'envoyer quelqu'un dans les deux heures qui suivent. Dernier point sur les rapports de la presse, notamment quotidienne, et de la télévision. La télévision est devenue de plus en plus une source d'information. Lorsqu'un ministre a des choses à dire, il ne le dit plus dans la presse écrite. Il préfère la télévision. De ce fait nous sommes obligés, nous presse écrite, de suivre la télévision pour ne pas manquer les petites phrases ou les déclarations importantes. Pour nous, la télévision est devenue une source d'information obligée. Il nous faut suivre « L'Heure de vérité », « Questions à domicile », « Le Club de la presse » d'Europe n° 1 ou le « Grand Jury RTL-Le Monde ». Nous devons traiter cette information au deuxième degré. C'est souvent en fonction des audiences des émissions du soir qu'il faut sélectionner les informations du journal du matin : l'audimat nous indique celles dont on ne peut pas ne pas tenir compte.

Marc MARTIN. — *Tout le monde observe le recul du reportage dont vous avez signalé les risques. Vous avez envisagé la question des moyens. Mais le coût du reportage est-il toujours si grand? On n'est pas obligé d'aller au Kenya pour faire des reportages. Le quai du RER à 8 heures du matin serait aussi un bon sujet de reportage. Pourquoi ce type de reportage ne se fait-il pas? Je complète ma question par une remarque. Vous avez distingué le reportage d'enquête du reportage d'examen. Il y a peut-être encore des choses à faire dans le reportage d'enquête. Est-ce que vouloir privilégier le reportage d'examen n'est pas un alibi? N'est-ce pas une façon de faire une information orientée qui vous convient?*

Jean-Pierre FARKAS. — *Le problème de l'audimat n'est pas si simple. Certes, les conditions économiques pèsent sur notre liberté. Mais l'audimat a une justification. Malheureusement, pour pouvoir exprimer ce que l'on veut sur une radio, une télévision ou dans un journal, il faut avoir un public ou des lecteurs. J'ai été le dernier rédacteur en chef de* Combat, *mais ce journal, quand il est mort, n'était plus un journal. Pourquoi? Parce qu'il avait perdu ses lecteurs.*

André-Jean TUDESQ. — *Je voudrais poser une question sur le rapport des journalistes au lecteur, à l'auditeur et au téléspectateur, à propos d'une étude publiée par Jérôme Jaffré et Missika dans* Médias-pouvoirs. *Elle comparait deux sondages de 1975 et 1987, et constatait une diminution de la crédibilité des journalistes, touchant davantage les journalistes de la presse écrite que ceux de la télévision. L'expérience professionnelle des participants de la table ronde les amène-t-elle à infirmer ou à confirmer cette évolution?*

Hervé BRUSINI. — *Le concept de crédibilité est-il pertinent? Il met en cause la confiance et la vérité. Je ne suis pas sûr que ce soit un mode d'approche très performant.*

Bernard LAUZANNE. — *La crédibilité accrue du journaliste de télévision est peut-être due à des réformes qui ont accordé petit à petit aux diverses chaînes, aux rédactions, une plus grande indépendance pour présenter les événements. En ce qui concerne la presse écrite, je pense que c'est lié à l'évolution politique du pays. L'opinion a constaté que les différents partis, à gauche ou à droite, ont proposé des solutions qu'ils n'ont pas pu appliquer quand ils ont été au* pouvoir, ou qui ont abouti à un échec. Les journalistes avaient fait des prévisions et ont été emportés dans le même torrent.

En ce qui concerne les correspondants, le rapport de 1 à 10 entre correspondants japonais et français ne me paraît pas correspondre au niveau relatif de nos économies ; quant au correspondant en région, il n'est pas seulement un témoin lié au journal et au milieu, il peut aussi donner des pistes pour des enquêtes de longue haleine, permettre de pénétrer les provinces par l'intérieur, alors qu'en passant par des agences nous traitons l'information au coup par coup. Le rôle du correspondant est négligé pour des raisons économiques, car le journaliste envoyé par le siège central est extrêmement coûteux. Mais il a à l'égard des pouvoirs locaux s'il est à l'étranger — comme aujourd'hui à Alger —, ou à l'égard de l'administration et des notables locaux s'il est en France, une indépendance que n'a pas le journaliste local, même s'il envoie des papiers à une agence ou à un journal de Paris. On en vient à l'idée que le bon travail du journaliste est étroitement lié à l'indépendance matérielle du journal.

X. — Hier il a été dit que l'investigation coûtait cher. Je voudrais avoir une idée chiffrée du coût d'une enquête par rapport à un journalisme plus sédentaire. On a parlé aussi des pressions des lecteurs ou des téléspectateurs. J'aurais voulu savoir quelles étaient les réactions du public à la suite d'une enquête comme celle sur l'affaire Greenpeace par exemple.

Jean-Francis HELD. — Un reportage à l'étranger d'une quinzaine de jours peut coûter 30 à 40 000 F de frais sans compter le salaire du journaliste — disons 10 000 F — plus les charges sociales. C'est différent selon les pays. En Suède, la vie est trois fois plus chère qu'ailleurs... Dans les journaux qui peuvent le faire, les billets d'avion sont souvent obtenus par échange, c'est-à-dire qu'on publie un certain nombre de pages de publicité pour Air-France, ou d'autres compagnies. Mais cela est comptabilisé comme une sortie d'argent.

S'il est vrai que le reportage tel qu'on se le représente à dos de chameau ou de mulet est révolu, en revanche, le journalisme d'investigation à l'exemple des Anglo-Saxons progresse beaucoup. Cette forme de journalisme signifie rester deux, trois, quatre mois sur une affaire. On voyage, on dépouille tous les documents, on rencontre des centaines de personnes. Cela coûte évidemment très cher.

Hervé Brusini. — *Le type de réactions des téléspectateurs que j'ai pu observer, ce sont des coups de fil adressés à mon directeur, ou des coups de fil du P-DG, des syndicats. Par exemple, sur l'affaire Luchaire, la CGT nous disait que nous allions démolir le gisement de travail. En ce qui concerne le freinage du reportage par les frais, la plus longue enquête que j'ai pu faire personnellement a duré vingt jours. Lorsque j'entends parler de nos confrères américains, je les envie. Pour illustrer la différence des pratiques : un journaliste du Washington Post est arrivé ici il y a quinze jours pour une affaire qui a sa source en France et touche aux élections américaines. Nous ne sommes toujours pas au travail là-dessus alors que nous savons de quoi il s'agit.*

Jean-Noël Jeanneney. — *Il me revient, non pas de conclure — je m'en garderai bien tant était riche ce débat —, mais de saluer nos invités et de dire que la rencontre entre le « narcissisme des journalistes » (je cite Jean-Pierre Farkas) et la curiosité distanciée des historiens, fondée sur une analyse de long terme, est toujours stimulante et enrichissante.*

Table

Avant-propos, Philippe Vigier 9

Introduction : Journalistes et journalisme français d'hier à aujour-
d'hui, Marc Martin 11

PREMIÈRE PARTIE

PRATIQUES DU JOURNALISME
DANS LA PRESSE ÉCRITE

Pratiques du journalisme et crise de la presse quotidienne, Pierre
Albert. 31
La rhétorique de la désinvolture, Michel Truffet 43
Discussion 50
Dix ans de politiques rédactionnelles au *Dauphiné libéré*, Bernard
Montergnole 56
Journalistes et médias face aux événements caennais de janvier 1968,
Gérard Lange 64
Discussion 77

DEUXIÈME PARTIE

JOURNALISMES ET JOURNALISTES
DANS L'AUDIOVISUEL

Reportages et débats politiques à la radiodiffusion française (1945-
1974), Nathalie Carré de Malberg 83

La fabrication du journal parlé, Cécile Méadel 95
Discussion 108
Le problème de l'évolution du statut de l'image dans l'information
   télévisée, Francis James 113
Les journalistes de télévision, l'émergence d'une profession (1949-
   1968), Jérôme Bourdon 123
Les journalistes multimédias, André-Jean Tudesq 137
Discussion 151

TROISIÈME PARTIE

JOURNALISTES ET SPÉCIALISTES, INFORMATION OU COMMUNICATION

Le journaliste saisi par la communication, Yves Lavoinne 161
Professeur et éditorialiste au *Figaro*, Annie Kriegel 174
Discussion 187
Histoire et journalisme. Remarques sur une rencontre, Jean-Pierre
   Rioux 192
Les journalistes entre l'opinion publique et les hommes politiques,
   Dominique Wolton 206
Discussion 218

QUATRIÈME PARTIE

LE POUVOIR DES JOURNALISTES, LES JOURNALISTES ET LE POUVOIR

Le journaliste, témoin ou acteur ?, Pierre Barral 225
L'espoir perdu des sociétés de rédacteurs (1965-1981), Marc Martin 233
Discussion 246
Les relations des journalistes et du pouvoir dans la presse écrite et
   audiovisuelle nationale de 1960 à 1985, Rémy Rieffel 251
Les mutations de l'information télévisée en 1969, Isabelle Veyrat-
   Masson 266
Discussion 280

Table ronde présidée par Jean-Noël Jeanneney 285

La composition de ce livre
a été effectuée par Bussière à Saint-Amand,
l'impression et le brochage ont été effectués
sur presse CAMERON
dans les ateliers de la S.E.P.C. à Saint-Amand-Montrond (Cher)
pour les Éditions Albin Michel

Achevé d'imprimer en janvier 1991.
Nº d'édition 11253. Nº d'impression 3378-2495.
Dépôt légal : janvier 1991.